O OVO DA SERPENTE

CONSUELO DIEGUEZ

O ovo da serpente

*Nova direita e bolsonarismo:
seus bastidores, personagens e a chegada ao poder*

Copyright © 2022 by Consuelo Dieguez

*Grafia atualizada segundo o Acordo Ortográfico da Língua Portuguesa de 1990,
que entrou em vigor no Brasil em 2009.*

Capa
Maria Cecilia Marra

Imagem de capa
vinap/ Shutterstock

Preparação
Beatriz Antunes

Checagem
Érico Melo

Revisão
Clara Diament
Natália Mori

Dados Internacionais de Catalogação na Publicação (CIP)
(Câmara Brasileira do Livro, SP, Brasil)

> Dieguez, Consuelo
>   O ovo da serpente : Nova direita e bolsonarismo : Seus basti-
> dores, personagens e a chegada ao poder / Consuelo Dieguez. — 1ª
> ed. — São Paulo : Companhia das Letras, 2022.
>
>   ISBN 978-65-5921-112-8
>
>   1. Bolsonaro, Jair Messias, 1955- 2. Brasil – Política e governo 3.
> Direita e esquerda (Ciência política) – Brasil - História I. Título.

22-117683	CDD-320.981

Índice para catálogo sistemático:
1. Brasil : Política e governo   320.981

Eliete Marques da Silva – Bibliotecária – CRB-8/9380

[2022]
Todos os direitos desta edição reservados à
EDITORA SCHWARCZ S.A.
Rua Bandeira Paulista, 702, cj. 32
04532-002 — São Paulo — SP
Telefone: (11) 3707-3500
www.companhiadasletras.com.br
www.blogdacompanhia.com.br
facebook.com/companhiadasletras
instagram.com/companhiadasletras
twitter.com/cialetras

Para Marina, Luiza e João Vicente

Sumário

Prólogo	9
1. O ovo da serpente	29
2. "Brasil acima de tudo"	56
3. "Deus acima de todos"	74
4. Limpando a barra no STF	88
5. À procura de um partido	105
6. Nas redes	120
7. O poder econômico entra no jogo	144
8. O que a imprensa não viu	179
9. "Manda essa doida de volta pra São Paulo"	198
10. A campanha virtual	217
11. O agronegócio: "Estamos apanhando do PT há quinze anos"	239
12. Vitória sem sabor	264
Epílogo	273
Agradecimentos	299
Notas	300
Lista de entrevistados	304
Referências	306

Prólogo

"DO CANDIDATO CUIDO EU"

Na manhã do dia 5 de setembro de 2018, o tenente-coronel Marco Antônio Rodrigues de Oliveira, então comandante do 2º Batalhão da Polícia Militar de Minas Gerais, sediado em Juiz de Fora, recebeu quatro agentes da Polícia Federal em seu gabinete, na sede da companhia. Ele esboçou um sorriso irônico quando o chefe da comitiva, Marcelo Hamal de Oliveira, com ar de superioridade, lhe comunicou como seria feita a segurança do presidenciável Jair Bolsonaro, do PSL, na visita que faria à cidade, no dia seguinte, para uma caminhada seguida de um comício. "Nós somos da segurança do candidato. Ele é nossa responsabilidade. Vocês cuidam da cidade", Hamal determinou. Oliveira não questionou. Complacente, respondeu: "Perfeito. Do que vocês precisam?". O agente foi taxativo. "Apoio para controlar o trânsito. Deixa um efetivo próximo caso dê algum problema. Cuida da sua cidade. Do candidato cuido eu."

Terminada a breve reunião, Oliveira comunicou a decisão da PF a seu superior, coronel Alexandre Nocelli, que o instruiu a escalar o comandante do centro da cidade para a tarefa de controlar o trânsito. Mas, na manhã do dia 6, Oliveira decidiu ir pessoalmente aos locais por onde o candidato passaria para "testar a temperatura". Por ser uma cidade universitária, que abriga inclusive uma universidade federal, Juiz de Fora é palco de vários movimentos sociais. A poucas horas da chegada de Bolsonaro, alguns grupos de manifestantes já estavam posicionados para protestar contra sua presença — em especial aqueles ligados ao movimento LGBTQIA+, que acusavam Bolsonaro de homofobia.

Oliveira não se preocupou nem achou o clima tenso. Já estava acostumado com os manifestantes de esquerda. A ideia que tinha deles era de que gostavam de fazer drama. Nas manifestações, quando a PM se aproximava, atiravam-se no chão, pedindo para não ser agredidos. "Eles são teatrais. Por isso artista é tudo de esquerda", costuma dizer. Oliveira, então com 28 anos de profissão, no começo se incomodava com as músicas que os manifestantes cantavam contra a tropa durante os protestos. "Não acabou,/ tem que acabar,/ eu quero o fim da Polícia Militar." Pegou birra do pessoal da Universidade Federal de Juiz de Fora, onde sua filha estudou, mas depois aprendeu a levar na esportiva: quando os manifestantes xingavam a PM, ele fazia coraçãozinho com as mãos. Por isso, estava convencido de que a "turma da esquerda" não faria confusão. E, de fato, por volta do meio-dia os manifestantes se dispersaram.

No começo da manhã do dia 6, Bolsonaro saiu do Rio numa caminhonete Pajero preta blindada, tendo ao lado o general da reserva Carlos Alberto dos Santos Cruz — um dos mais respeitados militares brasileiros, peça importante na campanha pela influência que exercia sobre os fardados —, que acompanhava Bolsonaro na viagem para colocar assuntos pendentes em dia. Por volta das 10h45, a comitiva já era esperada por apoiadores na entrada da cidade. Bolsonaro pediu que o carro parasse e foi para o corpo a corpo cumprimentar os apoiadores. Santos Cruz, com compromissos a cumprir, se despediu dele e voltou para o Rio, e o candidato seguiu seu roteiro. O carro em que estava era acompanhado por seguranças privados contratados pelo grupo local Direita Minas, por doze agentes da Polícia Federal — durante a campanha todos os candidatos têm direito a segurança da PF —, Hamal entre eles, e por alguns jornalistas.

A primeira parada programada era no Hospital Maria José Baeta Reis, mantido pela Associação Feminina de Prevenção e Combate ao Câncer. Ali, a quantidade de apoiadores à sua espera já crescera significativamente, e a confusão na porta era grande. A chegada do candidato, seguido por seguranças, jornalistas, fotógrafos e cinegrafistas, transformou o saguão num pandemônio, assustando alguns pacientes em tratamento e seus acompanhantes.

Bolsonaro foi levado para o auditório do hospital, mas parte da imprensa ficou de fora da coletiva, o que provocou mais gritaria. Durante sua fala, para que não duvidassem de sua masculinidade, ele brincou com a cor da camiseta, rosa-choque, que vestiu para divulgar a campanha de prevenção ao câncer de mama, e concedeu uma breve entrevista, na qual atacou os partidos de esquerda, principalmente o PT e o PSOL, responsabilizando-os pelo caos que, segundo ele, se instalara no país.

Às 12h32, seguiu para o Trade Hotel, quase em frente ao hospital, onde empresários o aguardavam para um almoço organizado pela Associação Comercial. Mas a espera foi em vão. Alegando cansaço, Bolsonaro escapou para o restaurante Assunta, o mais sofisticado da cidade, a poucos metros dali, em cujo interior há uma pequena e agradável cascata natural. Foi acompanhado apenas de um pequeno séquito, frustrando o grande grupo que esperava desde cedo para ouvi-lo. Naquele ponto, a aglomeração de apoiadores do candidato começava a preocupar alguns integrantes da comitiva. Havia dúvida se os doze agentes federais escalados para a sua segurança dariam conta de protegê-lo. Um dos apoiadores, mais comedido, chegou a sugerir a um dos policiais que Bolsonaro desistisse de encarar a multidão e fazer a caminhada. Ouviu como resposta: "E vai frustrar essa gente toda?".

Passava das três da tarde quando Bolsonaro chegou ao parque Halfeld, ponto nevrálgico da cidade, onde o percurso se iniciaria. O local tinha um significado importante para a campanha do ex-capitão, que mesmo nos seus quase trinta anos como deputado sempre fizera questão de se associar mais à caserna do que ao Parlamento. Perto dali fica o casarão do qual o general Olímpio Mourão Filho, comandando uma tropa de cem homens, partiu em direção ao Rio de Janeiro, na madrugada de 31 de março de 1964, para depor o presidente João Goulart através de um golpe militar que resultou numa ditadura de 21 anos. Como Juiz de Fora sedia o atual comando da 4ª Brigada de Infantaria Leve de Montanha do Exército, há uma concentração de escolas militares na cidade e no seu entorno, além de centros de treinamento militar. Por essa razão, a circulação de estudantes dessas escolas e de jovens cadetes na cidade é expressiva — um pessoal que, em sua maioria, costuma se identificar ideologicamente com os valores da direita.

Naquele dia, a presença massiva desses jovens no parque Halfeld chamou a atenção do tenente-coronel Marco Antônio Oliveira, que logo percebeu que a marcha em apoio a Bolsonaro seria composta mais de homens que de mulheres, o contrário do que acontecia nas manifestações da esquerda, nas quais a presença feminina era expressiva. Em lugar de esquerdistas festivos, de cabelos coloridos e roupas descontraídas com os quais Oliveira estava acostumado a lidar, o que ele via ali eram grupos de homens sarados e com expressão raivosa, como se se preparassem para uma batalha.

A poucas quadras dali, Adélio Bispo de Oliveira, nascido na cidade mineira de Montes Claros, deixara pela manhã a pensão onde tinha se hospedado para acompanhar a movimentação de Bolsonaro na cidade, primeiro no Trade Hotel e depois no alto do parque Halfeld. Nos últimos tempos circulara pelo país como andarilho. Sua última parada havia sido em Florianópolis, onde chegou a trabalhar como pedreiro e como auxiliar de garçom em um restaurante. Naquele 6 de setembro, levava consigo, enrolada em um jornal, uma faca de cabo preto e lâmina metálica de trinta centímetros de comprimento, além de dois celulares velhos e uma carteira com documento de identidade.

Quando Bolsonaro apareceu no parque, mais de 5 mil pessoas o aguardavam. O candidato chegou de carro, na companhia do filho do meio, o vereador pelo Rio de Janeiro Carlos Bolsonaro, apelidado pelo pai de Zero Dois. Como trocara de carro, deixara o colete à prova de bala que costumava usar em outro veículo da comitiva. Mesmo sem a proteção, decidiu seguir no meio da multidão eufórica, que o tratava como ídolo pop. Ao descer do carro, foi imediatamente colocado nos ombros dos apoiadores, e iniciou-se o percurso. Adélio acompanhava a movimentação, mas tinha dificuldade de se aproximar, sobretudo porque, até aquele momento, Bolsonaro estava bem cercado pelos agentes da PF. O presidenciável continuou a jornada ovacionado.

O tenente-coronel Oliveira assistia impressionado ao movimento. Nos seus anos de PM, só havia presenciado manifestações da esquerda e se assustou com a concentração de gente da direita. Não fazia ideia de como esse movimento havia ganhado tanta força. Em frente à Câmara dos Vereadores, Bolsonaro fez o gesto de arma com as mãos, marca registrada da campanha. No prédio ao lado, um centro cultural, ele parou para descansar e tomar água antes de seguir adiante nos ombros dos seguidores. A onda masculina e barulhenta cruzou a avenida Rio Branco, uma das mais movimentadas de Juiz de Fora, obrigando a PM a parar o trânsito por cerca de cinco minutos. Para evitar um nó nas vias da cidade, Oliveira tinha destacado um grupamento de policiais para organizar o trajeto dos manifestantes, impedindo que tomassem as ruas. Outro grupo de policiais seguia ao lado dos apoiadores, para agir em caso de tumulto. O oficial estava num terceiro grupo de PMs, fechando a manifestação.

A multidão prosseguiu pelo calçadão da rua Halfeld, uma via apertada, cercada de prédios dos dois lados. Numa via tão estreita e tomada por uma aglomeração daquele porte, a circulação do candidato não era recomendável. Um franco-atirador em uma das janelas alvejaria Bolsonaro sem dificuldade. Mas a segurança do presidenciável pareceu não se preocupar com esse risco, e o tumulto, ao longo do trajeto, só aumentava. Jornalistas e fotógrafos que acompanhavam a turba se queixavam da truculência dos policiais federais, que os empurravam e agrediam verbalmente. Ao contrário da escolta de outros políticos, que costuma dar espaço para a imprensa atuar, a de Bolsonaro impedia que se aproximassem do candidato. Ao fim de cerca de trezentos metros de caminhada, o entusiasmo dos apoiadores era apoteótico. Ficava cada vez mais difícil para os doze agentes blindar Bolsonaro da multidão.

Quando ele, ainda carregado nos ombros, se aproximou da esquina da rua Batista de Oliveira, os policiais federais perderam o controle da situação. Os apoiadores, urrando ao seu redor, já haviam rompido o frágil cordão de isolamento, e a confusão era tanta que os agentes não se deram conta de que havia um homem, à distância de um braço, apontando na direção do candidato um jornal dobrado, que poderia conter qualquer coisa, de um revólver a uma faca. Enquanto isso, Bolsonaro, extasiado, acenava para a multidão. Com a bagunça armada, Adélio pôde tentar atingi-lo mais de uma vez. Numa das investidas, por causa do tumulto, acabou sendo empurrado para longe do alvo. Mas, minutos depois, às 15h42, quando Bolsonaro, perdendo o equilíbrio, inclinou o corpo para a frente, Adélio finalmente cumpriu seu objetivo e enterrou a lâmina em seu abdômen. Apenas um homem pareceu se dar conta do que estava acontecendo: o soldado da PM em Juiz de Fora Erlon Rossignoli, que estava de folga e acompanhava a marcha. Quando percebeu o golpe da faca, ele conseguiu empurrar o braço de Adélio, alterando milimetricamente o percurso da lâmina.

Instalou-se o caos. Os urros de euforia viraram gritos de pavor. Enquanto parte da multidão se dispersava, dando início a um corre-corre desordenado, o cenário ficava mais ameaçador. O tenente-coronel Oliveira, que seguia o candidato à distância, ouviu gritos de que Bolsonaro havia sido baleado. Achou que fosse uma pegadinha, mas ainda assim seu grupo, que fazia a retaguarda, correu para ver o que acontecera. Quando chegaram, Bolsonaro tinha acabado de ser colocado numa viatura da Polícia Federal, que seguiu na contramão pela faixa de ônibus, já bloqueada pela PM, para o hospital mais próximo dali, a Santa Casa de Misericórdia — um trajeto de um quilômetro e meio, percorrido em sete minutos.

Antes de chegar ao local do atentado, Oliveira foi alcançado pelo capitão Alexandre Barbosa, da PM de Minas Gerais, que lhe deu a notícia, esbaforido: "Bolsonaro foi esfaqueado".

"LEMBREM DE TANCREDO NEVES"

O cirurgião Gláucio Souza, da Santa Casa de Misericórdia de Juiz de Fora, havia chegado cedo ao hospital e passado a manhã do dia 6 ocupado com uma cirurgia de transplante de fígado, sua especialidade. Estava satisfeito com o resultado. Esse tipo de procedimento tinha virado rotina na vida do médico, já que a Santa Casa de Juiz de Fora é um dos mais importantes centros de transplante do órgão do país. Depois da cirurgia, com o paciente controlado, o dr. Gláucio almoçou no próprio hospital. Em seguida, realizou duas cirurgias simples, ambulatoriais. Como não estava de plantão — o chefe do plantão era o dr. Luiz Henrique Borsato, outro especialista experiente —, ele se preparou para encerrar o expediente e rumar para o seu consultório.

Contudo, pouco antes de deixar o hospital, às 15h47, foi informado por um colega de que Jair Bolsonaro havia sido esfaqueado e estava sendo levado para a Santa Casa. Chegou a duvidar da notícia, mas logo recebeu por WhatsApp um vídeo do momento da facada. Ao ver o registro, assustou-se: "Se esse cara ainda estiver vivo, temos que correr". O médico, então com 44 anos e vasta experiência em cirurgia de trauma, traçou o diagnóstico baseado no vídeo que recebera. Como o golpe fora dado de baixo para cima, era provável que tivesse atingido o coração do candidato. Além disso, Bolsonaro parecia muito pálido, sinal de uma grave hemorragia interna.

Ainda que o coração não tivesse sido atingido, Souza dava como certo e grave o dano causado pela facada. Ele e mais dois colegas, sem saber se encontrariam o paciente com vida, correram para a emergência. No corredor, deram com o chefe do plantão, que se dirigia para a mesma ala. Outros especialistas nesse tipo de procedimento que estavam na Santa Casa naquele momento também se puseram a caminho. Sabiam que o dr. Borsato precisaria de toda a ajuda disponível.

A facada atingiu Bolsonaro no epigástrio, região onde ficam o intestino, o fígado e diversas artérias vitais. Ao entrar no hospital, ele já estava em choque hipovolêmico, provocado pela hemorragia interna, e com a pressão quase a zero. Se por um incidente o socorro tivesse atrasado alguns minutos, o presidenciável poderia não ter resistido ao ataque. Na emergência, foi imediatamente atendido pela cardiologista Camille Borges, que conseguiu estabilizar sua pressão ministrando grandes doses de soro para compensar a perda de sangue.

Por não se tratar de um presidente da República, e sim de um candidato, a Santa Casa não estava preparada para uma emergência daquela magnitude. Nas visitas presidenciais, há a exigência de que as cidades mantenham um hospital em alerta para atender o mandatário e sua comitiva, se necessário. Para isso são reservados leitos e criadas vias alternativas — as chamadas rotas de fuga — para que os veículos oficiais possam acessar o centro médico com rapidez. Naquela situação, nada disso havia sido planejado. A equipe, entretanto, foi célere: em menos de quinze minutos o paciente passou pela estabilização na emergência, fez a tomografia e foi levado para o centro cirúrgico 3C, o melhor do hospital, na ala cardíaca. Quando os cirurgiões chegaram à sala, dois anestesistas, enfermeiros instrumentadores e outros profissionais de apoio já estavam de prontidão. Não havia tempo a perder. A gravidade era tamanha que o dr. Gláucio cortou os pelos do abdômen do candidato com o próprio bisturi, em vez de passar a máquina, como de praxe. Começava uma dramática corrida para salvar a vida de Bolsonaro.

Feita a incisão, os médicos se espantaram: cerca de três litros de sangue se espalhavam no interior do paciente, quase os impedindo de ver os ferimentos. O coração, no entanto, não tinha sido atingido. Revendo o vídeo do atentado, os médicos entenderam a razão: ao empurrar o braço de Adélio para o lado, o soldado Erlon Rossignoli mudou a direção do corte, afastando a lâmina para menos de um centímetro do coração. Não fosse isso, Bolsonaro àquela altura estaria morto.

Mas o caso era muito grave. "Parecia haver um chuveiro dentro dele, pela quantidade de sangue que jorrava dos ferimentos", relembraria Gláucio Souza. A primeira providência dos médicos foi estancar o sangramento usando buchas de tecido sobre as mais de cinco perfurações feitas no seu intestino e na artéria mesentérica. Enquanto um médico continha o sangue, outro suturava o ferimento. Doses de soro e sangue eram ministradas para manter a pressão estável. A condição do paciente era desesperadora.

Do lado de fora da Santa Casa, a situação também era tensa. Uma multidão ensandecida de apoiadores rumara para lá, e a PM decidira cercar as entradas do hospital para evitar que o prédio fosse invadido. Todos queriam informações sobre Bolsonaro. A assessora de comunicação da Santa Casa, Michelle Cafiero, uma jovem e ágil jornalista, pediu calma aos colegas que se acotovelavam na entrada do hospital à espera de notícias. Tomou também o cuidado de recolher todos os celulares dos funcionários do andar do centro cirúrgico e da sala onde se realizava a cirurgia. E a intenção não era só proteger a privacidade do candidato: ela sabia que, se qualquer imagem vazasse, o hospital poderia perder o certificado de qualidade por desrespeito à intimidade do paciente. Só não conseguiu reter os aparelhos dos policiais federais postados à porta do centro cirúrgico, que se recusaram a entregá-los, e de Carlos Bolsonaro e do coordenador da campanha do presidenciável, o advogado carioca Gustavo Bebianno, os únicos autorizados a entrar no centro cirúrgico para assistir ao procedimento.

Bebianno, um homenzarrão forte, lutador de jiu-jítsu, que entrara na campanha no final de 2017, havia se transformado não só no principal conselheiro político do candidato, como também numa mistura de psicólogo, anjo da guarda e leão de chácara. Era ele quem controlava a agenda, os passos e as pessoas que se aproximavam de Bolsonaro, o que acabou gerando grande ciumeira entre os auxiliares mais antigos. Seu zelo era tanto que chegou a carregar o ídolo nos ombros em algumas manifestações em seu apoio.

Bebianno beirava a histeria quando chegou ao hospital, junto do carro da PF que trazia o candidato. "Mataram meu capitão, mataram meu capitão!", berrava sem cessar, suando e chorando muito. Prestes a desmaiar, foi medicado com ansiolítico e anti-hipertensivo, e só depois de mais calmo pôde entrar no centro cirúrgico para acompanhar o início da operação ao lado de Carlos. O clima era de consternação também entre os policiais federais que faziam a segurança do andar. Alguns, sem se conter, choravam.

**

No Rio de Janeiro, a esposa do presidenciável, Michelle Bolsonaro, estava no bairro do Jardim Botânico, Zona Sul carioca, na casa do lobista Paulo Marinho, um importante colaborador da candidatura, quando foi informada do atentado. A área de lazer da mansão, que incluía academia de ginástica, uma sala de cinema e outra de jogos, se abria para o amplo jardim com piscina, de onde se tinha uma bela vista da cidade. Poucos meses antes, o local se transformara no QG da campanha: ali eram gravados os vídeos que iriam para a TV e as redes sociais, discutiam-se estratégias, recebiam-se apoiadores importantes e prováveis integrantes do possível governo.

Por ter trânsito na sociedade carioca, na imprensa e no mundo político e jurídico, Marinho fora levado para a campanha por Bebianno, amigo de longa data que apostava em seus contatos para aproximar Bolsonaro dos endinheirados e dos formadores de opinião. Até então, o candidato contava apenas com o apoio das redes sociais e de seguidores radicais e truculentos (em sua maioria ligados à área de segurança, como policiais e bombeiros), embora alguns empresários de São Paulo e de Brasília já tivessem se associado a ele no final de 2016.

Coube ao filho de 23 anos de Marinho, o advogado André Marinho — que começava a fazer sucesso na internet com a imitação perfeita da voz e do jeito de Bolsonaro —, dar a notícia a Michelle. Ela se desesperou, sobretudo porque se sabia muito pouco acerca do real estado do marido. Na casa do Jardim Botânico, sentada em um sofá branco da sala onde funcionava o bunker do político, ela segurou a mão de André Marinho e lhe fez um pedido inusitado: "André, por favor, fala comigo com a voz dele". O rapaz, constrangido, fez o que ela pediu. Acomodou-se ao lado dela e falou, ao seu ouvido, com a voz do candidato que tantas vezes imitara nas suas redes, inclusive em peças de humor. "Mi, fica tranquila. Vamos confiar em Deus que vai dar tudo certo." Confortada, ela agradeceu.

Escoltada por André e Paulo Marinho e pelo primo dos filhos de Bolsonaro, Leonardo Rodrigues de Jesus, apelidado de Índio, Michelle foi até a casa da família, no condomínio Vivendas da Barra, de frente para o mar da Barra da Tijuca, pegou uma muda de roupa e partiu para Juiz de Fora. O trajeto até a cidade mineira, feito em média em duas horas e meia, levou o dobro do tempo em razão do feriado. Ao longo do caminho, com André e Paulo Marinho, ela relembrou histórias do marido. Contou como haviam se conhecido e confessou ter detestado o primeiro beijo. No Pavelka, restaurante alemão na serra de Petrópolis onde o grupo parou para comer, a televisão noticiava o atentado. Michelle evitou olhar.

Nesse meio-tempo, os dois outros filhos do primeiro casamento de Bolsonaro — Flávio, em campanha para o Senado pelo PSL do Rio de Janeiro, e Eduardo, concorrendo a deputado federal pelo mesmo partido, mas por São Paulo — também já estavam a caminho da cidade. A comoção familiar era grande.

Na Santa Casa, Bebianno e Carlos Bolsonaro foram acomodados em dois extremos do centro cirúrgico para não atrapalhar a movimentação e acompanharam, em silêncio, os primeiros procedimentos. Havia uma razão para estarem ali. Numa eleição tão polarizada como aquela — na mais recente pesquisa de intenção de voto, divulgada na véspera pelo Ibope, Bolsonaro liderava a corrida presidencial com 22% da preferência dos eleitores, seguido de longe por Marina Silva, da Rede, e Ciro Gomes, do PDT, empatados em segundo lugar com 12% cada —, os médicos queriam ser totalmente transparentes quanto à cirurgia, para não dar margem a especulações de que não tinham feito o possível para salvar o candidato.

Embora acostumada a procedimentos de alto risco, a equipe médica sabia que estava sob os olhos do Brasil e do mundo. Por isso, antes da operação, Borsato e Souza enfatizaram: "O homem que está deitado aqui é um paciente como outro qualquer. Nada de medo ou ansiedade. Não vamos fazer nada diferente do que faríamos com uma pessoa na mesma situação".

O mesmo reforço foi dado por um dos médicos da direção do hospital, que entrou na sala para acompanhar o andamento da cirurgia. "Não inventem nada. Façam o procedimento-padrão a que estão acostumados. Lembrem de Tancredo Neves", disse. Ele se referia ao ex-presidente morto dias depois de se submeter a uma cirurgia para tratar uma diverticulite aguda. À época, levantou-se a suspeita, nunca comprovada, de que teriam sido adotados métodos pouco convencionais para poupá-lo de ações mais invasivas, levando a óbito o primeiro presidente civil eleito depois do regime militar.

A equipe da Santa Casa estava habituada a lidar com emergências e operar pacientes em estado grave, inclusive com a polícia na porta, mas sabia que aquela era uma situação explosiva. O sujeito na frente deles tinha grandes chances de se tornar o próximo presidente do Brasil. Se ele não sobrevivesse, os médicos pressentiam que as consequências seriam danosas — não só para eles, que ficariam com a reputação em risco, como também para a Santa Casa de Juiz de Fora. "Imaginou se Bolsonaro tivesse morrido? Seríamos crucificados. Iriam nos acusar de tudo. De incompetentes, de despreparados, até de assassinos", diria Gláucio Souza tempos depois. Imaginavam também que os colegas dos grandes centros talvez passassem a tratar com demérito os "médicos do interior", colocando em xeque sua capacidade de exercer a medicina. Já o hospital filantrópico poderia sofrer corte de recursos, perda de pacientes e de credibilidade, cancelamento de convênios com planos de saúde ou mesmo ataques dos seguidores do candidato.

Enquanto os médicos lutavam para salvar Bolsonaro, a pressão sobre eles só aumentava. Durante a cirurgia, ouviam os comentários trazidos por pessoas que entravam na sala e souberam que, no afã por notícias, a imprensa estava divulgando qualquer informação que recebesse — inclusive as equivocadas. Uma delas, publicada pelo site de notícias O Antagonista e depois replicada por outros grandes veículos, era de que a cirurgia estava sendo feita por laparoscopia, prática inadequada para aquela situação. Os profissionais consultados pelos jornalistas sobre o procedimento ficaram horrorizados com aquela possibilidade, e, como resultado, a equipe da Santa Casa recebeu críticas infundadas.

Um dos entrevistados pelo portal foi um figurão do Hospital Albert Einstein, o cirurgião Roberto Macedo, que depois assumiria o caso e elogiaria a competência dos colegas mineiros. Num primeiro momento, porém, quando soube pela imprensa sobre a técnica que supostamente seria utilizada na cirurgia, arrasou com a equipe da Santa Casa. A desinformação causou tanto alvoroço que, em dado momento, a equipe médica foi instada pelo pessoal da campanha a interromper a cirurgia e liberar o candidato para ser operado em São Paulo. Gláucio e Borsato nem sequer levantaram a cabeça. Ao ouvir a proposta, limitaram-se a mandar os emissários "à puta que os pariu".

Decisões precisavam ser tomadas depressa pela equipe. Enquanto suturavam os cortes no intestino, os médicos fizeram uma rápida assembleia, que lhes tomou menos de um minuto: tinham que decidir se submeteriam ou não o paciente a uma colostomia. Adotariam o procedimento-padrão para casos como aquele, ainda que muitos considerassem a colostomia uma violência para o paciente? A intervenção seria de fato necessária, dado que o sangramento estava controlado e os cortes suturados? O dr. Gláucio não titubeou: "Vamos fazer".

Sua avaliação era de que a colostomia somente poderia ser dispensada em pacientes jovens e que não tivessem entrado em choque nem perdido sangue em grande quantidade. A situação de Bolsonaro era oposta em todos os aspectos: tinha mais de sessenta anos, era hipertenso e entrara em choque hipovolêmico, correndo sério risco de morrer. A conclusão do dr. Gláucio — sobre a qual houve consenso — foi que, caso não se fizesse a colostomia, poderia haver vazamento de fezes na emenda do intestino, o que levaria o paciente à morte por septicemia.

No momento em que essa discussão acontecia, Bebianno e Carlos Bolsonaro já tinham saído da sala. Os médicos, acreditando que seria muito chocante e cansativo acompanhar uma cirurgia tão invasiva, pediram que os dois se retirassem, mas se comprometeram a mantê-los informados sobre o andamento da operação. A primeira boa notícia que trouxeram foi o controle do sangramento, o que afastava o risco de vida.

Tudo caminhava para um desfecho bem-sucedido, até que, para a surpresa do pessoal do hospital, vazou na internet uma foto de Bolsonaro com os braços abertos, perpendiculares ao corpo e apoiados nos suportes laterais da mesa de cirurgia. A imagem acabou sendo usada pela campanha para representar Bolsonaro como um Cristo na cruz, ideia imediatamente assimilada por seus apoiadores nas redes sociais. No instante em que a foto foi publicada, o candidato — como seu pessoal previra — passou a ser visto como um mártir da política brasileira, alguém que arriscara a vida pelo seu país.

Para a direção do hospital, porém, o desgaste causado pela divulgação indevida da imagem foi ainda maior que a profanação. Michelle Cafiero precisou correr para explicar que o vazamento não tinha partido dos profissionais da Santa Casa — algo que mais tarde seria confirmado por uma investigação informal interna na qual se apurou que, pelo ângulo da foto, seu autor só poderia ter sido Gustavo Bebianno.

Liberado para o CTI e já fora de perigo, Bolsonaro passou a ser disputado pelos maiores hospitais do país. Depois da cirurgia de mais de quatro horas, os médicos que o salvaram, ainda sem saber ao certo o que se passava, se viram enfileirados na escada do andar do centro cirúrgico e foram rapidamente treinados por Cafiero para falar com a imprensa. Era a primeira vez que a Santa Casa, que estava no centro do noticiário nacional e internacional, tinha de lidar com um caso de tanta repercussão, e a orientação da assessoria era de que a equipe fosse didática e evitasse jargão médico. Quando a coletiva terminou, Gláucio Souza pôde enfim checar o celular. Seu WhatsApp registrava mais de 530 mensagens parabenizando a equipe pela cirurgia — até um amigo que estava em Dubai havia assistido à entrevista nas emissoras de lá.

Mas nem tiveram tempo de comemorar o sucesso do trabalho. Ao voltar para o CTI para ver como o paciente estava, descobriram que os organizadores da campanha já pensavam em levá-lo, ainda naquela noite, para São Paulo. Os médicos não autorizaram, decretando que Bolsonaro só sairia dali à luz do dia. A responsabilidade pela vida do paciente ainda era deles, afinal.

Àquela altura, dois aviões já tinham saído de São Paulo para resgatar o paciente. O primeiro levava a bordo o cirurgião Roberto Macedo, do Einstein; o outro, dois médicos do Hospital Sírio-Libanês, os mais fortes candidatos a assumir o pós-operatório. O diretor-geral do Centro de Cardiologia do Sírio, o cardiologista Roberto Kalil, havia sido contatado por Paulo Marinho, que lhe pediu que enviasse sua equipe para atender Bolsonaro.

Ao saber do atentado, Leticia Catelani — ou Leticia Catel, como era conhecida nas redes sociais —, secretária-geral do PSL em São Paulo, ligou para o amigo e também dirigente do partido em São Paulo, o advogado Victor Metta, sugerindo irem para Juiz de Fora. A jovem empresária do setor de comércio exterior, fervorosa apoiadora de Bolsonaro, expressou sua preocupação com a integridade física do candidato: ela duvidava da capacidade dos médicos mineiros de o salvarem. Metta, após falar com a amiga, ligou para Meyer Nigri, dono de uma das maiores construtoras do país, a Tecnisa, apoiador de primeira hora de Bolsonaro e conselheiro do Hospital Albert Einstein, pedindo orientação. Nigri imediatamente contatou o cirurgião Roberto Macedo, do Einstein, pedindo que fosse a Juiz de Fora. Macedo voou para lá no monomotor pertencente ao escritório de advocacia de Metta, que pilotou ele mesmo o avião.

Mas a disputa estava acirrada. Roberto Kalil também queria as glórias de ter Bolsonaro como paciente no Sírio-Libanês, e despachou para Juiz de Fora dois de seus médicos mais conceituados, não sem antes ter um sério bate-boca por telefone com o presidente da Santa Casa, o médico Renato Loures, que não aceitava a interferência de Kalil no trabalho de sua equipe.

Catel e Metta seriam os responsáveis por convencer Eduardo Bolsonaro de que o pai dele deveria ser transferido para o Einstein, com o argumento imbatível de que o Sírio "era o hospital dos petistas", por ter atendido os ex-presidentes

Luiz Inácio Lula da Silva e Dilma Rousseff. Decidida a questão, ficou acertado que, logo na manhã do dia 7, uma UTI aérea do plano de saúde de Bolsonaro viria buscá-lo para levá-lo ao hospital em São Paulo.

Ainda na noite da cirurgia, Paulo e André Marinho fizeram uma visita rápida a Bolsonaro na Santa Casa. Ao vê-los, o candidato esboçou um sorriso e assegurou: "É só não fazer mais nada que a eleição está ganha".

"ELES QUEREM SANGUE"

Quando o tenente-coronel Oliveira chegou ao local do atentado, Adélio Bispo de Oliveira já tinha sido levado por agentes federais e policiais militares para o primeiro andar de um prédio de fachada verde, na esquina da rua Batista de Oliveira com a Halfeld, onde funcionava a loja de um chaveiro. Logo ao lado fica a lanchonete onde Bolsonaro fora colocado no chão por alguns minutos, antes de ser encaminhado para a Santa Casa. "O pessoal quer invadir o prédio para matar o sujeito", avisou o capitão Alexandre Barbosa, acrescentando que Adélio só não fora linchado porque o soldado Erlon Rossignoli havia se jogado sobre ele depois de desviar o curso da faca e imobilizá-lo no chão.

Para chegar até o prédio, o tenente-coronel precisou enfrentar uma multidão que se aglomerava do lado de fora da pequena portaria na tentativa de invadir o local. Oliveira mandou vinte de seus policiais se postarem ali para impedir que os manifestantes arrebentassem a grade. Antes de subir até o chaveiro, fez um alerta a seus subordinados: "Tratem de conter essa gente. Se entrarem, vão matar todo mundo que está lá em cima. Não vão querer saber se é soldado, cabo ou sargento. Eles querem sangue".

Quando entrou na sala, ele se assustou. Descontrolados, os policiais federais haviam tirado a camisa do preso e o surravam sem parar. *Porra, isso vai dar merda*, pensou ao ver a cena. Temendo pela vida do suspeito, que, acuado, já estava com a língua de fora, alertou: "Parem com isso. Vamos tirar ele daqui e levar pra delegacia da Polícia Federal". Mas ele sabia que a tarefa era complicada. Com a confusão armada na rua, Oliveira pediu reforço para a corporação. Enquanto aguardava, examinou os documentos de Adélio Bispo de Oliveira e passou a interrogá-lo.

"Por que você fez isso, cara?"

"Porque eu não concordo com as ideias dele."

"O que você veio fazer aqui?"

"Vi que ele ia estar em Juiz de Fora e vim pra cá", respondeu, e pouco falou depois disso, limitando-se a repetir que não concordava com as ideias do candidato.

Ao perceber que o suspeito não diria mais nada, Oliveira pediu a seus policiais que descobrissem mais sobre ele. Olhando o perfil de Adélio no Facebook, descobriram informações curiosas. A primeira delas era que ele estivera no mesmo clube de tiro frequentado por Carlos Bolsonaro em São José, perto de Florianópolis, o Clube e Escola de Tiro .38. Souberam também que ele tinha sido filiado ao PSOL de Uberaba, em Minas Gerais, entre 2007 e 2014. Oliveira então lhe perguntou o motivo de seu desligamento do partido, e Bispo respondeu que era porque os dirigentes não haviam permitido sua candidatura para deputado federal. Mais tarde, os agentes federais tomariam o depoimento do presidente do partido em Uberaba, José Eustáquio dos Reis, e de outros integrantes da sigla e concluiriam "não [haver] qualquer elemento ou indicativo que possa envolver terceiros vinculados ao referido partido na trama delituosa de Adélio Bispo de Oliveira".

Quando foi informado da antiga filiação de Adélio ao PSOL, Oliveira achou por bem omitir a informação da imprensa até que os investigadores fizessem contato com o diretório do partido em Uberaba. Seu temor era que apoiadores de Bolsonaro, enfurecidos como estavam, atacassem outros militantes de esquerda, que nada tinham a ver com o caso. Não adiantou. A imprensa logo descobriu e tornou pública a informação — e a campanha de Bolsonaro tratou de explorar o fato ao máximo. Quando a PF explicou que o partido não estava ligado ao caso e que a atuação de Adélio na legenda fora irrelevante, a ideia de que o PSOL pudesse estar envolvido no atentado já estava inoculada no imaginário de muitos eleitores de direita. Para eles, não restava dúvida de que os integrantes dos partidos de esquerda eram terroristas.

O tenente-coronel Oliveira, entretanto, lastreado por seus muitos anos de polícia e pela experiência com os mais diversos tipos de criminosos, traçou um diagnóstico de Adélio depois de algum tempo de conversa com ele: era um desequilibrado mental. Não estava bêbado nem drogado no momento do ataque e não reagiu quando apanhou dos policiais federais. Ao contrário, manteve-se calmo, com o olhar perdido, e não chorou nem gritou enquanto os agentes o xingavam e batiam nele perguntando por que tinha feito o que fizera. Ele só repetia a mesma frase, como um mantra: "Não gosto das ideias dele". Para Oliveira, aquela indiferença era típica de uma personalidade psicótica, incapaz de esboçar reação mesmo em momentos tensos.

Ele também observou que Adélio era um acumulador compulsivo. Sua carteira estava recheada de panfletos recebidos na rua: de cartão de dentista a anúncios de venda de aparelhos de TV. Nada que tivesse importância. Mais tarde seriam recolhidos do quarto da pensão em que o criminoso estava hospedado um notebook velho, cartões de banco, um seguro de vida e uma carteira de trabalho com registros de garçom e de pedreiro. Esses empregos haviam possibilitado que Adélio juntasse 8 mil reais em sua conta, valor que os investigadores acharam compatível com seus proventos, dado que vivia com extrema simplicidade.

Ao contrário do homem detido, os agentes federais responsáveis pela segurança de Bolsonaro estavam descontrolados. Dois deles, agarrados aos celulares, choravam enquanto falavam com interlocutores que, pelo teor das conversas, pareciam ser seus superiores em Brasília. Desesperados, diziam coisas como: "Nós estamos fodidos", "Vão tirar a gente de Brasília e mandar pra fronteira", "Vão mandar a gente pros infernos".

Quando o reforço para levar Adélio em segurança para a delegacia da PF chegou, depois de quarenta minutos de espera, o tenente-coronel Oliveira, temendo que os fotógrafos postados à saída do prédio flagrassem as marcas dos tapas desferidos no autor da facada, mandou que colocassem um blusão preto sobre ele. Em seguida, chamou o capitão Alexandre Barbosa e combinou: "Vamos descer em cinco minutos. Então, na hora que descermos com o sujeito, você *gasa* tudo aqui em volta" — o que, no jargão da PM, significa lançar gás pimenta em cima dos manifestantes.

Ao deixar a loja, o tenente-coronel segurou Adélio pelo pescoço para evitar que tentasse fugir. Mas, enquanto desciam as escadas, um dos agentes federais bateu nele novamente. Oliveira se exasperou: "Já avisei que é pra parar com isso". Nesse momento, os fotógrafos dispararam suas câmeras. E foi assim que o tenente-coronel, um homem de olhos vivos e zombeteiros, apareceu em toda a imprensa nacional e internacional, do *New York Times* ao *Guardian*, do

Washington Post à Al Jazeera: segurando o pescoço do preso com um semblante enfezado. Ele diria depois que sua expressão irada tinha menos a ver com Adélio, que estava imobilizado e sem risco de escapar, do que com o agente federal.

Diligente, o capitão Alexandre Barbosa seguiu as ordens de Oliveira e mandou sua turma soltar gás nos manifestantes. O problema é que, com o vento contrário, o gás foi na direção dos policiais, que quase se intoxicaram. O tumulto era tal que a equipe de segurança — policiais, bombeiros e agentes penitenciários que estavam de folga e participavam da passeata, além de PMs da reserva — se deu conta de que o pessoal que fazia a escolta de Adélio corria o risco de ser atacado, então decidiram agir. Por conta própria, se deram os braços e formaram um cordão de isolamento até a entrada do carro, uma S10 preta, para que os colegas de farda pudessem passar em segurança e colocar o criminoso na caçamba. A viatura partiu sob os urros da multidão enfurecida: "Uhhh, vai morrer! Uhhh, vai morrer!".

Na delegacia, Oliveira se aproximou do agente Hamal, que avisara na véspera ser responsável pela segurança do presidenciável, e não se conteve. Com ar maroto, bateu nas costas do colega e mandou: "O candidato é seu, nego". Foi o único instante de descontração, porque a situação ali também era complicada. Três delegados da Polícia Civil, inconformados ao saber que o preso não tinha sido levado para alguma delegacia de sua jurisdição, bateram boca com os policiais militares por acreditarem que estes não deveriam ter deixado os federais no comando da situação, roubando o protagonismo que poderia ter sido deles.

Aquela não seria a única disputa pelos holofotes. A facada havia provocado um frenesi entre os candidatos ao Legislativo estadual e federal — muitos saídos das forças de segurança e ligados a partidos de direita —, que viram no atentado uma oportunidade de ganhar a simpatia dos eleitores. No mesmo 6 de setembro, houve uma enxurrada de lives e postagens em redes sociais de candidatos se vangloriando por terem ajudado a evitar a morte de Bolsonaro ou a prender o criminoso. Aqueles que não tinham participado da manifestação exageravam nas mensagens de solidariedade ao presidenciável e a sua família. Um cabo da Polícia Militar de Juiz de Fora, que concorria a deputado federal, chegou a angariar 10 mil votos graças à descrição, publicada em suas redes, de sua atuação no episódio. Já o soldado Erlon Rossignoli, o único a de fato ter um papel decisivo na história, recolheu-se. Saiu das redes sociais, não concedeu entrevistas e não fez postagens.

Até o governador de Minas Gerais, Fernando Pimentel, do PT, se aproveitou da situação. Ele deu ordem à Polícia Militar em Juiz de Fora para que não se manifestasse sobre o caso. A orientação passou a ser de que todas as entrevistas e explicações seriam fornecidas pela comunicação social do governo do estado. O governador se transformou num dos maiores porta-vozes do caso, ganhando visibilidade com as várias entrevistas que concedeu nos dias que se seguiram.

No dia 7 de setembro, por volta das sete da manhã, Bolsonaro foi transportado no avião-hospital para São Paulo. Temeroso de protestos nas ruas, o prefeito de Juiz de Fora mandou suspender o desfile do Dia da Independência, para a frustração das escolas e das forças de segurança que haviam se preparado para a festa. O pessoal da esquerda também se recolheu, com medo de confrontos com os apoiadores de Bolsonaro. Pela primeira vez em anos, o Grito dos Excluídos, em protesto às más condições de vida dos deserdados, que saía todo Sete de Setembro, foi suspenso.

Adélio Bispo de Oliveira foi transferido para uma cela especial, onde começaria a ser interrogado. Sem saber como, ganhou um advogado, Zanone Manuel de Oliveira Júnior, que viera de Belo Horizonte no próprio dia 6 para defendê-lo. Alegando sigilo profissional, recusou-se a dar explicações sobre quem o contratara — comportamento que alimentou as especulações sobre a origem do atentado. Uma das que tinha ganhado mais força dizia que Adélio Bispo teria recebido apoio para cometer o crime. A campanha de Bolsonaro chegou a insinuar, inclusive, que o advogado tinha sido contratado pelos partidos de esquerda, que se apressaram em negar qualquer envolvimento com o crime.

A verdade é que, até assumir o caso de Adélio Bispo de Oliveira, Zanone Júnior advogava majoritariamente na área cível da Justiça de Minas Gerais, em causas como indenizações por acidente de trânsito, danos morais, falências de empresas, direito do consumidor e direito previdenciário. Sua experiência em direito penal anterior à facada era praticamente nula. Mais tarde, em 2020, Zanone Júnior se repaginaria: montaria um escritório especializado em direito penal, além de criar um curso de direito, o Criminal Busine$$. Num anúncio veiculado na internet, ele aparece falando ao celular com jeito de galã de série americana sobre advogados. Abaixo da foto, a mensagem sugestiva: "Deixe de ser um simples operador do direito e transforme-se em um advogado empreendedor através do método Criminal Busine$$".

Foi só quando o avião decolou da base de Juiz de Fora, levando um Bolsonaro convalescente para São Paulo, que o tenente-coronel Marco Antônio Oliveira pôde respirar aliviado. Como declarou para alguns jornalistas, "quando se mexe com segurança pública, você não quer perturbação, só paz".

Após o atentado, o presidenciável, com míseros oito segundos por semana na TV, ganharia uma exposição de 24 horas, algo com que nenhum outro candidato contava. Sua campanha alçava um novo patamar. O episódio ajudou a mudar os rumos da eleição presidencial de 2018 e, com ela, a cara da política brasileira, que passou a ser exercida com uma raiva jamais vista desde a redemocratização do país, em 1985.

Esta é a história de como um ex-capitão do Exército, desconsiderado por seus superiores — e posteriormente também por seus pares no Parlamento —, se tornou presidente da nona economia do mundo com o apoio de 57,8 milhões de eleitores. É também a história de como Bolsonaro foi capaz de reunir a seu redor evangélicos, empresários, ruralistas, operadores do mercado financeiro, militares, jovens ativistas, eleitores de centro ressentidos por ser chamados de fascistas, além de milhões de deserdados que pularam para o seu barco depois de o ex-presidente Lula ser impedido pelo Supremo de concorrer à presidência.

Bolsonaro arrebanhou os votos de brasileiros que, de uma hora para outra, passaram a se identificar como "de direita". O fenômeno ganhou um apelido: *bolsonarismo*. E apesar de tomar de empréstimo o nome do então candidato e atual presidente da República, a nova direita brasileira nunca se limitou aos bolsonaristas. Pelo contrário: colocou sob um mesmo guarda-chuva grupos tão díspares como os conservadores nos costumes, os liberais na economia, os defensores da intervenção militar e os caçadores de corruptos nascidos na Operação Lava Jato. O bolsonarismo era — e continua sendo — uma dentre as muitas expressões da nova direita. A novidade é que, sob Bolsonaro, um político que fez carreira atacando tudo e todos, quem estava contido se sentiu liberado para expor a própria fúria.

Assim, independentemente do resultado das eleições de 2022, a nova direita brasileira veio para ficar. O melhor a se fazer é entendê-la.

1. O ovo da serpente

Nada prenunciava, naquele janeiro de 2013, que o ano seria tão decisivo para o futuro do Brasil. Tudo bem que se tratava do Ano da Serpente no horóscopo chinês, que costuma ser indicativo de tempos instáveis. A Revolução Russa, em 1917, se deu num Ano da Serpente. A quebra da Bolsa de Nova York, que arrasou a economia mundial em 1929, também. A queda do Muro de Berlim, em 1989, ocorreu sob o mesmo signo, assim como o ataque às Torres Gêmeas, em Nova York, em 2001. Uma das definições do Ano da Serpente, retirada de um portal de astrologia, diz que, embora tudo possa parecer fresco e calmo à superfície, esse período é sempre imprevisível. "A parte dianteira da serpente esconde as maneiras profundas e misteriosas de sua natureza. Deve-se ter em conta que, uma vez que a serpente se desenrola para atacar, ela se move feito um relâmpago, e nada pode ser mais repentino e devastador do que ela."

O ano de 2013 começou "fresco". A taxa de desemprego de 2012 havia fechado em 4,6%, a mais baixa em onze anos. A inflação anual fora de 5,84%, abaixo portanto da de 2011. O produto interno bruto (PIB) ficara em 1,9% — um crescimento pífio, mas ainda assim positivo. Boa parte desse sucesso respondia às medidas de estímulo tomadas pelo governo, como a redução de juros e a desoneração fiscal de setores empresariais. Na visão de muitos economistas, entretanto, essas benesses poderiam comprometer o equilíbrio das contas públicas no futuro. Mas o governo estava otimista. A Copa do Mundo de 2014 seria sediada no Brasil, o que já movimentava o setor da construção civil com o planejamento de estádios e prédios novos por erguer.

Então a serpente se moveu de forma "repentina e devastadora". No domingo, 2 de junho, entrou em vigor um reajuste de 6,7% — anunciado dez dias antes pelo prefeito de São Paulo, Fernando Haddad, do PT — nas tarifas de ônibus municipais, trens e metrô, que passaram para R$ 3,20. Inconformados, os integrantes do Passe Livre, movimento social fundado em 2005 para defender a adoção da tarifa zero no transporte coletivo, convocaram uma manifestação para a quinta-feira, dia 6. Não seria nada incomum, já que anúncios de aumento de tarifa costumam ser seguidos de protestos. O que se deu naquele dia, porém, surpreendeu não só o prefeito e o governador de São Paulo, Geraldo Alckmin, então do PSDB, como todo o Brasil: uma multidão tomou as ruas do centro de São Paulo protestando contra o aumento. A Polícia Militar recebeu a massa com uma fúria desproporcional, partindo para cima dos manifestantes e dos jornalistas que cobriam o ato. Os manifestantes revidaram, jogando pedras e paus nos policiais. Em pouco tempo, a região central virou um campo de batalha.

Nos dias que se seguiram, a situação se agravou. A manifestação iniciada em São Paulo se espalhou por quase quatrocentas cidades. Na maior parte das capitais, milhares de jovens tomaram as ruas contra o reajuste das passagens, que, por um acordo da presidente Dilma Rousseff com os prefeitos, já tinha sido adiado de janeiro para junho, de modo a evitar um impacto na inflação que ameaçava sair da meta estabelecida pelo Banco Central. No entanto, o que começara como um protesto contra o aumento de passagens se transformou numa revolta generalizada, traduzida em cartazes com os dizeres: "Não é só pelos vinte centavos".

E não era mesmo. Protestava-se contra tudo: contra a má qualidade dos serviços públicos, contra os gastos exorbitantes com os megaeventos esportivos — em especial as construções de estádios a valores superfaturados que começavam a ser reveladas pela imprensa —, contra o oligopólio dos meios de comunicação, principalmente o da TV Globo, contra os políticos, contra a dominação dos partidos sobre os movimentos populares, contra a violência policial, contra a miséria, contra o desemprego. As palavras de ordem iam de "Queremos hospitais e escolas padrão Fifa" — numa crítica às despesas com a Copa e ao baixo investimento em programas sociais — até "Os governantes agora somos nós".

Em Brasília, às 19h30 do dia 17 de junho, deu-se o impensável: manifestantes romperam o cordão de isolamento da Polícia Militar e subiram no teto do Congresso Nacional, onde ficam as cúpulas da Câmara e do Senado — ousadia jamais tentada desde a inauguração da cidade, em 1960. No dia 20, a revolta atingiu o clímax. Cerca de 1 milhão de pessoas foi às ruas em todo o país, principalmente no Rio e em São Paulo, manifestar seu descontentamento. Impactada com a massa humana, a polícia agiu com violência, e a reação de alguns militantes se deu na mesma intensidade. Houve quebra-quebra e focos de incêndio. Os maiores alvos eram os "símbolos do capitalismo e do poder", como se referiam a agências bancárias, grandes lojas, assembleias legislativas, câmaras de vereadores e quartéis.

A difusão da revolta foi facilitada por uma novidade na forma de comunicação entre os manifestantes: as mensagens virtuais, via celulares, e as mídias alternativas. Dessa forma, era possível reunir uma multidão em pouco tempo. Misturado a ela, surgiu um novo tipo de manifestante: os black blocs, jovens encapuzados e violentos, com sanha destrutiva.

Mas a novidade mais significativa naquele junho foi a presença expressiva de manifestantes não identificados com os movimentos de esquerda. Tratava-se de pessoas difusamente insatisfeitas com os governos de então e seus aliados, mas que, num primeiro momento, não tinham definição ideológica clara. Era o início do ativismo de direita, que, a partir da força motriz de certas figuras-chave que começavam a despontar e davam o tom ideológico da geleia geral, ganharia musculatura e cresceria de maneira avassaladora até o impeachment da presidente Dilma, em 2016. O levante de 2013 marcou o fim da hegemonia da esquerda nos movimentos sociais. A partir dali, a direita, que se mantinha encolhida desde a redemocratização, entrou escancaradamente em cena.

O empresário Marcello Reis — neto de militares e fruto de uma família de classe média baixa do bairro da Parada Inglesa, em São Paulo — tinha, desde 2006, uma página chamada Revoltados On Line (primeiro no Orkut e depois no Facebook), cujo objetivo era denunciar pedófilos na internet, mas que já semeava valores conservadores e o repúdio à corrupção em seus fóruns. Nos protestos de 2013, porém, Reis se transformaria no rosto mais visível da nova direita. Na onda das manifestações, o obscuro caçador de pedófilos ganhou notoriedade ao escrever impropérios e xingamentos em sua página contra governos e políticos, principalmente os de esquerda. Nos vídeos que postava, aparecia, de boné e óculos escuros, defendendo intervenção militar.

Sua estreia como celebridade raivosa se deu logo no dia 6 de junho, quando, com uma câmera, ele se filmou arrancando flâmulas e bandeiras vermelhas de partidos, em especial as do PT, do PSOL e também da CUT, das mãos dos manifestantes, berrando que o movimento era apolítico. Com o gesto, Reis apareceu em todas as emissoras de TV e nas páginas dos jornais, angariando milhares de apoiadores do dia para a noite. Em dado momento, sua página chegou a ter 2 milhões de seguidores.

Manifestantes que não sabiam onde se encaixar naquele protesto se descobriram no Revoltados On Line. Ali se deram conta de que, se estavam contra a esquerda, por não gostarem do governo, só podiam ser de direita. Reis deu a eles a sensação de pertencimento. Podiam enfim descarregar sua fúria contra tudo e contra todos, porque agora tinham quem lhes desse suporte. O Revoltados On Line criou um exército de seguidores virtuais que aguardava as instruções do líder para despejarem seu ódio na internet e nas ruas, quando convocados. Lula era tachado de "sapo barbudo" e Dilma de "quadrilheira".

Em outubro, uma nova onda de protestos estourou no país. Para piorar, a economia começava a sair perigosamente dos trilhos, resultado das políticas adotadas em 2012 para sustentar o crescimento econômico. O mau desempenho das contas públicas assustava, e tudo apontava para o desastre. Em janeiro de 2014, uma reportagem do *Valor Econômico* mostrou que o Tesouro adiara o repasse do salário-educação aos estados e municípios. Governadores e prefeitos só viram a cor do dinheiro, um total de 820 milhões de reais referente a dezembro de 2013, no primeiro dia do ano.

A reportagem revelou que o governo federal vitaminara o seu resultado fiscal de 2013 à custa dos outros entes da federação. Esse era um dos tantos expedientes que passariam a ser adotados sistematicamente pelo Executivo para maquiar o desempenho ruim do Tesouro. Tais manobras seriam chamadas de "contabilidade criativa" pela equipe econômica e de "pedaladas fiscais" pelo Tribunal de Contas da União, o TCU.

Apesar disso, os alicerces do governo, nos meses seguintes, seriam abalados não pelos problemas econômicos que já se avizinhavam, ameaçando, inclusive, a reeleição da presidente no final daquele ano, mas sim por uma gigantesca e inesperada crise política. No dia 17 março, um grupo de procuradores do Ministério Público Federal do Paraná trouxe à tona um esquema de contratos irregulares na Petrobras e na Usina Nuclear de Angra 3. A investigação pôs à mostra o maior caso de corrupção conhecido no país, ao constatar desvios de bilhões de dólares, principalmente da Petrobras. Era o começo da Operação Lava Jato, assim batizada em razão do posto de gasolina em Brasília usado para movimentar dinheiro ilícito vindo do esquema.

A Lava Jato investigou crimes de corrupção ativa e passiva, lavagem de dinheiro, organização criminosa, obstrução de justiça, entre outros, que atingiram em cheio o governo do PT e seus aliados. As investigações foram autorizadas pelo então juiz paranaense Sergio Moro, num processo que se estendeu até 2021. Ao estourar na imprensa, a Lava Jato se transformou num espetáculo. Todos os dias os brasileiros assistiam a policiais federais invadindo casas e empresas, levando presos algemados, computadores e toneladas de documentos para a delegacia — sempre com o testemunho de jornalistas, avisados na véspera dessas operações. A descoberta de que a maior petroleira da América Latina estava sendo lesada ao menos desde 2003 chocou o país. Os delatores, em geral executivos de grandes empreiteiras, como a Andrade Gutierrez, a Camargo Corrêa e a Odebrecht, entregaram o esquema, que acabou por atingir figuras do alto escalão do Executivo e do Legislativo.

Ao todo, a Polícia Federal cumpriu 1450 mandados de busca e apreensão. Mais de duzentas pessoas foram presas e condenadas ao longo dos anos seguintes, entre elas o ex-presidente Lula e os ex-ministros José Dirceu e Antonio Palocci, homens da confiança de Lula; o senador Delcídio do Amaral, do PT; o presidente da Câmara dos Deputados, Eduardo Cunha, do PMDB; políticos de outras legendas, além de um bando de empresários famosos. Os advogados de defesa acusaram Moro e os procuradores de abuso e extrapolação de atribuições. Embora ninguém pusesse em dúvida as descobertas da força-tarefa, os métodos de investigação muitas vezes passavam por cima da lei. Vários processos que estavam sob sigilo de justiça foram divulgados parcialmente para um ou outro órgão de imprensa, provocando ondas de reclamação por parte dos advogados. Poucos jornalistas e ministros do Supremo, no entanto, criticaram tais excessos.

Um dos casos mais controversos, ocorrido alguns anos depois, foi a decisão do juiz Sergio Moro de divulgar para a imprensa, em 16 de março de 2016, o áudio de uma conversa entre a então presidente da República e o ex-presidente Lula. Na conversa, Dilma avisa a ele que está mandando "Bessias" levar um documento de posse para que Lula assine só em caso de necessidade. Na época, com o impeachment batendo à porta do Palácio e o ex-presidente investigado pela Lava Jato, Dilma decidira nomeá-lo para a Casa Civil, para protegê-lo de uma possível prisão. O vazamento do áudio causou um grande alvoroço. Uma multidão se concentrou na Esplanada dos Ministérios para protestar contra a nomeação de Lula, que acabou suspensa.

A atitude do juiz feria muitos códigos do direito. Aquela mensagem da presidente fora interceptada sem autorização do Supremo, e a gravação — em tese, de Lula — tinha sido feita pela Polícia Federal fora do horário autorizado pela Justiça. Portanto, de acordo com a lei, além de irregular, não poderia ser usada como prova. Moro, no entanto, alegou que, "pela gravidade do assunto", precisou divulgar o áudio. O advogado de Lula considerou o vazamento uma arbitrariedade, com risco de provocar convulsão social. À época, nem o STF nem o Conselho Nacional de Justiça (CNJ) aplicaram qualquer punição a Moro, que, por esse ato, poderia até ser considerado impedido de continuar na Lava Jato. Somente em 2021, cinco anos e várias instâncias depois de Lula ter sido considerado culpado pelos desvios na Petrobras, inclusive pelo próprio STF, o Supremo decidiria que o processo contra o ex-presidente continha irregularidades — não no conteúdo, mas na forma — e não podia ter sido conduzido pela procuradoria federal do Paraná ou pelo juiz Sergio Moro. O caso voltou à estaca zero, ficando ao encargo da Justiça do Distrito Federal.

O fato é que a superexposição da Lava Jato pelos meios de comunicação gerou uma nova onda de protestos pelo país. Dessa vez, porém, a esquerda ficou de fora. Os que descobriram o caminho das ruas em 2013 e se identificaram com a direita voltaram a ocupar o espaço público, mas com um discurso ainda mais raivoso. Para eles, a esquerda era responsável por todas as mazelas: a inflação, o desemprego, a corrupção, a desordem e a violência que matava milhares de brasileiros todos os anos.

No campo, os produtores rurais se queixavam das invasões do Movimento dos Trabalhadores Rurais Sem Terra (MST) às suas propriedades. Os evangélicos, contra o aborto e o casamento entre pessoas do mesmo sexo, criticavam as pautas da esquerda e a acusavam de destruir os valores da família. A gama de insatisfações era vasta, e muitas vezes nada tinham a ver com o governo federal.

Ou, se tinham, contavam com ampla cumplicidade dos partidos de direita, como o PMDB e as legendas do Centrão, cada vez mais vorazes ao pedir ao Executivo cargos e favores em troca de apoio. Mas a conta de tudo estava sendo paga pela esquerda.

Numa tarde de agosto de 2014, Otávio Fakhoury, administrador de empresas especializado em finanças (com passagens pela Merrill Lynch e pelo quebrado banco Lehman Brothers), desceu de seu escritório na avenida Faria Lima, em São Paulo, considerada então o centro financeiro da cidade, e se deparou com dois amigos dos tempos de faculdade: o engenheiro de produção com carreira no mercado financeiro Rogério Chequer — já àquela altura sócio de uma empresa de comunicação corporativa — e o administrador Flavio Beall, que também contava com a experiência em grandes bancos de investimento no currículo. Ambos participavam de uma pequena manifestação contra o governo, num grupo que não reunia mais do que quinze pessoas. Ao conversar com os amigos, Fakhoury descobriu que haviam criado um movimento chamado Vem pra Rua, reunindo conservadores nos costumes e liberais na economia. Juntou-se a eles, e pouco tempo depois foi seguido por milhares. Para Fakhoury, ver uma agremiação de direita liberal nas ruas era um espanto. Ele, que já se impressionara com a enorme presença de bandeiras do Brasil e quase nenhuma vermelha nas manifestações de 2013, se dava conta de que algo diferente estava acontecendo na sociedade brasileira: a elite, identificada com a direita, estava indo para a rua protestar. E decidiu participar do processo.

No final de 2014, mais dois grupos importantes identificados com a direita surgiriam no cenário nacional: o Movimento Brasil Livre, mais conhecido pela sigla MBL, de cunho liberal na economia e liderado pelos jovens Renan Santos e Kim Kataguiri, e o Acorda Brasil, mais ligado a valores conservadores de direita e de apoio à Lava Jato, do qual fazia parte o "príncipe" Luiz Philippe de Orleans e Bragança.

O manifesto de fundação do MBL listava cinco objetivos: imprensa livre e independente, liberdade econômica, separação dos poderes, eleições livres e idôneas e fim dos subsídios diretos e indiretos a ditaduras. Embora se declarasse liberal e de direita, o grupo não defendia pautas conservadoras nos costumes. Em 2018, o MBL elegeria quatro deputados e dois senadores e se afastaria de Bolsonaro. Já o Acorda Brasil, embora liberal na economia, cultuava a organização tradicional da família, a hierarquia, a ordem e a religiosidade, valores que acreditavam ter sidos desprezados pela esquerda.

Descolados do discurso mais violento do Revoltados On Line, tais movimentos atraíram simpatizantes de uma elite crítica ao governo petista: agentes do mercado financeiro, empresários e estudantes universitários. Ainda no final daquele ano, Dilma Rousseff seria reeleita para mais quatro anos de mandato por uma margem pequena em relação a seu adversário, o senador mineiro Aécio Neves, do PSDB. Apesar da vitória, a esquerda, que estava no poder havia doze anos, tinha sido ferida em praça pública.

A guinada do Brasil para a direita custou a ser compreendida pelos analistas e pela imprensa. Os novos grupos eram vistos como exóticos e radicais e tratados com desdém por jornalistas e acadêmicos. Mas havia um fenômeno novo: as redes sociais. Os coletivos não precisavam mais da mídia tradicional para divulgar ideias, e passaram a ter seus próprios meios de difusão.

Se a academia os desprezava, trataram de encontrar um personagem travestido de intelectual para ordenar suas ideias: um ex-astrólogo e escritor que trabalhara como jornalista nos anos 1990. Seu nome, Olavo de Carvalho. Em 2006, ele criara o programa *True Outspeak*, transmitido de sua casa, nos Estados Unidos, pela internet. Depois de ser demitido do jornal *O Globo* em 2005 — segundo ele, por denunciar um complô da esquerda latino-americana a partir do Foro de São Paulo, organização que reúne agremiações políticas de esquerda e que foi criada em 1990 em um seminário promovido pelo PT —, Olavo resolveu realizar um sonho antigo e viver na Virgínia. De lá, discutia política e filosofia e atacava a degradação dos costumes morais. Disparava insultos contra "gayzistas", feministas e esquerdistas. Em 2009, inventou seu Curso On Line de Filosofia, em cujas aulas não economizava palavrões e ataques à esquerda. A mistura entre o tom elevado da filosofia e a linguagem baixa, comum nas redes sociais, conquistou o público jovem, que mais tarde, em 2013, sairia para as manifestações de rua usando camisetas com bordões como "Olavo tem razão", popularizando ainda mais suas ideias. Nos atos, pessoas tiravam fotos segurando exemplares de *O mínimo que você precisa saber para não ser um idiota*, uma coletânea de textos de Olavo publicados na imprensa que vendeu mais de 450 mil exemplares.

Filipe Martins, um jovem cientista político e principal pupilo do ex-astrólogo, diria, em uma entrevista publicada na revista *piauí* em 2019,[1] por que acreditava que Olavo de Carvalho era a figura central para se entender o crescimento da direita jovem no Brasil: "Ele diagnosticou o problema lá atrás, com o livro *O imbecil coletivo* [de 1996]. Depois foi instruindo a juventude por meio de pequenos textos, imagens e frases de autores conservadores, que postava nas suas plataformas digitais". O maior "mérito" de Carvalho, segundo Martins, foi ter legitimado o pensamento conservador. "Somos um país conservador. A maioria da nossa sociedade não é afeita à união homoafetiva, ao aborto. Os nossos valores foram escanteados da grande imprensa por serem considerados incivilizados. O Olavo nos ensinou a não termos vergonha das nossas ideias."

Na mesma matéria, Olavo de Carvalho, que falava com seu público através de um computador colocado sobre a escrivaninha do seu escritório, afirmou creditar sua influência sobre os jovens à falência do pensamento de esquerda. E explicou:

> Vamos dizer que era possível até os anos 1950 uma pessoa inteligente acreditar que a análise crítica marxista do capitalismo tinha algum sentido. Agora isso não é mais possível. Toda a sustentação dos partidos de esquerda é na base da mentira, do artifício, do truque sujo, do teatrinho. É um castelo de cartas. Ou melhor, desculpe a expressão, é um castelo de peidos. Não há nada ali. É tudo furado. O primeiro a chegar lá e cutucar, como eu cutuquei, a coisa toda cai.

De olhos esbugalhados e fumando compulsivamente, Carvalho usava as aulas para repisar seus tópicos prediletos. Para ele, o desencanto dos jovens brasileiros pelas ideias progressistas (que ele chamava sempre de "esquerdistas") não se explicava apenas pela corrupção e pela crise econômica. Estaria relacionado a questões morais e de costumes. Sua interpretação do fenômeno era extravagante: "O PT adotou a estratégia da Escola de Frankfurt para destruir o capitalismo a partir da nova cultura moral. Essa estratégia defende relações incestuosas entre mãe e filho".[2] Não consta que o famoso grupo, que reuniu alguns dos principais filósofos do século XX, como Theodor Adorno e Herbert Marcuse, tenha defendido o incesto.

Carvalho sustentava a existência de uma aliança entre o "frankfurtianismo da esquerda" e os grandes interesses internacionais, econômicos e corporativos. Segundo um raciocínio algo tortuoso, ao refutar os valores tradicionais — família, religião etc. —, a esquerda estaria ajudando a transformar a ganância econômica no principal fator de organização da sociedade. "Na sua ignorância, a esquerda está fazendo o jogo da Fundação Rockefeller, do George Soros, do *New York Times*. Estão todos a serviço dos milionários. Quando a economia restar como único valor, esses milionários vão impor ao mundo um capitalismo infernal."[3] E ia além: para evitar os descaminhos, a única solução seria esse conjunto harmônico formado por religião, família e pátria.

Otávio Fakhoury foi um dos que se encontraram ao ler Olavo de Carvalho. Nas décadas de 1990 e 2000, quando trabalhava em bancos estrangeiros, presenciou todas as crises mundiais: a do México, a dos Tigres Asiáticos, a da Argentina, a da Rússia, a da Nasdaq e, finalmente, em 2008, a do subprime, que quebrou o Lehman Brothers. Resolveu rever seus conceitos sobre o mercado global e tirou um ano sabático para estudar. Foi aí que descobriu Olavo. "Ele já falava de globalismo, da elite financeira global, que muita gente fala hoje. Acabei dando de cara com a história do Foro de São Paulo."

Sob a influência do guru, ele chegou à conclusão — a mesma a que chegariam outros jovens que assistiam às aulas do ex-astrólogo — de que os partidos de esquerda "estavam unidos para transformar a América Latina numa União Soviética". Até então ele achava que tudo parecia uma grande teoria da conspiração, mas após o escândalo do Petrolão passou a acreditar que era mais do que teoria. "O BNDES estava mandando dinheiro daqui para financiar obras em países de esquerda como Cuba e Venezuela", dizia nas conversas com amigos para reforçar a ideia do complô da esquerda internacional.

Fakhoury via as cenas gravadas das pessoas rasgando as bandeiras vermelhas e dizia a seus correligionários: "Isso que está acontecendo é diferente. A sociedade vai se rebelar contra todos esses absurdos da esquerda e nem eles vão entender como se deu essa revolta. E Olavo de Carvalho tem grande influência nesse processo".

As teses de Carvalho também chamaram a atenção dos filhos do então deputado federal Jair Bolsonaro, ainda habitante do baixíssimo clero do Congresso e àquela altura mais conhecido por bravatas radicais, inação parlamentar e defesa corporativista de pautas das forças de segurança.

O passo seguinte da aproximação se deu em 2012. No dia 13 de julho daquele ano, Flávio Bolsonaro, o primogênito — chamado de Zero Um pelo pai —, voou para os Estados Unidos para entregar pessoalmente a Carvalho a Medalha Tiradentes, concedida pela Assembleia Legislativa do Rio de Janeiro (Alerj) a personalidades que se destacam em suas áreas. A entrega foi transmitida ao vivo pelo *True Outspeak*. A honraria, a maior que a Assembleia pode conferir a alguém, foi proposta por Flávio e aprovada pela Casa.

Mais tarde, em 13 de fevereiro de 2014, conforme narrou o jornalista Felipe Moura Brasil em reportagem para o site O Antagonista,[4] foi a vez de Bolsonaro pai, Flávio e Carlos se reunirem para festejar Olavo. Por videoconferência, o clã celebrou com o escritor o sucesso de *O mínimo que você precisa saber para não ser um idiota*, organizado por Moura Brasil e lançado no ano anterior.

Na transmissão, Flávio — que, segundo o jornalista, desde essa época já contava com "o futuro preso Fabrício Queiroz operando em seu gabinete desde abril de 2007" — teria saudado o guru com grande entusiasmo: "Olavo, um prazer estar falando contigo de novo. Eu tive a honra de te entregar aquela Medalha Tiradentes e desde então eu acho que a gente tem estreitado esse laço e, com certeza, nós, mais jovens, temos muito a aprender com toda a sua experiência e a sua bagagem intelectual".

Carlos entrou na conversa. "Nós estamos sendo massacrados por uma ditadura da opinião imposta pelos comunistas." Jair Bolsonaro completou: "Sem falar, Olavo, que 30 milhões de jovens estão no ensino fundamental. E eles [os esquerdistas] estão jogando maciçamente nos livros [...] que o capitalismo é um inferno e o socialismo é o paraíso e a solução para os problemas aqui do Brasil". Olavo então ironizou, sorrindo: "Foi o que se viu na União Soviética, na Hungria, na China, é uma beleza! O comunismo é uma delícia".

O filho de Bolsonaro que mais se aplicou nos "estudos" foi Eduardo, o Zero Três, graças, em parte, à sua aproximação com Leticia Catel. Os dois haviam sido apresentados por um amigo em comum em 2014 — e, considerando o amor que compartilham por armas de fogo, a identificação deve ter sido imediata. Embora miúda e com face angelical, Leticia é uma dedicada praticante de tiro esportivo. Passara a admirar o pai do novo amigo, Jair Bolsonaro, ao ver suas lives nas redes sociais, mas não tinha como votar nele, que era parlamentar pelo

Rio de Janeiro. Catel ficou feliz ao saber que seu filho, que comungava dos mesmos ideais, sairia candidato a deputado por São Paulo, e tratou de ajudar na campanha.

Leticia, jovem empresária dona de uma firma de importação e exportação de máquinas, abrira sua empresa aos dezoito anos, com ajuda do pai, Mario Catelani, um ex-torneiro mecânico de Santo André, proprietário de uma indústria de equipamentos mecânicos em Jundiaí. No contexto das manifestações de junho de 2013, ela teve contato não só com o pensamento de Olavo de Carvalho, mas também com expoentes da escola econômica austríaca, como Ludwig von Mises. As proposições de Mises, com seu liberalismo radical, sem concessões a temperos distributivos ou noções como justiça social, começavam a fazer a cabeça de jovens paulistas. Nas passeatas contra o PT, surgiam cartazes pedindo "Menos Marx, mais Mises".

Sem muito repertório de leitura nas áreas da política ou economia, Catel decidiu fazer uma pós-graduação em liberalismo econômico. Encontrou o que procurava no Instituto Mises Brasil, um misto de think tank — dedicado, segundo o site da instituição, à difusão de ideias "que promovam os princípios de livre mercado e de uma sociedade livre" — com entidade de ensino (hoje, por meio da Mises Academy, oferece cursos de extensão e três de pós-graduação).

O instituto, que ocupa parte de um andar de um prédio moderno e envidraçado no bairro do Itaim Bibi, em São Paulo, foi fundado por Hélio Marcos Coutinho Beltrão, um homem entusiasmado e sorridente, filho de Hélio Beltrão, ex-ministro do Planejamento e também da Previdência e da Desburocratização durante o regime militar. Coutinho Beltrão é economista, egresso do mercado financeiro, e trabalhou no Banco Garantia, de Jorge Paulo Lemann, até que a instituição, abalada pela crise da Ásia em 1998, fosse vendida para o Credit Suisse First Boston. Ele passou anos tentando entender as razões de os analistas financeiros não terem detectado a crise de liquidez que abalou o mercado mundial naquele final de década — e que quase quebrou o banco em que trabalhava.

Certa tarde, deparou-se com o livro *Desestatização do dinheiro*, de Friedrich Hayek, outro expoente da escola austríaca. Foi para ele uma revelação. Criou então, em 2007, o instituto, que tem atraído sobretudo os mais jovens. "Eles descobrem o Mises e ficam maníacos. Querem ler tudo sobre Escola Austríaca, querem fazer parte do clube que estuda o assunto, tirar foto comigo e com os professores", disse ele em 2018, numa entrevista para a revista *piauí*.[5]

A instituição foi além do liberalismo: começou a difundir também o "libertarianismo", que se pretende herdeiro direto dos liberais austríacos e adotou esse nome depois que o termo "liberalism" foi vulgarizado nos Estados Unidos, chegando a ser empregado por alas da esquerda.

Foi também no Instituto Mises que Eduardo Bolsonaro buscou lustro cultural. Ele ficara sabendo do curso através de Leticia Catel, mas só começaria sua pós-graduação em 2016. Passaria então a compartilhar com o pai — até então inexperiente no assunto — os temas apresentados nas aulas, tais como menos intervenção estatal, menos impostos, menos burocracia. "Eu ficava muito feliz de ver Bolsonaro defendendo aquilo que discutíamos no Mises", declarou Coutinho Beltrão, que, embora reconhecesse a conversão de Bolsonaro às pautas liberais, sempre evitava creditar essa mudança às teses do economista austríaco. "Acho que tem a ver com o fato de entender o que a sociedade está pedindo. Mas, sem dúvida, Eduardo deve ter batido muitos papos com o pai", afirmou.

Durante a pós-graduação no Mises Brasil, Leticia Catel foi convidada por Coutinho Beltrão para participar de um grupo do Instituto de Formação de Líderes, outra organização inspirada pelo liberalismo de matriz austríaca que, de acordo com a conta de sua unidade de São Paulo no LinkedIn, tem "por finalidade incentivar e preparar novas lideranças baseadas em valores sólidos e em competências de gestão". Seus membros são sobretudo jovens empresários e executivos do setor financeiro, de menor ou maior expressão, mas todos imbuídos de uma crença quase fanática nas virtudes do livre mercado. Esses contatos seriam preciosos para aproximar Jair Bolsonaro da elite empresarial paulista.

O pensamento da juventude bolsonarista foi moldado por essa estranha mescla do colérico conservadorismo olavista com o ultraliberalismo de Mises. Mas o Olavo de Carvalho que influenciou os jovens de 2013 era a segunda encarnação do escritor que, entre os anos 1990 e a virada do século, havia encantado uma geração anterior. Aquele primeiro estava longe de ser o radical raivoso e desbocado em que se transformaria. Nos anos 1990, era admirado também por intelectuais, como o jornalista Paulo Francis, que chegou a defender seu nome para substituí-lo no programa de TV *Manhattan Connection*. Na época, o escritor gozava de certo prestígio na imprensa por ter sido colunista dos jornais *O Globo* e *Jornal da Tarde* e das revistas *Época, República e Bravo!*.

Foi esse Olavo que fascinou o jovem estudante Carlos Andreazza, neto de Mário Andreazza, ministro dos Transportes nos governos Costa e Silva e Médici e do Interior na gestão de Figueiredo. Carlos descobrira Olavo aos dezesseis anos, ao ler *O imbecil coletivo*. O livro, lançado em 1996 pela editora da UniverCidade — ou "Faculdade da Cidade", instituição mantida pelo financista Ronald Levinsohn, que havia se encrencado num escândalo financeiro nos anos 1980 —, era uma compilação de artigos de Olavo nos quais ele criticava a hegemonia do pensamento da esquerda na academia e na imprensa. Andreazza havia se interessado pela leitura antes mesmo de ingressar no curso de jornalismo na puc do Rio de Janeiro. Identificado com o pensamento da direita liberal, tinha dificuldade de encontrar autores com esse perfil nas livrarias e bibliotecas brasileiras.

"Eu lia muito e, nessa transição entre colégio e faculdade, fui me colocando no mundo à direita, ainda que com pouca base, porque não havia bibliografia", contou Andreazza. Segundo ele, a descoberta de Olavo de Carvalho

> mudou a minha vida. A minha vida e a de uma geração inteira de gente que não é fascista, mas também não é de esquerda. O que foi importante para mim, naquele momento, foi o Olavo polemista. Ele provocava exatamente o sistema que eu entendia que interditava o debate em algum sentido. Eu achava aquilo um barato. Primeiro, podem falar o que quiserem, mas o texto dele é impecável. Um dos grandes textos que eu já li. Ele escrevia muito bem, com muita clareza. Segundo, porque ele provocava, provocava, provocava. E as reações a ele eram enormes.

Outro motivo de encantamento era o fato de o escritor "defender rigorosamente a liberdade individual". E detalha: "Tinha um texto dele muito interessante sobre vocação. Sobre como você deveria perseguir as suas aptidões, ainda que não fosse um caminho economicamente mais fácil". Na opinião de Andreazza, o fundamento da obra de Carvalho era a crítica a certa intelectualidade: "Ele tinha um discurso muito crítico do intelectual de gabinete que servia a um projeto de poder, do intelectual que abria mão de sua liberdade. E também era muito generoso na oferta de bibliografia".

Dezesseis anos depois desse primeiro contato com a obra de Olavo, Carlos Andreazza se tornaria editor-executivo de não ficção da editora Record, uma das maiores do país. Lá, em 2013, lembrando-se da dificuldade juvenil de encontrar autores de direita e captando os novos ventos do país, publicou o inédito *O mínimo que você precisa saber para não ser um idiota*, futuro best-seller do escritor, e mais tarde, em 2018, reeditaria seu estimado *O imbecil coletivo*. Juntos, os dois livros alcançariam um sucesso estrondoso.

Andreazza foi um dos primeiros a perceber que uma nova onda política e de pensamento estava se formando na sociedade brasileira. Em 2013, para divulgar o lançamento da coletânea de Carvalho, ele se valeu de propaganda nas redes sociais, aproveitando-se de uma teia de relações já formada por influenciadores digitais, como o publicitário Alexandre Borges, o professor de filosofia Francisco Razzo, o bacharel em direito Gustavo Nogy e os universitários Flavio Morgenstern e Filipe Martins — que em 2019 se tornaria assessor especial para assuntos internacionais do governo Jair Bolsonaro.

Mas o editor pagaria um preço alto por sua escolha: pôr a obra de Olavo novamente em circulação lhe renderia críticas de intelectuais e de pessoas de esquerda. Ele se explicou: "A obra dele que nós publicamos nada tinha a ver com o Olavo que veríamos depois, um fanático apoiador dos Bolsonaro e da ultradireita. Ele acabou negando tudo o que ele escrevia". Andreazza disse que nunca se encontrou com Olavo. Ao final, seu ídolo de juventude se tornou uma grande decepção — e também uma maldição. Por causa dos livros, ele acabou deixando a Record, tachado de ter dado visibilidade ao escritor que viraria o símbolo do bolsonarismo. Mas, para Andreazza, Bolsonaro mal existia naquela época, e os livros de Olavo em nada se relacionavam à radicalização que tomaria corpo no país. Na opinião do editor,

após encontrar Bolsonaro, o Olavo vira aquilo que ele combatia. Para mim, ele era o cara que combatia o intelectual de esquerda que se transformava em intelectual de um grupo, de um partido. Ele repudiava isso nos anos 1990. E ele virou isso como nunca houve no Brasil — pelo menos na Nova República. Ele virou o intelectual do regime e aceitou essa condição. Houve uma transformação, [porque] muita gente se sentiu traída. Quando falo isso, algumas pessoas de esquerda com quem converso me dizem: "Andreazza, desculpa, cara, você estava lendo errado o Olavo. Estava tudo lá". Nunca peguei para ler depois, então não vou rebater essa posição.

O jornalista Felipe Moura Brasil também se entusiasmara com Olavo na juventude, e foi essa admiração que o levou a propor a Andreazza a publicação do catatau de 616 páginas *O mínimo que você precisa saber para não ser um idiota*. "Não era só o potencial do Olavo. Era toda a edição que foi feita de uma maneira muito precisa para atender a uma demanda reprimida por autores que tinham um posicionamento crítico a grupos que estavam no poder. O livro ampliava o debate, mas nada tinha a ver com Bolsonaro", esclareceu. "O nome dele aparece apenas uma vez, em um artigo que diz: 'Praticamente não existe uma direita no Brasil. Você tem umas figuras excêntricas, como Bolsonaro.'" Ainda segundo Moura Brasil, outro trecho da publicação dizia que "o Brasil era uma democracia doente porque tinha muita gente à esquerda e não havia uma direita consolidada, como existe nos Estados Unidos. E não tinha porque, com a ditadura militar, ser de direita [no Brasil] se transformou num palavrão" — Olavo, como lembrou o jornalista, era inclusive um crítico da ditadura militar.

"Para mim, tudo começou em 1999, quando um amigo, Dionisius Amêndola, me indicou um livro com título instigante: *O jardim das aflições*, publicado quatro anos antes por um ensaísta chamado Olavo de Carvalho." Assim começa o ensaio de Martim Vasques da Cunha, doutor em ética e filosofia pela USP, publicado na revista *piauí*, em agosto de 2020, intitulado "Tragédia ideológica",[6] no qual narra sua experiência com Olavo de Carvalho.

> Eu já conhecia o autor de uma entrevista que dera à (extinta) revista *República*, em 1997, com declarações pontuadas de ironia e uma visão idiossincrática sobre alguns mandarins da intelectualidade de esquerda no Brasil. Também conhecia o livro *O imbecil coletivo*, de 1996, uma coletânea de artigos de Carvalho que, apesar da falta de unidade, me agradara muito. Suas ideias eram um refresco para um jovem como eu, que, no terceiro ano de jornalismo da PUC-Campinas, nunca havia gostado do marxismo e lia de forma caótica os escritos de José Guilherme Merquior, Paulo Francis e Raymond Aron.

Vasques da Cunha, assim como Andreazza e Moura Brasil, também iria do êxtase ao total desencanto com o escritor. No texto, ele conta que *O jardim das aflições* o levou a repensar a própria vida:

Com uma prosa hipnotizante e um raciocínio que amarrava as pontas soltas de eventos políticos da minha adolescência — como o impeachment de Fernando Collor, em 1992 —, o livro me abriu possibilidades de interpretações da realidade que não eram transmitidas no meu curso universitário. Nessa época, um tema me era particularmente caro: a importância da vida interior, fundamentada não na participação na vida coletiva, mas no cultivo da consciência individual.

Naqueles anos da era FHC, o Partido dos Trabalhadores, embora ainda estivesse longe da presidência da República, era quase unanimidade nas redações e universidades. A retórica belicosa dos seus militantes, somada ao hábito de reduzir as relações humanas a questões políticas ou ideológicas, me irritava profundamente. Assim, Carvalho passou a representar para mim, e para outras pessoas da minha geração igualmente sufocadas com o pensamento do PT, um papel parecido com o de Monteiro Lobato nas décadas de 1930 e 1940, em sua oposição a Getúlio Vargas.

Além disso, Carvalho oferecia a chance de redescobrir autores nunca citados na imprensa, como o ensaísta francês René Guénon, o filósofo alemão Eric Voegelin, o escritor, também francês, Bertrand de Jouvenel, sem falar de pensadores brasileiros banidos do cânone universitário por sua posição liberal-conservadora, como José Osvaldo de Meira Penna, Mario Vieira de Mello e Gustavo Corção.

"Mais ainda", continua o ensaísta,

Carvalho tinha a ousadia de desafiar diretamente alguns dos expoentes da intelligentsia de esquerda no país, entre eles Leandro Konder, Marilena Chaui e José Américo Motta Pessanha, e fazer um contraponto ao niilismo, que sempre caracterizou o comportamento desses intelectuais, ao defender de maneira obstinada a dimensão transcendente da vida. O niilismo, da parte desses professores, advém do fato de julgarem que a vida não tem sentido fora da ordem social, recusando a explicação metafísica da existência. Carvalho defendia que essa atitude poderia ser combatida por meio do estudo e do amor pela verdade.

Vasques se encontrara pessoalmente com Olavo de Carvalho em 2001, depois de se ver indevidamente envolvido na investigação do homicídio do prefeito de Campinas, Antônio da Costa Santos, do PT, morto a tiros em 10 de setembro daquele ano. Uma amiga em comum conseguira que Carvalho ouvisse a versão de Vasques, e o escritor, convencido da inocência de seu interlocutor, usou suas colunas na imprensa para divulgar o que considerava uma injusta perseguição política. Funcionou, e pouco depois o PT desistiu dos ataques. Mas o apoio de Olavo foi além dos artigos na imprensa e se desdobrou num convite para Vasques e a família passarem uma temporada na casa dele em Petrópolis.

O último encontro entre os dois ocorreu em 2004, quando o escritor, demitido de todos os jornais e revistas por polemizar com os editores, estava de mudança para os Estados Unidos — era um sonho antigo de Olavo, que nos anos 1980 havia morado na Virgínia por um tempo, numa comunidade hippie. O ex-astrólogo viajaria como correspondente do *Diário do Comércio*, bancado pela Associação Comercial de São Paulo, então presidida por um admirador seu, o empresário e político Guilherme Afif Domingos — como sempre, seria bancado por um mecenas.

Nessa época, Vasques da Cunha já havia se afastado do escritor e se aproximado do poeta Bruno Tolentino, que, entre 1994 e 1998, tinha sido amigo íntimo do polemista. Ambos fizeram um barulhão na mídia, com as declarações do poeta à *Veja*, em 1996, dizendo que Caetano Veloso e Chico Buarque eram artistas medíocres. Tolentino foi acusado de oportunismo, vaidade e mitomania (o que não deixava de ser verdade), e Carvalho o defendeu. A essa aliança se seguiu um rompimento radical.

À *piauí*, Vasques da Cunha narrou o que Tolentino lhe disse certa vez:

O erro do Aiatolavo (como costumava se referir a Carvalho) é achar que ele é a única fonte de todo o debate intelectual. Por pior que seja a universidade, ela lhe dá uma chance de você praticar o contraditório, de provar o seu ponto usando uma linha lógica de raciocínio, sem saltos. Quem segue o modo de pensar do Olavo só tem uma maneira de refletir: a que vai rumo à loucura.

Anos depois, já formado, Vasques da Cunha seria convidado para dar aulas no Instituto Mises. Foi ali que, em 2016, conheceu o deputado Eduardo Bolsonaro — um aluno educado, segundo ele. Mas, como professor, tinha dúvida se Zero Três prestava atenção ao que era dito, "já que parecia estar pensando em outra coisa".

Em uma aula sobre o livro *Democracia: O deus que falhou*, de Hans-Hermann Hoppe, uma das bíblias do libertarianismo, Vasques da Cunha resolveu mostrar algumas contradições do pensador — apelidado por seus pares de Dr.

Fantástico, em referência ao cientista maluco do filme de Stanley Kubrick. Ele deu especial atenção a um longo parágrafo no qual Hoppe afirma que "não pode haver tolerância para com os democratas e os comunistas em uma ordem social libertária". Além disso,

> eles [os democratas e comunistas] terão de ser fisicamente separados e expulsos da sociedade. Da mesma forma, em uma aliança fundada com a finalidade de proteger a família e os clãs, não pode haver tolerância para com aqueles que habitualmente promovem estilos de vida incompatíveis com esse objetivo. Eles — os defensores de estilos de vida alternativos, avessos à família e a tudo que é centrado no parentesco (como, por exemplo, o hedonismo, o parasitismo, o culto da natureza e do meio ambiente, a homossexualidade ou o comunismo) — terão de ser também removidos fisicamente da sociedade para que se preserve a ordem libertária.

Ao falar desse trecho, Vasques da Cunha teria alertado os alunos de que a tal ordem social libertária defendida por Hoppe era, na verdade, uma ordem social totalitária. "A sala de aula ficou em total silêncio — exceto Eduardo Bolsonaro, que disse: 'Professor, lá em casa temos armas e facas para que isso aconteça *aqui*, no Brasil'", contou o filósofo.

Foi nesse instante que Vasques da Cunha disse ter percebido seu envolvimento na tragédia que atingira a nova direita brasileira. "Ou, talvez, eu já estivesse mergulhado nela havia anos e apenas continuasse praticando as 'ruminações de um lerdo'." Ao escutar aquela frase, disse ter ficado paralisado, como os demais.

> Engoli em seco e encarei aquilo como uma blague, uma provocação. Mas não era. [...] As diversas correntes da nova direita, por conveniência e por acreditarem que havia um inimigo comum (o PT), anestesiaram-se durante o processo que levou Bolsonaro ao poder, mesmo sabendo que isso resultaria numa catástrofe. Fizeram, assim, da máscara o princípio de sua existência.

Para ele, esse tipo de vida sob disfarce constante "anestesiou ressentimentos que sempre existiram entre os principais atores das correntes de direita e acabou culminando nesse sanatório que é o governo Bolsonaro, com sua frente de linchamentos virtuais". E mais:

O bolsolavismo é o agente desse "ódio organizado", cujos efeitos nocivos se espalham pelas bases da vida social brasileira. Por meio de uma "ciberguerra", cujos alvos foram milhões no Facebook, Instagram, Twitter, WhatsApp, YouTube, Reddit e Google, os membros dessa nova força política conseguiram manobrar a opinião pública. Seus métodos favoritos foram a invasão de páginas nas redes sociais (via hackers); a criação de notícias falsas (as fake news, como a de que o petista Fernando Haddad, quando era ministro da Educação, teria mandado distribuir para os alunos das escolas públicas um kit gay); o emprego de robôs (os bots), que se multiplicam a cada retuíte de algum influenciador digital famoso (como, por exemplo, Eduardo Bolsonaro); [...] e o incentivo a polemistas digitais, posando de santos do intelecto, como Bernardo Küster e Allan dos Santos (ambos abençoados por Olavo de Carvalho).

Vasques da Cunha não tem dúvida de que os jovens que passaram a seguir o Olavo que se ligou aos Bolsonaro nada têm a ver com aqueles primeiros que admiravam o escritor por seu espírito libertário do passado. "Duvido que esses jovens que hoje o apoiam têm algum conhecimento profundo de filosofia ou mesmo das obras dele", avaliou Cunha. "Essa gente é ávida por receber informações superficiais na rede, revestidas de uma roupagem filosófica. São leitores de textos básicos de Facebook."[7]

O cineasta pernambucano Josias Teófilo descobriu a obra de Olavo de Carvalho através de uma amiga. Ficou tão fascinado por *O jardim das aflições* que decidiu fazer um filme homônimo. No início do documentário, após longa sequência de cenas da Virgínia rural e bucólica em que o personagem se exilara, o espectador acompanha Olavo às voltas com os afazeres do dia: senta-se à escrivaninha de trabalho, parece checar as mensagens no computador, acende um cigarro. Após um take das estantes abarrotadas de sua vasta biblioteca, o polemista é mostrado contando o conteúdo de uma caixa de balas, pegando a espingarda e se dirigindo a uma plataforma de prática de tiro no bosque contíguo à residência. Olha pela mira e atira.

O jardim das aflições teve exibição vetada em quase todos os festivais de cinema, circunstância que Teófilo considera uma amostra do "autoritarismo e da intolerância da esquerda". Ao contrário dos outros três ex-discípulos, Teófilo não perdeu o encanto por seu mestre, mantendo-se ao lado do escritor até sua morte, em 24 de janeiro de 2022. Através dele, sabe-se que Olavo, com dois ex-alunos, fundou uma editora chamada Vide e que seus livros continuam vendendo feito água — o que, somado às aulas on-line, explica a fortuna que angariou. Apesar disso, Teófilo contou, não enriqueceu. "Gastava muito. Gastava tudo com armas e livros."

Em março de 2015, com a Lava Jato no auge e ocupando todos os espaços da imprensa, os grupos de direita — os conservadores, os liberais e os lavajatistas — colocaram 1 milhão de pessoas nas ruas de todo o país. A avenida Paulista, em São Paulo, lotou. Muitas palavras de ordem entoadas pelos manifestantes emulavam o pensamento de Olavo de Carvalho, em especial as opiniões do escritor sobre o filósofo comunista italiano Antonio Gramsci, que dizia que os movimentos de esquerda não deviam se preocupar em tomar quartéis, e sim escolas. E eram justamente as escolas e as universidades, segundo a direita olavista, que tinham sido dominadas pelo "pensamento pervertido" da esquerda.

As manifestações pelo impeachment de Dilma fluíram pelo país feito rio caudaloso. No dia 24 de abril de 2015, uma marcha organizada pelo MBL, tendo à frente seus quatro principais líderes — Renan Santos, Kim Kataguiri, Fernando Holiday e Fábio Ostermann —, saiu de São Paulo rumo a Brasília para protocolar no Congresso Nacional um pedido de impedimento da presidente. Durante um mês de caminhada até Brasília, o grupo foi ganhando adesões. Quando chegou à capital federal, a marcha iniciada com 22 pessoas já tinha mais de cem participantes. E no dia 27 de maio, assim que Santos, Kataguiri, Holiday e Ostermann adentraram o Congresso com o pedido de impeachment em mãos, vários outros grupos de direita se juntaram a eles.

Em outubro, MBL, Revoltados On Line e Vem pra Rua decidiram acampar no gramado em frente à Câmara dos Deputados, prometendo só sair dali depois que o Congresso aprovasse a abertura do processo. Cada vez mais pessoas aderiam ao movimento, com faixas em que se lia desde "Fora Dilma" até "SOS FFAA: intervenção militar constitucional já!".

Nessa época, a advogada Bia Kicis, então procuradora e corregedora-geral da Procuradoria do Distrito Federal, mudou-se para o acampamento. Ela havia se juntado ao Revoltados On Line e, por causa disso, passara a ter grande visibilidade nas redes. Desde 2014, resolvera protestar contra o governo Dilma e as pautas da esquerda, sobretudo as questões de gênero. Seu interesse pelo assunto foi despertado por Bolsonaro, que passou a denunciar o que ele apelidou de "kit gay". Quando muitos de seus amigos alertaram-na de que aquilo era invenção do deputado, ela já estava tomada de ódio.

Kicis começou a divulgar informações — jamais comprovadas — de que "as crianças estavam fazendo xixi na calça nas escolas porque os professores queriam obrigar os meninos a usar o banheiro das meninas". Passou também a compartilhar vídeos falsos que mostravam professores forçando meninos a "virarem gays". Num deles, um menino de três anos era coagido pelos professores a usar batom, mas a criança se negava a aceitar a imposição — e quando isso acontecia, segundo ela, os professores diziam: "Ah, desiste, esse é teimoso mesmo".

Ao comentar o assunto nas redes, Kicis, com fala e expressão graves, orientava os pais a se rebelarem. "Pai e mãe, vocês têm que processar as pessoas que estão fazendo isso com seu filho", dizia, instilando terror nas famílias que acompanhavam suas postagens. Ela passou também a frequentar o Congresso, orientando os parlamentares a entrarem com ações contra as pautas da esquerda, e acabou por encabeçar um dos processos de impeachment. Com o tempo, ficou ainda mais furiosa. Foi aí que se aproximou de Bolsonaro, por achar que ele era o parlamentar que mais combatia as pautas de gênero.

Em 2015, era comum que Bolsonaro visitasse os manifestantes em frente ao Congresso. Foi ali que Bia Kicis conheceu Otávio Fakhoury, que, diferente dela, não se mudara para lá, mas dava suporte aos acampados, comprando água, papel higiênico e outros itens de primeira necessidade. Ficaram amigos e, ainda em 2015, foram juntos para os Estados Unidos conhecer pessoalmente o grande ídolo dos dois, Olavo de Carvalho. O encontro casual de Kicis e Fakhoury seria fundamental para a vitória de Bolsonaro, três anos depois.

Os acampados ganharam apoio também da população do Distrito Federal, que durante anos fora majoritariamente petista, sobretudo por causa dos servidores públicos. Com os apertos nos reajustes e outros problemas como a corrupção, o funcionalismo aos poucos mudou de lado. Assim, era comum que os moradores da capital fossem até o acampamento oferecer solidariedade.

Os brasilienses levavam água, café, comida e até filtro solar para os militantes pró-impeachment.

Com o passar dos dias, o tumulto em frente ao Congresso começou a incomodar, e o então presidente do Senado, Renan Calheiros, do situacionista PMDB — sigla que mais tarde mudaria de nome para MDB —, determinou a retirada dos manifestantes. Mas o presidente da Câmara, Eduardo Cunha, do mesmo partido, já atuando abertamente contra a presidente Dilma e a favor do vice, o também peemedebista Michel Temer, garantiu a presença deles no gramado em frente à Câmara.

Com a briga nas duas casas, ficou acertado que os manifestantes não poderiam avançar até a frente do Senado. Nessa época, muitos colunistas saíram em defesa dos acampados, dentre eles o jornalista Reinaldo Azevedo, um dos porta-vozes da nova direita. Em 23 de outubro de 2015, publicou seu blog no site da revista *Veja* o post "Como é? Acampamento pró-impeachment é irregular? Por que não se protesta quando terroristas ocupam Brasília?".[8] Ali ele escreveu, entre outras coisas:

> Sempre que o jornalismo defende a legalidade democrática, eu fico feliz. É tal a frequência com que os coleguinhas condescendem com o banditismo de grupos como MST, MTST e afins que, bem, quando se fala em respeitar normas, eu até fico feliz.
>
> Procurem no Google, inclusive "imagens". Vejam quantas foram as vezes em que o gramado do Congresso, a Esplanada dos Ministérios, a Praça dos Três Poderes, enfim, foram ocupados pelos ditos "movimentos sociais" — que são, claro!, de esquerda.
>
> No ano passado, 200 ditos índios que vestem short Adidas e falam ao celular tentaram invadir a Câmara dos Deputados. Um policial levou uma flechada na perna. Alguns falsos silvícolas devem ter comprado um arco de brinquedo em algum camelô e se atrapalhado... Foram recebidos por autoridades.
>
> Também em 2014, o MST feriu ao menos 30 policiais militares num confronto promovido na Praça dos Três Poderes. Acabaram recebidos pelo governo. No dia seguinte, Gilberto Carvalho apareceu num evento da turma.
>
> Agora, há menos de uma dezena de barracas de movimentos pró-impeachment no gramado do Congresso. Lá estão representantes do Movimento Brasil Livre, do Vem pra Rua e do Revoltados On Line.
>
> Leio agora que — ó meu Deus!!! — aquelas barracas são ilegais porque ato conjunto de 2001 da Câmara e do Senado estabelece que "é vedada a edificação de

construções móveis, colocação de tapumes, arquibancadas, palanques, tendas ou similares" naquele lugar. Como o presidente da Câmara, Eduardo Cunha (PMDB--RJ), autorizou a instalação das barracas, e Renan Calheiros (PMDB-AL), presidente do Senado, não, então logo surge a especulação de que Cunha só autorizou porque, afinal, quer derrubar Dilma.

Vocês já leram, na imprensa brasileira, alguma vez, contestação remota que fosse à ocupação de espaços públicos por movimentos reivindicatórios de esquerda? Costumo protestar sozinho. Costumo, solitariamente, lembrar que a avenida Paulista, por exemplo, é de todos, não apenas de sindicalistas, de esquerdistas e de bicicletistas... Muitos coleguinhas me acham reacionário também por isso.

Em novembro, a Esplanada entrou em ebulição. Um grupo de mulheres negras de esquerda resolveu protestar contra o racismo e entrou em choque com o pessoal da direita. Deu-se um quebra-pau. Antes que a situação piorasse, o governador do Distrito Federal, Rodrigo Rollemberg, e os presidentes da Câmara e do Senado convenceram os manifestantes a deixar o local.

Numa manhã de 2021 em seu escritório na Faria Lima, Fakhoury, durante uma conversa com o amigo Flavio Beall, deu sua explicação, em retrospectiva, para tamanha revolta: "Se a indignação de 2013 ainda não tinha rosto, a de 2015 tinha a cara do Paulo Roberto Costa, ex-diretor da Petrobras, do doleiro Alberto Youssef, daquela gente toda metida no escândalo do Petrolão".

"A Lava Jato [estava] prendendo os empreiteiros. O povo, indignado, se entusiasmou", acrescentou Beall.

"A operação botou alvo nas costas de um monte de gente. Foi pra cima daqueles caras. Então, todo problema governamental do Brasil, tudo de atraso passou a ser culpa desses caras. E não era só culpa deles, tem muito mais gente que ainda precisa ser responsabilizada pelo atraso do Brasil. Mas o povo precisava de um alvo e precisava de um herói", continuou Fakhoury.

O personagem que faria o papel de herói dos indignados era o juiz Sergio Moro. Impassível, metido em ternos pretos, sentava-se à frente dos investigados e os bombardeava com perguntas, transmitidas o dia todo e durante meses para o Brasil inteiro. Aquela imagem do paladino da justiça, do caçador de corruptos, encantava cada vez mais pessoas como Fakhoury e Beall. Havia um clamor por mudança e, na cabeça dessas pessoas, o juiz curitibano incorporava esse espírito.

"Moro era o herói de todo mundo, e era o meu também", disse Fakhoury. "E de quem não era? Quem falava mal dele em 2015? Ninguém! As pessoas, no seu imaginário, que hoje eu já corrigi em mim, estão sempre buscando um messias, um salvador para ir atrás de um algoz. Moro representava a mudança. As pessoas achavam que ele ia prender todo mundo. Que ia mudar o Brasil."

Depois da gigantesca manifestação de março de 2015, Fakhoury, já como ativista de direita, colocaria pela primeira vez os pés no Congresso Nacional, acompanhado de Flavio Beall e de um amigo de longa data do deputado Jair Bolsonaro, o coronel José Gobbo Ferreira, autor do livro *Dez anos de PT e a desconstrução do Brasil*. Fakhoury e Beall receberam de Gobbo alguns vídeos feitos por Bolsonaro. Foi quando mudaram a impressão que tinham do deputado. Antes achavam que Bolsonaro era um parlamentar de nicho, afeito apenas às causas dos militares (sobretudo os de baixa patente) e de pessoas ligadas à segurança pública, seus eleitores mais fiéis. Ao assistir aos vídeos, Fakhoury se deu conta de que Bolsonaro tratava de um assunto negligenciado pelo Congresso: a segurança. Naquela época, o Brasil já registrava quase 60 mil assassinatos por ano.

Mas Bolsonaro não tinha nenhuma proposta para pôr fim à criminalidade a não ser armar a população. Essa era uma pauta que contentava Fakhoury, Beall e muitos integrantes de uma direita de inspiração libertária — um público sobretudo masculino —, que pensavam da seguinte forma: se o Estado não defendia a sociedade, que a autorizasse a se autodefender. A ideia que alguns grupos de direita faziam da política de desarmamento era de que o Estado desarmara o cidadão e armara o bandido — e Bolsonaro, portanto, ao defender o porte de armas, estaria ajudando o povo a se proteger.

À medida que via os vídeos de Bolsonaro falando não só de segurança, mas de valores tradicionais da família, Fakhoury se sentia representado por aquele discurso.

> Depois de tanto se esticar a corda para um lado, é natural você ter uma reação, que era o que o Olavo dizia no texto dele. Você vai ver uma reação, e a sociedade vai acabar estilingando de alguma forma. Se aparecer alguém com discurso moralizante, conservador, essa pessoa pode ser bonita, feia, pode ser gaga ou não. Essa pessoa vai ser abraçada pelo movimento.

E Fakhoury abraçou. O capitão da reserva se encaixava perfeitamente nesse perfil moralizante, conservador, violento e autoritário sonhado por parte dos brasileiros.

No Congresso, o coronel Gobbo apresentou Fakhoury e Beall a Bolsonaro, e os três se encontraram com ele em seu gabinete numa quinta-feira de abril, às 21h30. Era o único gabinete com a luz acesa àquela hora, porque Bolsonaro, que acabara de se reeleger como o deputado federal mais votado pelo Rio de Janeiro, recebia um grupo de admiradores. De lá, os quatro, na companhia de Eduardo Bolsonaro — que fora eleito para seu primeiro mandato como deputado por São Paulo, na esteira da popularidade do pai —, seguiram para o bar do terraço do Hotel St. Paul, em Brasília, onde Fakhoury tinha um apartamento.

Na conversa, que durou cerca de duas horas, depois que Gobbo e Bolsonaro relembraram histórias do tempo da caserna, Fakhoury e Beall quiseram saber mais sobre as ideias de Bolsonaro. Apesar de acharem que ele não as formulava muito bem, gostaram do jeitão "sincero" do parlamentar.

"Não vou mais concorrer para deputado na próxima eleição", confessou Bolsonaro no meio do bate-papo.

Os interlocutores se espantaram.

"Vai sair pelo Senado?", perguntou Fakhoury.

"Não. Vou concorrer à presidência da República."

Com o crescimento da direita e com os valores conservadores em alta, somados à crise política deflagrada pela Lava Jato, Bolsonaro estava convencido de que aquele era o momento perfeito para alguém com o seu estilo. Fakhoury, Beall e Gobbo concordaram, e saíram do encontro com o seu candidato à presidência decidido.

Mas o ex-capitão ainda não sabia que contaria com outro importante acontecimento para ajudar na futura candidatura. No final daquele ano, as medidas econômicas adotadas por Dilma Rousseff a partir de 2012 — como a expansão desenfreada dos gastos públicos para estimular o crescimento do país — cobrariam seu preço, conduzindo o Brasil à maior recessão da sua história, que se estenderia até o final de 2016. Em 2015, a inflação foi a 10,67%, quase o dobro da meta, e o PIB teve uma retração de 3,8%. No final do ano seguinte, a economia encolheria mais 3,3%, e o país se veria às voltas com uma taxa de desemprego recorde: 12%, o que em números absolutos resultava em 12,3 milhões de desempregados.

Dilma não completou o mandato. Com duas gigantescas crises — a política e a econômica — e uma multidão nas ruas de todo o país protestando contra seu governo, o Congresso decidiu abrir um processo de impeachment contra ela. Dois advogados comandaram a cena: Hélio Bicudo e Janaina Paschoal.

Em 17 de abril de 2016, na sessão que decidiu o destino da presidente, Bolsonaro dedicou seu voto a um dos mais notórios torturadores da ditadura militar, o coronel Carlos Alberto Brilhante Ustra — "o terror de Dilma Rousseff", como ele diria antes de dar o seu "sim" para o impeachment —, motivo pelo qual levou uma cusparada do deputado Jean Wyllys, do PSOL do Rio de Janeiro. Fora esse gesto, nenhum de seus pares no Congresso pensou em censurá-lo por fazer apologia a um torturador.

O voto de Bolsonaro ganhou destaque na mídia e nas redes sociais. Àquela altura, ele já estava em campanha, e por onde passava era saudado com gritos de "Mito!". Os institutos de pesquisa e a imprensa, contudo, somente captariam o fenômeno em 2018, às portas das eleições presidenciais.

E tudo havia começado naquele Ano da Serpente de 2013.

2. "Brasil acima de tudo"

O gabinete do deputado Jair Messias Bolsonaro, durante os seus 27 anos de mandato, funcionava no andar térreo do Anexo III da Câmara dos Deputados. O espaço — duas salas apertadas, decoradas com móveis de madeira escura — não diferia muito do de seus colegas. O que chamava a atenção de quem entrava ali eram os quadros que ele exibia na parede, atrás de sua mesa, com fotos emolduradas dos generais que haviam ocupado a presidência da República durante a ditadura militar: Humberto Castelo Branco, Artur da Costa e Silva, Emílio Garrastazu Médici, Ernesto Geisel e João Batista Figueiredo.

"Gostou das fotos?", ele perguntou durante uma entrevista num final de tarde de julho de 2016. "Queria que eu colocasse a foto de quem aí? Da Dilma?", provocou, gargalhando em seguida.[1]

Quatro meses antes, em março, Bolsonaro deixara clara sua intenção de sair candidato a presidente e se filiara ao PSC. Desde 1988, ano de seu ingresso na política como candidato a vereador pelo Rio de Janeiro, tinha circulado por muitas legendas: PDC, PPR, PPB, PTB, PFL e PP — desta última havia se desligado alegando envolvimento de seus integrantes na Lava Jato. O responsável por lhe franquear o acesso ao PSC tinha sido o pastor Everaldo Dias Pereira, então presidente do partido. "Nos reunimos e firmamos um acordo de que, se ele chegar em 2018 com 10% das intenções de voto, será oficializado candidato", contou o pastor à época.

Em 2016, parecia quase impossível alguém imaginar que o raivoso e histriônico deputado pelo Rio de Janeiro, um ex-capitão do Exército que entrara no Parlamento graças aos votos de integrantes de baixa patente das Forças Armadas e das polícias, teria alguma chance de chegar à presidência da República. No entanto, sua plataforma ultraconservadora já tinha garantido índices de aceitação surpreendentes, sobretudo para um presidenciável que nunca concorrera a cargo majoritário e era ignorado pelos meios de comunicação. Uma pesquisa feita pelo Instituto Datafolha em meados de julho revelou que o político oscilava entre 7% e 8% das intenções de voto, empatado tecnicamente com dois veteranos em matéria de eleição, Geraldo Alckmin e José Serra, ambos do PSDB, e só ficava atrás de Lula, com 23%, e de Marina Silva, com 18%.

Na ocasião, o cientista político André Singer, da Universidade de São Paulo, chamava atenção para o fenômeno Bolsonaro e admitia que o germe de uma candidatura de extrema direita não poderia ser ignorado.

> O que essa opção por Bolsonaro vocaliza? Um antipetismo radical? O apoio à volta dos militares? Uma onda conservadora ligada à intolerância religiosa? O sentimento anticomunista? Sim, porque, embora não exista comunismo, sabemos que o anticomunismo existe.

Nas eleições de 2014, Bolsonaro tinha sido o deputado mais bem votado do Rio de Janeiro. Sua página do Facebook, em 2016, tinha mais de 3 milhões de seguidores. Ainda assim, Singer, como tantos outros cientistas políticos, não acreditava que ele pudesse vencer.

Embora o anúncio público de sua candidatura tenha se dado em 2016, Bolsonaro já vinha se preparando havia mais tempo. Mas não foi no Parlamento que começou buscando apoio. Nem teria como: não era um parlamentar ativo, não participava das negociações importantes da Casa e praticamente só se relacionava com o baixo clero, um grupamento de deputados inexpressivos, que tratam apenas dos interesses de suas bases eleitorais, sem se importar com as questões nacionais, a não ser numa situação de toma lá dá cá. Em seus quase trinta anos de mandato, Bolsonaro teve apenas dois projetos aprovados: a emenda propondo voto impresso das urnas eletrônicas, que não foi adiante no

Senado, e aquele que autorizava a "pílula do câncer", a fosfoetanolamina, um composto produzido a partir do óleo de mamona que comprovadamente não tem efeito terapêutico. Quando tentou se candidatar à presidência da Câmara, recebeu apenas quatro votos — incluindo o seu próprio.

Sem articulação no Congresso, no meio empresarial, na intelectualidade, nos sindicatos e na imprensa, Bolsonaro foi procurar respaldo naqueles com quem sempre se sentiu mais à vontade: os fardados. E dessa vez não só da soldadesca, com quem estava mais acostumado a lidar, mas de seus ex-companheiros do tempo da Aman — a Academia Militar das Agulhas Negras, escola de formação de oficiais do Exército —, que tinham, nas duas últimas décadas, alcançado posições de destaque nas Forças Armadas.

O momento era propício para atrair os ex-camaradas para o seu projeto. Os militares estavam em alta desde os protestos de 2013, quando parte dos manifestantes foi para as ruas pedindo a volta deles ao poder. Além do conservadorismo, o deputado, com seus modos rudes e o hábito de fazer apologia do regime militar — que transformava em sinônimo de ordem e autoridade, em contraponto à baderna que, segundo ele, se via por toda parte —, acabou canalizando as frustrações de parte do eleitorado num período marcado pela desmoralização dos políticos e pelo antipetismo exacerbado.

E não havia instituição em que o antipetismo fosse mais acentuado do que as Forças Armadas, que ficaram indignadas com as denúncias de corrupção trazidas à tona pela Lava Jato. Os militares da reserva passaram a dar apoio aberto às ações do juiz Sergio Moro, e os da ativa — que por limitações constitucionais não podiam se manifestar em público — o apoiavam discretamente. Estes, no começo, tomaram o cuidado de falar do juiz só em conversas privadas. "Todos nós apoiávamos a Lava Jato. Não havia como ser diferente", revelou o general Carlos Alberto dos Santos Cruz, que viria a participar ativamente da campanha do ex-capitão. Moro, que mandava investigar e prender corruptos a torto e a direito, atendia ao desejo de ordem e autoridade da tropa.

Bolsonaro, então defensor fervoroso da Lava Jato e crítico feroz da esquerda, começou a conquistar corações e mentes da oficialidade. Nomes de grande prestígio nas Forças Armadas, como os generais Santos Cruz, Augusto Heleno, Eduardo Villas Bôas, Sérgio Etchegoyen, Otávio Rêgo Barros e Maynard Santa Rosa, embarcaram na sua candidatura. "Havia duas razões para esse apoio. A primeira era o entusiasmo de acabar com a era PT. A corrupção era uma agressão muito forte, e estamos falando aqui de desvios de bilhões de reais ao longo dos governos petistas. A expectativa de acabar com aquele período era muito grande", explicou o general Santos Cruz em dezembro de 2021. A segunda, disse ele, era a promessa de outro modo de fazer política. "Acabar com o toma lá dá cá, com a reeleição. Nós acreditávamos que isso pudesse acontecer" E continuou:

> A falta de segurança pública, a desorganização, a corrupção, tudo isso junto fazia com que a sociedade quisesse alguém que organizasse o país. E a imagem da organização vem do meio militar por causa da disciplina, do planejamento. Bolsonaro, que tinha o título de ex-capitão, soube explorar isso muito bem na campanha.
>
> O problema é que a sociedade acha que militar tem certificado de qualidade total. E não é bem assim. Eu tenho certificado de qualidade total nos assuntos militares. Eu sei comandar, sei combater; já combati, levei tiro. Fora disso, você achar que o cara, porque tem título de general, coronel, capitão, tem certificado total é um erro. Mas a sociedade acaba tendo essa percepção.

Na verdade, os fardados apostavam que o ex-capitão seria o instrumento para voltarem ao poder — ainda que indiretamente —, porque previam que participariam do governo caso Bolsonaro ganhasse. Só assim teriam condições de colocar o país em ordem, arrumando tudo o que achavam estar fora de lugar. Não que confiassem em Bolsonaro; sabiam que não era o melhor cavalo, mas era o que tinham à disposição — e, quando ele passou encilhado, eles montaram.

O primeiro sinal de engajamento dos fardados a Bolsonaro se daria ainda em novembro de 2014, dias depois do segundo turno que reelegeu Dilma Rousseff. Com a temperatura política em alta, o então deputado foi à formatura de cadetes da Aman e fez um discurso se lançando candidato em 2018, e os cadetes, eufóricos, o aclamaram como líder. O gesto rompia com a norma da instituição, que proíbe manifestações políticas nas suas dependências, tanto em quartéis como em academias, porém o então comandante do Exército, general Enzo Peri, fez vista grossa.

Foi a primeira vez que a política entrou na caserna depois da redemocratização — e num dos locais mais significativos para o Exército, onde se formam todos os oficiais. O discurso de campanha de Bolsonaro na Aman também foi ignorado pela presidente da República e pelo então ministro da Defesa, o embaixador Celso Amorim, que não se deram conta da gravidade do episódio. A questão foi tratada como trivial.

> Este tipo de ato só é possível se houver autorização do comandante da Academia. E como Bolsonaro repetiu a visita em 2015, 2016, 2017 e 2018, posso afirmar que ele contou com o conhecimento do comandante do Exército e com o descaso dos ministros da Defesa e dos presidentes da República

afirmou o antropólogo Piero Leirner, especialista no tema defesa nacional, em uma entrevista à BBC.[2] E ele foi além:

> Deixar a política entrar nos quartéis dessa maneira compromete o Estado como um todo. De um lado, os civis não deram a menor bola para esses eventos, pois não conseguiram pensar o papel da instituição militar no país. De outro, os militares sabem muito bem o que significa um político entrar numa instalação militar e fazer campanha, lobby, articulação etc… Bolsonaro fez tudo isso sozinho? Não. Foi o topo da cadeia de comando que ligou a ignição para um projeto político de, pelo menos, quatro anos.

Em julho de 2018, o almirante Mário César Flores, ex-ministro da Marinha do governo Fernando Collor, recebeu em sua casa, no bairro da Gávea, Zona Sul do Rio de Janeiro, o historiador Manuel Domingos Neto. Os dois tinham relações amigáveis. Neto, formado pela Universidade de Paris, estudava o tema da defesa desde os anos 1960 e gostava de conversar com o almirante, sempre bem informado sobre o que se passava nas Forças Armadas. Naquele dia, para surpresa do historiador, Flores mencionou que havia participado de duas reuniões de almirantes com Bolsonaro para discutir o apoio da Marinha ao projeto de eleição do ex-capitão. O militar então contou que desistira dos encontros por concluir que o candidato "não reunia as qualidades para presidir o país".

"Ele é um descontrolado. Ninguém põe limites naquele sujeito", disse o almirante, segundo relato de Domingos Neto. "Eu saltei fora", completou.

As impressões de Flores sobre Bolsonaro, de acordo com Neto, eram as piores. Ele contou para o historiador que, em todas as conversas que tivera com o presidenciável, ele demonstrara "afoiteza, desequilíbrio, falta de ponderação". Por tudo isso, não levava a sério aquela candidatura. Neto tinha a mesma percepção: via Bolsonaro como um radical de extrema direita emocionalmente instável, e não conseguia acreditar que o almirantado pudesse apoiá-lo. Saiu do encontro preocupado. De lá, foi direto para a casa de um amigo, o cientista político Wanderley Guilherme dos Santos, a quem relatou a conversa com o almirante. Santos também se espantou. O que tranquilizava um pouco os dois era o fato de que Flores não havia embarcado no projeto. Isso lhes dava a esperança de que parte do almirantado também se daria conta dos riscos de apoiar um candidato tão explosivo.

Dois meses depois, contudo, em 5 de setembro, véspera da facada em Bolsonaro, Neto teve um encontro com o general Santos Cruz na USP, onde participaram de uma mesa sobre defesa. Após a palestra, Neto e Santos Cruz tiveram uma longa conversa a sós. Para a surpresa do historiador, o general estava entusiasmado com a campanha de Bolsonaro.

"Nós vamos ganhar as eleições. Nós temos 2 milhões de militantes atuando. A mobilização é essencialmente contra a corrupção", celebrou. "O Lula já teve a chance dele. O PT já teve a chance dele. Está na hora de mudar", disse o general, conforme relatou Neto.

Neto não se conformava com a posição de Santos Cruz. Embora o considerasse um militar com ideias associadas à direita, via nele características positivas, como disposição para o diálogo e educação.

"General, quem vai segurar esse doidão? Esse 'Cavalão' [apelido de Bolsonaro no Exército]?", perguntou Neto.

"Eu vou segurar", assegurou o general. "Diferente de vocês, da esquerda, que não seguraram o doidão de vocês, o Lula."

Durante a conversa, Santos Cruz recebeu três ligações de Bolsonaro, que insistia para que o general fosse com ele a Juiz de Fora.

"Fica tranquilo, rapaz", Santos Cruz acalmou o ex-capitão. "Estarei lá com você amanhã sem falta."

Neto contou da conversa que tivera com Santos Cruz para vários colegas da universidade. Foi um choque. Era incompreensível para eles que os militares de alta patente aceitassem respaldar a empreitada do ex-capitão, que sempre fora visto com desprezo por seus pares.

Ainda assim, os militares foram os primeiros a dar uma aura de credibilidade a Bolsonaro. Com a chancela deles, parte da sociedade acreditou que o candidato era confiável. Mas o comando das Forças Armadas nunca deixou de vê-lo como um pequeno oficial ambicioso, indisciplinado e destemperado — um "mau militar", como atestara em 1988 o então presidente Ernesto Geisel no artigo "A verdade: Um símbolo da honra militar". Apesar disso, generais, brigadeiros e almirantes achavam que, de algum modo, conseguiriam mantê-lo sob controle.

"Os militares embarcaram na proposta dele do mesmo jeito que eu embarquei", revelou o general da reserva Paulo Chagas, que se candidatou — e perdeu — ao governo do Distrito Federal em 2018. "Nós achávamos que ele seria o aríete que ia abrir a porta, ia entrar na frente. Ele era um instrumento para tirar o PT do poder. Mas, assim que chegasse lá, nós íamos dizer o que tinha que ser feito, e ele ia nos obedecer. Só que ele não fez nada disso. Quando chegou lá, sacudiu o lombo e só ouviu os filhos. E pronto."

Bolsonaro estreou na política depois de ter sido mandado para a reserva por liderar um movimento em defesa do aumento do soldo dos militares. Em 1987, uma reportagem da revista *Veja* revelou que o capitão Jair Bolsonaro planejara colocar bombas de baixa potência nos banheiros da Escola de Aperfeiçoamento de Oficiais (ESAO) e em outros quartéis, inclusive a Aman, em Resende, no estado do Rio, e na adutora de águas do Guandu, na capital. Seu objetivo seria denunciar os baixos salários da tropa. Bolsonaro teria contado o plano para a revista, mas negou tudo quando a história veio à tona. A publicação entregou todo o material — inclusive o mapa desenhado pelo capitão — para o então ministro do Exército, o general Leônidas Pires Gonçalves, que acreditou na versão da revista e instaurou um processo contra Bolsonaro. Sua expulsão das Forças Armadas só não se deu porque o Superior Tribunal Militar considerou o material inconclusivo, decisão com a qual o general Leônidas nunca se conformou.

No inquérito aberto pelo Superior Tribunal Militar (STM), o coronel Carlos Alfredo Pellegrino, que havia sido superior do então tenente Jair Bolsonaro (ele foi promovido a capitão ao ir para reserva), foi ouvido como testemunha. A sindicância também analisava o fato de Bolsonaro ter praticado extração manual de ouro em um garimpo na Bahia durante suas férias, o que lhe valera uma repreensão. Perguntado sobre o comportamento de seu antigo subordinado, o coronel respondeu que "era reflexo de sua imaturidade e a exteriorização de ambições pessoais, baseadas em irrealidades, aspirações distanciadas do alcance daqueles que pretendem progredir na carreira pelo trabalho e dedicação". Sobre a atuação do réu em suas atividades militares, seu superior disse que, "numa inspeção administrativa, saiu-se com resultados bastante satisfatórios, assim como em outra preparação de exercício em campanha".

Já em relação aos "serviços permanentes", a opinião do coronel sobre o subordinado não era das melhores. "No exercício permanente das funções de instrutor, formador de soldados e de comandante, faltavam-lhe a iniciativa e a criatividade, particularidades de seu caráter", afirmou. O coronel detalhou seu ponto de vista: "Observou-se que o oficial tinha permanentemente a intenção de liderar os oficiais subalternos, no que foi sempre repelido, tanto em razão do tratamento agressivo dispensado a seus camaradas, como pela falta de lógica, racionalidade e equilíbrio na apresentação de seus argumentos".

Logo após ser absolvido pelo STM, Bolsonaro se candidatou a vereador pelo Rio de Janeiro tendo como bandeira a melhoria do salário dos militares. Fez sua campanha com poucos recursos e conseguiu se eleger. Sua identificação com as Forças Armadas era tanta que ele adotou como slogan de suas campanhas para a Câmara de Deputados o brado da Brigada de Infantaria Paraquedista do Exército, à qual pertencera quando capitão: "Brasil acima de tudo".

O comando das Forças Armadas, contudo, não o queria por perto. Por anos foi proibido, por ordem expressa dos comandantes, de se aproximar dos quartéis para fazer campanha. Os oficiais consideravam Bolsonaro um criador de caso, um sujeito que pregava a indisciplina, colocando os praças contra os oficiais.

Por causa desses transtornos, o general Carlos Tinoco, ministro do Exército entre 1990 e 1992, certa vez proibiu Bolsonaro de participar de uma formatura de oficiais da Aman, à qual ele teimava em comparecer. Indignado, Bolsonaro atravessou o seu carro em frente ao portão monumental da Academia e esbravejou: "Se eu não entro, ninguém entra". O general Tinoco, que estava na cerimônia, mandou um auxiliar seu resolver a situação. Este, que tinha sido instrutor de cavalaria na Aman, não perdeu tempo. Buscou um carro de combate, amarrou um cabo de aço no veículo de Bolsonaro e avisou: "Vou tirar o teu carro daí. Acho melhor tu tirar porque eu vou arrastar e vai quebrar. Está engrenado, não está? Vai quebrar tudo". Bolsonaro apressou-se em tirar o carro, mas continuaria a ser uma pedra no sapato dos oficiais.

O general Zenildo Lucena, ministro do Exército dos presidentes Itamar

Franco e Fernando Henrique Cardoso, era um dos que se impacientava com o deputado. Certa ocasião, numa solenidade de uma brigada de paraquedistas, foi informado de um tumulto na frente do quartel. Era Bolsonaro, que insistia em entrar para falar com ele. Lucena, para pôr fim ao alvoroço, autorizou a entrada. Satisfeito com a vitória, o deputado se postou na frente do oficial e bateu continência. O general foi seco. "Garoto, fica quieto aqui do meu lado. Não tumultua senão vou mandar te tirarem." Bolsonaro obedeceu. Ficou calado até o fim do evento, conforme contou o general Paulo Chagas, que testemunhou a cena.

A confusão na frente dos quartéis, contudo, lhe garantia publicidade. Seus eleitores — soldados de baixa patente e da reserva, inativos e pensionistas —, ao ver as estripulias do deputado, acreditavam que ele estava brigando pelos interesses da categoria, embora nunca tenha conseguido o aumento no soldo. Mas ele precisava passar a impressão de estar na luta.

Certa manhã, em meados dos anos 1990, o mesmo Zenildo Lucena estava no aeroporto do Galeão, no Rio de Janeiro, resolvendo detalhes do embarque ao lado de seu então assistente Paulo Chagas, à época ainda coronel, quando avistou Bolsonaro. Virou-se e comentou com seu subordinado: "Ih, rapaz, lá vem o Bolsonaro, não deixa ele me ver". "Agora é tarde", respondeu Chagas. Bolsonaro estava vindo em direção à dupla. O general Lucena sabia dos discursos do deputado na Câmara, reclamando dos salários da tropa. Chamou sua atenção: "Porra, garoto, você faz muita cagada". Humilde, o parlamentar respondeu: "Pô, chefe, de vez em quando tenho que fazer alguma para manter minha posição. Senão os caras vão achar que eu mudei de lado".

Todas essas histórias eram de conhecimento dos oficiais das Forças Armadas, a maioria deles contemporâneos de Bolsonaro. Ao apoiarem sua candidatura, portanto, sabiam exatamente com quem estavam lidando. E mesmo assim foram adiante.

No final de 2015, o general Oswaldo Ferreira, então comandante militar do Norte, recebeu na sede do comando, em Belém, a visita de Jair Bolsonaro e do deputado Delegado Éder Mauro, do PSD do Pará, ambos acompanhados das esposas. Era a primeira vez que Ferreira encontrava Bolsonaro e, numa conversa de cerca de meia hora, soube de sua candidatura à presidência da República.

Menos de dois anos depois, em abril de 2017, o general Ferreira, já então na reserva e morando em Brasília, recebeu uma ligação de Bolsonaro pedindo um encontro. Conversaram de dez da manhã ao meio-dia no apartamento do general, na Asa Norte. Bolsonaro disse que o procurava por ele ser do Departamento de Engenharia e Construção do Exército, que coopera na construção de estradas, barragens e outras obras, através dos batalhões de engenharia. Esse departamento tem contato direto com o Departamento Nacional de Infraestrutura de Transportes (DNIT), e Bolsonaro explicou que gostaria de ter como ministro dos Transportes um militar com experiência nessa área.

"General, eu preciso do senhor para me ajudar a transformar o Brasil", o deputado disse.

"Olha, eu topo ajudar desde que o general Heleno esteja junto no seu projeto", ele respondeu. O general Heleno era visto pelos oficiais como alguém com grande capacidade de articulação, além de muito bem relacionado nas Forças Armadas. Graduado também pela Aman, Heleno sempre se envolvera em questões polêmicas. Nos anos 1970, ele, que se identificava com a linha dura dos militares, estava entre os apoiadores do general Sílvio Frota quando este se colocou contra a política de distensão da ditadura, em curso pelo grupo de militares que apoiavam o general Ernesto Geisel.

Ainda assim, não perdeu prestígio. De 2004 a 2005, no governo Lula, foi o primeiro comandante militar da Missão das Nações Unidas para Estabilização do Haiti. Em 2007, foi alçado ao comando militar da Amazônia, o mais importante do Exército, e atacou publicamente a política indigenista do governo. Numa palestra no Clube Militar, no Rio de Janeiro, criticou a demarcação da reserva Raposa Serra do Sol, em Roraima, colocando-se ao lado dos arrozeiros e contra o governo e os indígenas. Acabou demitido por Lula em razão da insubordinação, mas ele e seus companheiros de farda nunca engoliram esse gesto. Em 2011, o general entrou para a reserva.

Heleno foi um dos primeiros oficiais a se engajar na campanha de Bolsonaro. Ia a quase todas as manifestações em favor do candidato e, sempre que possível, atacava a classe política e o governo Dilma. Certa vez, disse ser favorável à volta do ato institucional nº 5, o AI-5 — um dos atos mais duros da ditadura militar, que fechou o Congresso, cassou políticos e estudantes e impôs uma pesada censura à imprensa —, caso o Brasil enfrentasse conflitos de rua como no Chile.

Heleno chegou a ser cotado para vice na chapa de Bolsonaro pelo PRP, mas o partido não concordou, em razão das alianças que seriam feitas nos estados. Além disso, o PSL, partido do presidenciável na época, era uma legenda nanica e não acrescentaria tempo de televisão para os demais candidatos do PRP.

No dia 7 de fevereiro de 2018, Bolsonaro foi à casa do general Oswaldo Ferreira acompanhado de Heleno, e ali ficou combinado que os dois ajudariam o candidato a preparar seu plano de governo. Começaram a fazer reuniões semanais na casa de Ferreira, que anotava todas as propostas em um caderno de capa preta. As discussões se davam em torno de vários temas: saúde, educação, transporte, moradia, segurança. Os generais subsidiavam o deputado com informações que depois seriam usadas nos vídeos que Bolsonaro divulgava nas redes sociais já como prévia da campanha — gravações curtas e simples, de fácil assimilação pelos internautas — e se encarregavam de também divulgar esse material em suas redes sociais, multiplicando seu alcance entre militares, familiares e simpatizantes.

Havia centenas de grupos de militares criados para espalhar a visão de Bolsonaro — e deles próprios — sobre o país. Muitos oficiais se engajaram. "Eu fiz campanha como quase todos os brasileiros. A campanha do Bolsonaro foi muito espontânea. Cada um fazia o seu videozinho, distribuía na sua lista de WhatsApp e, assim, você influenciava as pessoas no ambiente próximo a você, e isso tinha um efeito multiplicador", comentou o general Santos Cruz.

No dia 17 de abril, houve uma reunião na casa do general Heleno para discutir como seria a relação com o Congresso. Os militares queriam acabar com o toma lá dá cá, mas, sem experiência em lidar com o Parlamento, achavam que bastava decretar o fim desse tipo de relação e estaria tudo resolvido, esquecendo-se das peculiaridades da Casa.

Quanto ao segundo tema tratado, o tempo de propaganda eleitoral em TV e rádio, os militares sabiam do que falavam. Para eles, a propaganda eleitoral convencional não teria importância nas eleições de 2018, dado que Bolsonaro se valeria da sua enorme penetração nas redes sociais. Por isso, não precisavam se preocupar em se coligar com outros partidos para garantir mais tempo — àquela altura, Bolsonaro já havia se desfiliado do PSC, passara pelo também nanico PEN e estava em negociação para sair candidato pelo PSL.

Os militares discutiam também as estratégias de marketing de campanha e tentavam, algumas vezes, colocar um freio no candidato. Certa feita, Bolsonaro quis incluir em um vídeo uma fala afirmando que o ministro da Ciência e Tecnologia do governo Dilma não sabia a diferença entre "gravidez e lei da gravidade". Apesar da insistência, os militares o convenceram de que a provocação era desnecessária. Ferreira registrou o episódio em seu caderno.

Um tema muito relevante em uma dessas reuniões, mas que não consta das anotações de Ferreira, foi o alerta do general Heleno sobre a possibilidade de Bolsonaro sofrer um atentado durante a campanha. Heleno, segundo o general Ferreira, chamou atenção para a necessidade de reforçar a segurança do candidato, que poderia "ser atacado com arma branca", e sugeriu que Bolsonaro andasse sempre com "enfardamento" — ou melhor, com colete à prova de bala.

Para Ferreira, é improvável que o colega tivesse alguma informação mais concreta sobre o assunto, mas o comentário parecia relevante. "Acho que era mais a percepção dele, que, por alguma razão, estava realmente preocupado com o risco de Bolsonaro ser atacado", contou. Eis por que o general Santos Cruz nunca escondeu sua irritação com a falta de cuidado de Bolsonaro com a própria segurança no evento em Juiz de Fora. "Aquilo foi uma irresponsabilidade. Como um candidato a presidente sai totalmente desprotegido no meio da multidão? Ele colocou a vida dele e a de outras pessoas em risco", reclamaria, tempos depois, o general.

Num dos encontros na casa de Ferreira, o general Heleno abriu a reunião e passou a palavra para o general Paulo Chagas, que alertou que, apesar de sua popularidade, Bolsonaro precisava de um plano consistente. O presidenciável ouviu tudo em silêncio e disse, ao final: "Olha, é exatamente disso que eu preciso. Preciso da ajuda de vocês para chegar lá".

A partir daí, Chagas passou a acreditar que Bolsonaro acataria as propostas dos generais. Outros oficiais foram aderindo à candidatura, a ponto de o apartamento de Ferreira ficar pequeno para tanta gente, então as reuniões foram transferidas para uma sala alugada no subsolo de um hotel em Brasília. No novo endereço, os generais recebiam especialistas para discutir áreas estratégicas, ainda que parte deles — a julgar pelos nomes anotados no caderno do general Ferreira — sequer tivesse experiência em gestão pública. Entre os palestrantes estavam, por exemplo, Leticia Catel e Victor Metta, que discorreram sobre comércio exterior e reforma tributária, respectivamente, além de Rodrigo Morais, um evangélico integrante de uma ONG especializada em atender jovens da periferia, que dissertou sobre educação. No entanto, o plano de governo que saiu dali não chegou a ser aproveitado.

Embora a justificativa dos militares para aderir à campanha de Bolsonaro tenha sido a corrupção revelada pela Lava Jato, muitos especialistas em defesa alegam que os militares brasileiros nunca aceitaram os princípios básicos da democracia, estabelecidos sobretudo a partir da Constituição de 1988.

Adriana Marques, professora do curso de defesa e gestão estratégica internacional da Universidade Federal do Rio de Janeiro, costuma dizer em suas aulas que os militares até se adaptaram a algumas dessas mudanças, mas sem de fato introjetar os valores democráticos. "Como esses valores nunca foram assimilados, eles entraram de cabeça quando Bolsonaro ofereceu a oportunidade de voltarem a intervir abertamente na vida nacional."

Por mais que negassem a intenção de se meter na política, o envolvimento dos militares começou a ocorrer logo nos primeiros momentos da redemocratização — justamente quando se esperava que entregassem o poder e saíssem de cena —, em abril de 1985, com a morte de Tancredo Neves, recém-eleito presidente pelo Colégio Eleitoral. Como o político mineiro havia morrido antes da posse, era necessário definir como se daria sua sucessão. Duas opções estavam na mesa: empossar o então presidente da Câmara, Ulysses Guimarães, do PMDB, terceiro na linha sucessória, ou deixar que o vice-presidente, o senador José Sarney, assumisse. Ulysses era favorável à primeira alternativa, que via como uma oportunidade de colocar a oposição no comando do país, uma vez que Sarney pertencia ao PDS, partido que sempre dera sustentação ao regime.

Na noite em que o assunto estava sendo discutido, o então ministro do Exército, o general Leônidas Pires Gonçalves, argumentou que, de acordo com a legislação, o cargo caberia ao senador José Sarney. Depois de emitir sua opinião, voltou-se para o senador e, prestando continência, disse: "Boa noite, presidente". O gesto consumou o fato. "Eu não fui 'bonzinho' coisa nenhuma [ao desistir da disputa com Sarney]", diria Ulysses tempos depois. "Segui as instruções dos meus juristas."

Dois anos mais tarde, já durante a Constituinte, os fardados tiveram nova queda de braço com a classe política: impuseram goela abaixo o artigo 142 da Constituição, que define o papel das Forças Armadas. De acordo com o artigo, as Forças Armadas, constituídas pela Marinha, pelo Exército e pela Aeronáutica, são instituições nacionais permanentes e regulares, organizadas com base na hierarquia e na disciplina, sob a autoridade suprema do presidente da República, e destinam-se à defesa da Pátria, à garantia dos poderes constitucionais e, por iniciativa de qualquer destes, da lei e da ordem.

Muitos militares interpretariam esse artigo como autorização para uma intervenção militar, embora a tese seja descartada pelo STF. A classe também nunca abandonaria sua tradição salvacionista: a ideia de que, em momentos-chave, seriam os únicos em condições de "salvar" o país das crises — e não os "paisanos", como se referem em tom pejorativo aos civis.

Dentre os países da América do Sul que atravessaram ditaduras nas décadas de 1960 e 1970, o Brasil ocupa uma situação particular: é um dos poucos em que a retomada da democracia não resultou em punição dos militares pelos crimes cometidos em nome do Estado, como aconteceu na Argentina e no Chile. Nesses países, é quase inadmissível um político ir a público defender a ditadura, a perseguição e os assassinatos — como fez Bolsonaro inúmeras vezes —, ou mesmo cultuar ditadores, expondo fotos deles nas paredes de seu gabinete.

A diferença em relação a nossos vizinhos é que nesses lugares as forças políticas chegaram ao consenso de que os militares tinham que se afastar do poder. Já no Brasil, tanto num governo de centro-direita como o de Fernando Henrique Cardoso quanto nos de centro-esquerda do PT, a classe política dominante sempre acreditou que poderia recorrer ao apoio dos militares em situações dúbias.

Com a redemocratização, acreditava-se que os fardados voltariam para os quartéis e se dedicariam à defesa do território nacional contra invasões, sua principal atribuição. Mas o que se viu, na prática, foi que as Forças Armadas não quiseram abrir mão de seu espaço nos governos civis, como mostra um estudo de 2003 intitulado "(Des)controle civil sobre os militares no governo Fernando Henrique Cardoso",[3] do cientista político Jorge Zaverucha:

> Instaurou-se, contudo, no Brasil, o mito de que a nossa democracia estaria consolidada e o controle civil democrático sobre os militares teria sido restaurado.

Desse modo, os militares estariam recolhidos aos quartéis e não teriam significativa participação na vida política brasileira. Este mito foi construído com o beneplácito de alguns membros da academia (inter-)nacional, políticos e jornais de grande porte.

A ilusão de que havia uma normalidade institucional acabou por camuflar o fortalecimento do poderio militar na gestão de Fernando Henrique Cardoso, o primeiro presidente da era democrática a completar um mandato regularmente. Se no governo do general João Baptista Figueiredo o Brasil tinha um efetivo de 276 mil homens, o número saltou para 313 mil com FHC, levando o Brasil a recuperar, em 1995, a posição de maior importador de armas da América do Sul, de acordo com Zaverucha. De 1991 a 1996, os gastos com militares no Brasil passaram de 6 bilhões de dólares para 11,2 bilhões, como mostram dados do International Institute for Strategic Studies, de Londres, entidade que analisa segurança global, riscos políticos e conflitos militares. Em 2000, no segundo mandato de Fernando Henrique, o orçamento do Ministério da Defesa já despontava como o segundo maior, atrás apenas do da Previdência, e empatava com o da Saúde.

A própria criação do Ministério da Defesa, que extinguiu os três ministérios militares e colocou um civil no comando, se deu apenas em 1999, mais de dez anos depois do fim da ditadura. A proposta só foi aceita pelos militares quando Fernando Henrique os convenceu de que, sem isso, as chances de o Brasil obter um assento permanente no Conselho de Segurança da ONU, antiga ambição das Forças Armadas e da diplomacia brasileira, seriam remotas.

Com Lula na presidência, o padrão se manteve. Os militares comandaram missões de paz no Haiti, o que de início lhes conferiu algum prestígio internacional. Além disso, o governo patrocinou cursos no exterior para o pessoal das Forças Armadas, atendeu à antiga demanda de construção de um submarino a propulsão nuclear para a Marinha e comprou caças para a Aeronáutica, munindo essas instituições de dinheiro e (mais) poder.

No início de seu governo, Lula inverteu as hierarquias e consultou os comandantes das Forças Armadas antes de indicar o diplomata José Viegas Filho para o Ministério da Defesa. Tanto que, quando Viegas Filho exigiu celeridade na divulgação de documentos sobre os mortos durante a Guerrilha do Araguaia (1972-6) — alguns dos quais executados quando já estavam em poder do Exército —, o comandante Francisco Roberto de Albuquerque sentiu-se no direito de criticar o ministro, seu superior hierárquico. Quando Viegas Filho divulgou fotos do jornalista Vladimir Herzog, assassinado nos porões da ditadura, os militares reclamaram e acusaram as fotos de montagem. Lula arbitrou os conflitos: demitiu o ministro e deixou os militares intocados.

Foi durante a gestão do petista que os militares começaram a testar os limites de sua atuação, e o sistema político os avalizou. A crítica pública feita pelo general Heleno, em 2008, à política indigenista do presidente Lula — qualificando-a como "lamentável" e "caótica" —, que culminou na sua demissão, foi apenas o primeiro desses testes.

Em 28 de novembro de 2010, o Ministério da Justiça foi surpreendido pela presença das tropas do Exército hasteando a bandeira do Brasil no Morro do Alemão, uma comunidade da Zona Norte do Rio de Janeiro dominada pelo tráfico. Oitocentos homens do Exército e mais 1300 agentes da Polícia Federal ocuparam a comunidade, numa operação autorizada pelo ministro da Defesa, Nelson Jobim, a pedido do governador do Rio, Sérgio Cabral, ambos peemedebistas, com a bênção de Lula, que estava em viagem à Guiana, mas sem o conhecimento do ministro da Justiça, Márcio Thomaz Bastos.

A ocupação acabou desmontando a política de controle civil da segurança pública de Bastos, que em 2004 criara a Força Nacional — que permitia a intervenção de seu contingente nos estados quando solicitado —, na tentativa de neutralizar a influência dos militares sobre a área da segurança. No fim, a operação no Alemão ajudou a incutir na sociedade a ideia de que só os militares poderiam lidar com situações de crise. Some-se a isso a falta de coragem dos políticos de esquerda de tratar o tema da segurança pública com seriedade — deixando a questão para os militares e os representantes da direita —, embora a escalada da violência já fosse caso de calamidade, com mais de 53 mil assassinatos por ano no país em 2010, segundo o Atlas da Violência.

Esse retorno das Forças Armadas ao âmbito da segurança pública, depois de oito anos de esforço para tirá-las dessa função, acabou se consolidando no governo Dilma Rousseff, e foi no primeiro mandato da petista que o inconformismo das Forças Armadas com os valores democráticos se transformou no ressentimento que desaguaria na campanha de Bolsonaro.

Em 2012, a presidente, ela própria presa e torturada na ditadura, fez uma nova tentativa de esclarecer os crimes da ditadura através da Comissão Nacional da Verdade (CNV) — o esforço anterior, a Comissão Especial sobre Mortos e Desaparecidos Políticos, instaurada em 1995 com o propósito de obter dos militares informações sobre o destino dos corpos dos desaparecidos, se limitara a indenizar os familiares dos quase trezentos mortos e desaparecidos e fornecer-lhes atestado de óbito, sem esclarecer as circunstâncias do que aconteceu, muito menos apontar os responsáveis.

A CNV causou revolta entre os militares, que protestaram e impediram o avanço dos trabalhos — a caserna não gostou nem um pouco de ver o pai do general Sérgio Etchegoyen, então chefe do Estado-Maior das Forças Armadas, apontado como torturador. "Ela [Dilma] nos pegou de surpresa, despertando um sentimento de traição em relação ao governo. Foi uma facada nas costas", disse o general Eduardo Villas Bôas, que ocupava o Comando Militar da Amazônia à época da criação da comissão.

Esse episódio é visto por muitos analistas como a principal razão do agastamento dos militares com os governos de esquerda. Ainda que as gestões petistas tenham ampliado bastante o espaço das Forças Armadas na vida nacional, os fardados sempre se recusaram a discutir a questão dos mortos e desaparecidos do regime, alegando que a Lei da Anistia, de 1979, perdoou os dois lados. É fato, porém, que a lei só foi aprovada pelo regime militar sob a condição de que os seus crimes não fossem investigados.

Mas a influência crescente dos militares teria seu ápice com Michel Temer. Antes mesmo da votação do impeachment, o vice-presidente se reuniu com os comandantes das Forças Armadas para saber se eles aceitariam a decisão do Congresso. Depois, já alçado à presidência, voltou a consultá-los para perguntar se concordavam com a indicação do civil Raul Jungmann para o comando do Ministério da Defesa. Por fim, revertendo uma decisão tomada por Dilma em 2015, devolveu o status ministerial ao Gabinete de Segurança Institucional (GSI) — foco de influência militar no Palácio do Planalto —, conduzindo o general Sérgio Etchegoyen ao posto.

Em fevereiro de 2018, Temer, reforçando a ideia de que somente os militares teriam condições de pôr fim à criminalidade, assinou um decreto nomeando o general Walter Braga Netto como interventor da segurança pública no estado do Rio. A determinação dava plenos poderes ao general para atuar em todo o setor, mantendo sob seu comando as polícias civil e militar e os bombeiros. Dizia o decreto: "O objetivo da intervenção é pôr termo ao grave comprometimento da ordem pública do Rio de Janeiro". No dia 20 de fevereiro, tanques e tropas do Exército ocuparam comunidades da capital fluminense, sendo saudados pela população, o que reforçava no imaginário da sociedade a percepção de que somente as Forças poderiam colocar o país em ordem.

Era esse o cenário quando, em abril de 2018, um militar do alto escalão foi ainda mais longe e ousou fazer uma ameaça explícita às instituições democráticas. Em 3 de abril, o general Villas Bôas, então comandante do Exército, sem avisar Jungmann, publicou aquele que ficou conhecido como o "tuíte da ameaça": "Asseguro à nação que o Exército brasileiro julga compartilhar o anseio de todos os cidadãos de bem de repúdio à impunidade e de respeito à Constituição, à paz social e à democracia, bem como se mantém atento às suas missões constitucionais". A mensagem instava o STF a rejeitar o habeas corpus pedido pela defesa de Lula, então investigado na Operação Lava Jato. No dia seguinte, o Supremo rejeitou o habeas corpus, e Lula foi preso três dias depois.

Perto do final do governo Temer, temia-se no Planalto que, caso Bolsonaro saísse vitorioso, os quartéis decidissem se politizar. O assunto chegou a ser tratado entre o chefe do GSI, o presidente e mais alguns interlocutores. Na conversa, o general Etchegoyen foi assertivo: "O que foi que vocês deixaram para a gente? O Lula? Não votamos nele de jeito nenhum. De um lado temos Bolsonaro, do outro, Lula, que jamais apoiaremos".

Ainda em 2018, durante as eleições, um gesto do general Villas Bôas deixou claro que os militares não pretendiam mais sair da política: ele recebeu em seu gabinete os candidatos à presidência da República, inclusive Fernando Haddad, para ouvir seus planos para o país.

E foi assim que, insatisfeitos com muitas políticas dos governos petistas, ávidos por maior interferência política e, sobretudo, ressentidos pela Comissão da Verdade, os militares aderiram à candidatura de Bolsonaro. Mas não demorariam a perceber que controlar o "Cavalão" seria ainda mais difícil do que dominar a esquerda.

3. "Deus acima de todos"

A gênese da eleição de Jair Bolsonaro à presidência da República remonta a uma jogada magistral sua, empreendida três anos antes de se lançar oficialmente candidato. No dia 5 de junho de 2013, o então deputado federal participou de uma manifestação na Esplanada dos Ministérios organizada pelo pastor Silas Malafaia, da Assembleia de Deus Vitória em Cristo, e por outros líderes religiosos em protesto à aprovação do projeto de lei nº 122, mais conhecido como Lei Anti-homofobia. Bolsonaro foi o único parlamentar de fora da bancada evangélica convidado para o ato.

O projeto fora aprovado pela Câmara em 2006, mas ficara anos parado no Senado até finalmente ser enviado para votação. Alertados por parlamentares e líderes religiosos, fiéis evangélicos e católicos se revoltaram contra o conteúdo da matéria, que, da forma como estava posta, dava margem à justa intepretação de que pastores e padres poderiam ser processados e até presos caso se recusassem a realizar a união religiosa de pessoas do mesmo sexo. Para os devotos, aquela era uma ingerência indevida do Estado na Igreja, e alegavam estar temerosos de que outras medidas fossem tomadas contra o "mundo cristão". Com isso, colaram no projeto o selo de perseguição religiosa da esquerda, dado que a autora era Iara Bernardi, deputada do PT de São Paulo, e a relatora no Senado era Marta Suplicy, do mesmo partido.

Por volta das três da tarde daquele dia 5, os fiéis começaram a ocupar o gramado da Esplanada, onde fora erguido um palanque para que os líderes pudessem falar. Vinham em bando, empunhando faixas e cartazes com dizeres que pareciam deslocados no tempo: "Pela liberdade religiosa e pela família tradicional", "Querer calar a Igreja é uma palhaçada", ou "Buzine pelo casamento como Deus quer: homem e mulher". Palavras de ordem como essas podiam até soar absurdas para uma parcela da população mais instruída e urbana, que não se dera conta do quanto as pautas comportamentais mais avançadas incomodavam os conservadores. Sem espaço para se expressar na mídia tradicional, eles se limitavam a opinar dentro dos templos e igrejas, mas, quando foram para as ruas, revelaram o tamanho do seu descontentamento.

Às cinco e meia, a Polícia Militar do Distrito Federal estimou que havia 40 mil manifestantes na Esplanada (na conta dos líderes religiosos, 70 mil). Um a um, pastores e políticos evangélicos, como o senador Magno Malta e o deputado Marco Feliciano, discursaram para a multidão apaixonada. De braços erguidos, os fiéis entoavam cânticos ao Senhor e atacavam o aborto, o feminismo, o casamento gay e a ideologia de gênero, sobretudo nas escolas. Formava-se ali uma cruzada para barrar o avanço não apenas do PL 122, mas dos movimentos sociais mais progressistas, preocupados com os direitos das minorias.

A certa altura, Jair Bolsonaro foi chamado a falar. Com um discurso curto, mas contundente, como é do seu feitio, disse que a esquerda queria desvirtuar "as nossas criancinhas", criticou a perseguição religiosa e soltou seu brado de guerra: "Brasil acima de tudo". Após uma brevíssima pausa, encarou a multidão de fiéis e, numa ação espetacular de marketing político, acrescentou: "E Deus acima de todos". O público foi ao delírio. Naquele instante, Bolsonaro teve certeza de que havia conquistado uma parcela significativa do eleitorado brasileiro — os evangélicos, naquela época, já representavam quase 30% da população.

É certo que Bolsonaro não inventou o bordão na hora. "Ele já vinha pensando há mais tempo em como atrair os evangélicos", contou o deputado pastor Marco Feliciano, fundador e líder da Catedral do Avivamento, uma igreja também ligada à Assembleia de Deus, "mas soltar a frase ali, naquele momento, teve um impacto sobre os fiéis." Sentindo-se sustentados por um parlamentar que nem sequer pertencia à bancada evangélica, aqueles cristãos ofereceram seu apoio massivo ao candidato — segundo estimativa de estudiosos desse fenômeno, 70% dos fiéis despejaram seus votos no candidato em 2018.

＊ ＊ ＊

Faz-se necessária uma breve volta no tempo para entender como o país chegou àquele 5 de junho de 2013. Quem eram os evangélicos que estavam na Esplanada dos Ministérios? Em sua maioria, os pentecostais e os neopentecostais, que adotam uma forma mais popular de praticar a fé em relação às Igrejas reformadas históricas de origem europeia, como a batista, a presbiteriana, a metodista e a luterana. Estas últimas, com regras mais formais, exigem uma preparação muito grande para que alguém se torne pastor. O pentecostalismo, por outro lado, não faz tantas exigências. Surgido no início do século xx em Los Angeles, nos Estados Unidos, como contestação ao racismo e ao classismo das Igrejas históricas, o movimento incorporava elementos de religiões de matriz africana. Originalmente negro, feminino e latino, tinha como proposta formar uma Igreja mais acolhedora e fugir da discriminação.

Mas o pentecostalismo que veio para o Brasil tem outra origem. Quem trouxe o movimento para cá foram suecos que viviam nos Estados Unidos e fundaram em Belém a Assembleia de Deus, em 1910. Além do conceito de viver a fé de forma mais livre, como os pentecostais americanos, eles buscavam trabalhar nas periferias dos grandes centros e em regiões empobrecidas. Uma multiplicidade de grupos se espalhou pelo Brasil, sempre nos locais mais pobres. Apesar da vivência mais popular, as igrejas pentecostais nasceram e se mantiveram conservadoras, com forte vínculo com o Estado. A partir dos anos 1950, estavam consolidadas no país, e apoiaram todos os governos — inclusive os militares.

Com a crise econômica dos anos 1980, a crença se desdobrou em uma nova vertente, o neopentecostalismo, cujo conceito-chave passou a ser a prosperidade financeira. Nesse período, que ficou conhecido como "década perdida", os novos pastores passaram a dar ênfase, além do dinheiro, à cura de doenças por meio da espiritualidade, já que o sistema de saúde brasileiro era praticamente inexistente. Para os fiéis, a cura e a prosperidade viriam através das batalhas espirituais e do exorcismo ao expulsar demônios que impediam as pessoas de progredir e de se livrar das doenças, dos vícios e da pobreza.

Surgiram assim a Igreja Universal do Reino de Deus, de Edir Macedo, e a Internacional da Graça de Deus, de R. R. Soares. Superando o fisiologismo de seus antecessores, esses grupos cresceram rápido ao abocanhar concessões de televisão e de rádio em troca de apoio político. Em 1986, para lutar por seus credos na discussão da Constituição de 1988, pentecostais, neopentecostais e históricos se juntaram e formaram a bancada evangélica no Congresso.

Por anos a influência dos evangélicos se limitaria ao Congresso, e mesmo lá se restringia a pautas de nicho. Mas a mudança veio de onde menos se esperava: o então deputado Luiz Inácio Lula da Silva, o político mais expressivo e popular da esquerda, percebendo o poder eleitoral desse público, tomou a decisão de se aproximar das igrejas evangélicas. Isso contrariava a história do próprio PT, que desde a origem esteve vinculado à Igreja católica progressista e aos movimentos sociais de base.

No final dos anos 1980, o pastor Caio Fábio D'Araujo Filho era um dos líderes religiosos mais influentes do mundo evangélico. Presbiteriano, presidia a Associação Evangélica Brasileira e era um nome respeitado não só entre as igrejas históricas, como também entre as pentecostais e as neopentecostais. Tornou-se conhecido no início da década seguinte pelo projeto social que tocava na violenta favela de Acari, na Zona Norte do Rio de Janeiro, batizado de Fábrica de Esperança. O projeto, focado em educação, música, esporte e treinamento profissional, assistia sobretudo os mais jovens e garantiu ao pastor a simpatia da imprensa. Com visibilidade nacional, ele passou a ser convidado a dar palestras pelo país.

Numa tarde de 1992, Caio Fábio falou para uma plateia de parlamentares no auditório Nereu Ramos, na Câmara, depois da prisão do fundador da Igreja Universal, o pastor Edir Macedo, acusado, entre outras coisas, de charlatanismo. Caio Fábio via na prisão uma perseguição aos neopentecostais. Em um trecho do discurso, relatado na autobiografia *Confissões do pastor*, ele disse:

> Qual é a diferença entre o misticismo dos fiéis da Igreja Universal do Reino de Deus e o daqueles que vão às procissões de Aparecida ou do Círio de Nazaré? Qual é a diferença entre as empresas do Vaticano (compradas também com dinheiro do povo) e as empresas da Igreja Universal do Reino de Deus? Qual é a diferença entre uma santa de gesso que chora e os alegados milagres de cura da IURD? Qual é a diferença entre os milhões de dólares da Igreja católica e os milhões de dólares da IURD? Por acaso não são ambos dinheiro do povo? Por acaso não é também dinheiro que resulta de doações movidas pela crença? Por acaso não é também, muitas

vezes, dinheiro usado para adquirir propriedades cuja administração nem sempre está aberta a auditorias públicas nem ao gerenciamento dos fiéis?

Para o pastor, a punição a líderes religiosos deveria acontecer apenas "em áreas mensuráveis de modo prático" — contabilidade, patrimônio e impostos —, e não nas áreas subjetivas, relativas à fé. Em outro trecho de sua fala, disse que "só Deus pode fazer diferença entre o charlatão e o homem de Deus, entre o curandeiro e o homem de fé ousada, entre o salafrário e o profeta". Por fim, propôs que a Igreja Universal abrisse sua contabilidade para uma auditoria independente.

Lula estava entre os convidados. Quando o evento acabou, foi apresentado ao pastor, e eles se tornaram amigos. O entusiasmo com Caio Fábio foi tanto que o petista passou a sugerir aos militantes do partido que ouvissem seu programa de rádio, no ar aos sábados, das sete às onze da manhã. Com o tempo, os dois passaram a almoçar juntos a cada quinze dias.

Na eleição presidencial de 1994, Lula concorreu com Fernando Henrique Cardoso, do PSDB, vencedor do pleito no primeiro turno, na esteira do sucesso do Plano Real, que capitaneara como ministro da Fazenda de Itamar Franco. Na época, Lula se queixou com o amigo Caio Fábio. "Ele me disse que parte da dificuldade em vencer as eleições presidenciais se dava em razão da rejeição dos evangélicos a ele e ao PT, por serem de esquerda", lembrou o pastor. Pelas contas do petista, os votos que faltavam para a sua vitória poderiam vir do mundo evangélico, e o pastor, que acreditava na proposta social do candidato, decidiu ajudar, estreitando os laços do partido com essas igrejas.

Para as eleições de 1998, Caio Fábio organizou uma grande reunião entre os candidatos à presidência e os principais líderes evangélicos. "Lula, com sua simpatia e entusiasmo, conquistou a plateia", contou. "Ali, a única pessoa capaz de fazer-lhe frente era Leonel Brizola, que já não tinha mais o ímpeto da juventude." Apesar do sucesso do encontro, Lula foi novamente derrotado por Fernando Henrique, que concorria à reeleição. A rejeição dos evangélicos a Lula e ao PT, porém, havia diminuído. "Eu dizia para o Lula ter calma, que a conquista dos evangélicos se daria aos poucos e que ele chegaria lá."

A proximidade de Lula e Caio Fábio teria consequências explosivas, resultando no maior escândalo político daquele ano eleitoral. O caso, conhecido na mídia como "Dossiê Cayman", dizia respeito a um conjunto de documentos vazados para a imprensa antes do pleito que indicava que o presidente Fernando Henrique Cardoso e vários políticos de peso do PSDB, como Mário Covas, ex--governador de São Paulo, e os ministros José Serra, da Saúde, e Sérgio Motta, das Comunicações, teriam milhões de dólares depositados em paraísos fiscais no Caribe.

No fim das contas, seria provado que o dossiê era falso. O documento fora forjado por advogados que viviam em Miami e oferecido a vários políticos brasileiros por algo em torno de 2 milhões de reais. Caio Fábio foi acusado de ter sido o autor do vazamento, o que lhe rendeu uma condenação por calúnia num processo movido por Fernando Henrique, chegando a passar quatro dias no presídio da Papuda, em Brasília, em 2017. Em 1999, numa entrevista para revista *Vinde*, voltada para o público religioso, Caio Fábio disse que tinha vergonha de ter se envolvido no imbróglio do dossiê. Segundo contou à revista, ele teria simplesmente comentado o episódio com algumas pessoas (cujos nomes não citou), sem imaginar que a história pararia na imprensa.

Hoje o pastor nega qualquer relação com o caso. Em sua nova versão para o ocorrido, diz que soube do dossiê por um amigo de Lula que morava na Flórida, mas afirma que não comentou com ninguém. Só que o petista, durante uma visita à Fábrica de Esperança em 1998, teria cobrado o pastor por ele não ter mencionado o documento, que poderia mudar os rumos da votação. "Eu disse para o Lula que eu não tinha nada a ver com aquilo, que ele perguntasse para o amigo dele, que era um sindicalista e estava na nossa frente. Ele é quem tinha me contado a história", afirma Caio Fábio. Na época, Lula negou qualquer participação no escândalo do vazamento do dossiê. E, por causa da estreita relação entre o candidato e o pastor, houve especulação na imprensa de que o vazamento teria partido espontaneamente de Caio Fábio para ajudar o amigo.

O religioso repetiu em várias entrevistas que Lula, além de ter implorado para que ele divulgasse o "Dossiê Cayman", sem o qual a "sua campanha não iria sobreviver", teria pedido ainda que ele internasse, por meio da Fábrica de Esperança, 35 milhões de dólares para sua campanha de 1998, doados pelo então ditador da Líbia, Muammar Gaddafi, assassinado em 2011. "Falei para o Lula que não faria aquilo. Que era uma ilegalidade", disse o pastor. "Respondi: 'Você está louco. Te conheço há nove anos e você nunca pediu nada. O que te deu hoje pra achar que sou um comparsa desse teu interesse?'" A versão do pastor sempre foi rechaçada pelo PT e por Lula. No entanto, em 2018, o ex-ministro Antonio Palocci afirmou, em sua delação premiada no âmbito da Lava Jato, que Gaddafi teria doado 1 milhão de dólares para a campanha do petista em 2002.

É sabido que, no pleito em que saiu vitorioso, Lula contou com os votos dos evangélicos. Parte disso se deveu à crise econômica, ao desemprego e ao apagão elétrico no final do governo FHC, mas o fator decisivo para o apoio foi a escolha do vice, o empresário José Alencar, dono da fábrica têxtil Coteminas e, mais importante, membro atuante da Igreja Universal do Reino de Deus, do bispo Edir Macedo. Com Alencar na chapa, ficou mais fácil atrair o eleitorado evangélico, do qual Lula precisava para vencer.

A partir daí, a força política desse grupo só aumentaria, e a bancada passaria a influir não apenas no Legislativo, mas, pela primeira vez na história, também no Executivo. "É muito importante dizer que quem deu espaço para essa ocupação maior dos evangélicos na política foi o Lula", explicou Magali do Nascimento Cunha, doutora em ciência da comunicação pela USP e autora do livro *Do púlpito às mídias sociais: Evangélicos na política e ativismo digital*. Ela conta que, em 2002, ainda havia uma rejeição muito grande ao PT.

> Para Lula poder se sustentar e se eleger, houve uma forte negociação com esses grupos. Depois, para governar, Lula criou uma política de aproximação cada vez maior com os evangélicos da Igreja Universal. Quem trabalhou isso foi o então chefe de gabinete do presidente, Gilberto Carvalho, que, ironicamente, era um católico fervoroso.

Antes do governo Lula, os evangélicos não frequentavam o Palácio do Planalto. Depois, na gestão de Dilma, as relações foram ainda mais estreitadas, e coube à presidente nomear, em 2012, o senador pelo Rio de Janeiro, Marcelo Crivella, do então chamado PRB (atual Republicanos), ministro da Pesca. Crivella, sobrinho do bispo Edir Macedo, se tornaria o primeiro ministro neopentecostal da história do Brasil, e ficaria no posto até 2014. Dois anos depois, ele venceria as eleições para prefeito do Rio de Janeiro. "Desde o governo Lula havia uma aliança muito forte com a Igreja Universal, que ocupava o PRB, chamado, por isso mesmo, de 'partido da Universal'. Era um partido fortíssimo na base do governo do PT porque era o partido do vice-presidente. Depois que Alencar deixou o PRB, a legenda foi totalmente ocupada pela Universal", explicou Cunha.

Apesar disso, a relação dos evangélicos com o PT sempre foi de desconfiança mútua. Lula podia gostar deles e Dilma até podia suportá-los, mas os movimentos das minorias nunca engoliram essa proximidade. Por causa dela, o governo acabava se submetendo a algumas pautas conservadoras, o que era intolerável para parte da esquerda.

Um episódio marcante se deu em 2011, quando a Secretaria de Educação Continuada, Alfabetização, Diversidade e Inclusão do Ministério da Educação, então comandado pelo ministro Fernando Haddad, preparou um kit anti-homofobia para ser distribuído em 6 mil escolas de ensino médio da rede pública. Além de três vídeos, o kit incluía um caderno, uma série de seis boletins e uma carta de apresentação aos educadores.

Os vídeos, que custaram 3 milhões de reais aos cofres do Ministério, haviam sido elaborados com apoio de ONGs ligadas à causa LGBTQIA+. Um deles, "Torpedo", mostrava a relação afetiva entre duas adolescentes; outro, "Encontrando Bianca", narrava a história de uma transexual; o terceiro, "Probabilidade", comentava as vantagens de se experimentar uma relação bissexual.

Alertado do material, Bolsonaro, para ganhar a simpatia da bancada evangélica, fez um barulhão no Congresso, apelidando o programa de "kit gay". Na verdade, quando os vídeos vieram a público, já tinham sido desautorizados por Haddad — foram barrados pela comunicação do Ministério, que os considerou "impróprios e de mau gosto". Isso gerou uma briga com as ONGs ligadas à comunidade LGBTQIA+ envolvidas no projeto, e as peças, por iniciativa unicamente dessas organizações, acabaram postadas nas redes sociais.

Com a confusão armada, a presidente Dilma se reuniu com a bancada evangélica e anunciou que o material inteiro seria vetado. Haddad foi chamado para se explicar e afirmou que os vídeos não eram oficiais, mas o estrago já estava feito.

O fato é que, naquela época, os ventos conservadores já começavam a soprar mais forte no Brasil e no mundo. Inebriados com a onda de democracia e tolerância, entretanto, os políticos progressistas e parte da sociedade não perceberam o risco que as pautas comportamentais corriam. Líderes de movimentos sociais, intelectuais, políticos e a própria imprensa ridicularizavam as opiniões dos evangélicos, sem se dar conta de que uma brutal reação à euforia liberalizante estava sendo gestada.

A primeira grande ação contra os direitos das minorias, no entanto, partiu da Igreja católica, então comandada pelo papa Bento XVI. A Igreja estava incomodada com as conferências sobre direitos das mulheres da ONU e com a Conferência de Beijing, na China, que pela primeira vez colocavam luz sobre as questões de gênero e introduziam no debate a ideia de que as pessoas não deveriam ser definidas pela biologia, e sim pelo indivíduo. Ou seja, se uma mulher se visse como homem ela deveria ser considerada como tal, e vice-versa. O que se propunha era que o tema fosse levado em consideração pelas políticas públicas, principalmente nas escolas.

O Vaticano começou uma guerra contra essa visão. O papa Bento XVI, na sua bênção de Natal de 2012, pediu aos católicos que iniciassem uma cruzada contra qualquer política relacionada àquilo que ele batizaria de "ideologia de gênero". Na sua visão, a "ideologia" visava destruir a família tradicional, abrindo espaço para que as feministas lutassem pelo direito ao aborto e os homossexuais reivindicassem o casamento religioso. Logo depois da pregação natalina, países católicos em peso se puseram a barrar qualquer iniciativa ligada a pautas comportamentais. O movimento se espalhou pela França, pela Espanha e pela América Latina. Nos países hispânicos, deu origem ao Con Mis Hijos no te Metas, e no Brasil, ao Escola sem Partido.

A batalha contra a dita ideologia de gênero uniu católicos conservadores e evangélicos, mas partiu do Vaticano a iniciativa de orientar advogados católicos para que brecassem discussões favoráveis ao aborto e aos direitos dos homossexuais.

Os evangélicos, surfando nessa onda, criaram a Anajure, a Associação Nacional de Juristas Evangélicos. Entre seus assessores estava uma advogada chamada Damares Alves, que mais tarde seria figura-chave na campanha de Bolsonaro. Unidos a políticos conservadores, esses juristas católicos e evangélicos se articularam para ocupar a Comissão de Direitos Humanos da Câmara. E conseguiram: em 2013, emplacaram na presidência da comissão — que sempre fora do PT — o pastor Marco Feliciano, um dos parlamentares mais conservadores da Casa. A confusão estava armada.

Marco Feliciano era um deputado em primeiro mandato e com pouca visibilidade, a não ser na sua cidade, a pequena Orlândia, em São Paulo. Para a esquerda e para os movimentos sociais, era uma afronta ter no comando da comissão um político que manifestara ideias preconceituosas e se declarava avesso aos direitos das mulheres e dos homossexuais. Tentaram então, a todo custo, impedir que ele tomasse posse. Como não conseguiram, tornou-se comum que defensores das minorias invadissem reuniões da comissão para tumultuar os trabalhos.

A imprensa se colocou ao lado dos movimentos sociais, criticando a indicação de Feliciano, que passou a ser xingado em voos e em eventos dos quais participava. Mais de uma vez, durante cultos na sua igreja ou em igrejas que o pastor visitava, jovens começaram a se beijar acintosamente. Numa dessas vezes, ele expulsou duas mulheres, e elas o processaram. Em defesa delas, foram feitas manifestações em frente às igrejas evangélicas. O fato é que, quanto mais atacado ele era pelos movimentos sociais, mais solidariedade ganhava dos conservadores.

"Durante três meses eu apareci quase que diariamente no *Jornal Nacional*, da Globo", disse ele. "Eu era atacado todos os dias. O resultado é que, ao final deste período, eu, que era praticamente um desconhecido, ganhei visibilidade nacional, o apoio dos evangélicos e a simpatia de católicos conservadores", contou. "Devo isso à imprensa e à esquerda." Embora afirme que o custo emocional tenha sido alto — passou a sofrer de depressão, e sua esposa e as duas filhas enfrentaram crises de pânico —, ele considerou o resultado positivo para a causa cristã.

Nós éramos invisíveis. Sofríamos preconceito de todos os lados. Da mídia, então, nem se fala. Toda vez que aparecia um evangélico na televisão, ele era ridicularizado. Porque a mídia mais poderosa do Brasil era a Globo, e a Globo odiava o Edir Macedo por causa da competição com a Record. Então, para atacar o Macedo, eles atacavam os evangélicos e a mim. O interessante é que quanto mais nos batiam, mais visibilidade e mais apoio nós ganhávamos.

Foi nesse momento que Bolsonaro, então um parlamentar conhecido apenas do eleitorado do Rio de Janeiro, saiu em defesa de Feliciano. O deputado era católico e não podia ser considerado alguém pertencente à família tradicional, já que estava em seu terceiro casamento, com filhos em cada um deles, mas os pentecostais e os neopentecostais deixaram o rigor moral de lado — o que valia era a defesa das ideias. Feliciano foi incisivo ao explicar a ascensão política do ex-deputado:

Bolsonaro não existia antes da Comissão de Direitos Humanos. Ele era o Bolsonaro dos militares. Tanto que ele aparecia sozinho nas fotos, porque não dialogava com ninguém. Era aquele jeitão dele. De repente vem uma pauta em comum, a da Comissão de Direitos Humanos. Ele começa a aparecer em um monte de fotos ao meu lado, me defendendo, brigando com meus detratores. Ele percebeu essa grande oportunidade.

Marco Feliciano evita fazer julgamento de valor sobre o senso de oportunidade de Bolsonaro. "Eu precisava de ajuda. Quando você está dentro do buraco, não quer saber o motivo pelo qual te jogaram a corda, só quer sair de lá de dentro." Em março de 2013, Bolsonaro diria: "Sou um soldado do Feliciano".

O primeiro a criticar o "kit gay" foi o próprio Feliciano, segundo sua versão, mas Bolsonaro se apoderou da pauta. "Deixo ele como o chefe, como o pai dessa história, mas o primeiro a denunciar o caso fui eu. Porém é verdade que ele ficou do meu lado."

A partir daí, Bolsonaro passou a promover cada vez mais ações para atrair os evangélicos. Ciente dos ganhos que poderia obter, no começo de 2016 ele e os filhos foram batizados pelo pastor Everaldo Pereira no rio Jordão, em Israel, num gesto tocante para a comunidade cristã.

Ao se aproximar dos religiosos, Bolsonaro uniu suas pautas de sempre — posse de arma, morte aos bandidos, ordem — às deles. "O bolsonarismo é a tomada de poder do fundamentalismo, que não é só religioso. É político-religioso. Existe uma matriz religiosa orientando a política, a economia, o meio ambiente. São pessoas que não têm nada a ver com religião, mas abraçam essa perspectiva. Bolsonaro não é religioso. Mas ele faz o jogo", explicou Magali Cunha.

Para entendermos as eleições de 2018, precisamos entender isso. Elas são a culminação de um processo em que a religião é a matriz do convencimento. É um convencimento de viés religioso. Contra a corrupção, em defesa da família tradicional, vingança contra o traficante. Por isso o discurso de Bolsonaro de dar tiro na cabeça de bandido, de mandar matar, faz tanto sucesso. Foi a eleição do ressentimento contra os governos passados que defendiam os direitos da mulher, dos gays, dos negros. Um ressentimento que não era só dos ricos e da classe média. Era também dos pobres, que se indignavam, por exemplo, com o fato de sua filha ter virado lésbica "por culpa da esquerda", ou de o filho ter sido morto pelo traficante na favela e ser defendido pelo "pessoal de direitos humanos"; ressentimento dos brancos contra os negros que tiravam vagas dos seus filhos na faculdade; ressentimento contra as mulheres que queriam mais direitos.

A cereja do bolo de toda essa cruzada político-religiosa foi a Operação Lava Jato. A força-tarefa representou a última etapa do movimento religioso que, depois de conquistar o Legislativo e o Executivo, avançou sobre o Judiciário. Era uma cruzada moral, uma vez que a Lava Jato se embasava num discurso muito forte da moralidade contra a corrupção.

Um dos maiores soldados dessa batalha foi o procurador Deltan Dallagnol, evangélico fervoroso da Igreja batista. Com o discurso moralizante, cristalizava-se a teoria, forte entre os evangélicos, do messias, do salvador. Tanto os procuradores como o juiz Sergio Moro construíram no imaginário da população a ideia de que eles eram os salvadores da nação.

Dallagnol, na sua luta contra a corrupção, fazia preleções em cultos evangélicos, principalmente nas igrejas batistas. Numa entrevista de maio de 2015 ao canal do pastor da Primeira Igreja Batista de Curitiba, Paschoal Piragine, Dallagnol apregoou que, do seu ponto de vista, em razão de sua "cosmovisão cristã", Deus estava abrindo uma janela de oportunidade para mudanças. E completou: "Depende agora da nossa ação nos unir ao que Deus já vem fazendo para contribuir com a transformação deste país".

Ao se dar conta da relação dos lavajatistas com as igrejas evangélicas históricas, Bolsonaro tratou de se aproximar delas. Embora sua esposa, Michelle, tivesse deixado a Assembleia de Deus, de Malafaia, e se juntado à batista, foi o próprio Silas quem celebrou o casamento dos dois, por exemplo.

Indignada com a influência das propostas de Bolsonaro nas igrejas, parte da comunidade evangélica se rebelou — e pagou um preço alto. O pastor Ariovaldo Ramos, que tem origem na Igreja batista, mas se mudou para uma independente, mais aberta, chamada Comunidade Cristã Reformada, contou que, por causa das críticas ao comportamento dos líderes religiosos, vários pastores e fiéis foram expulsos das suas igrejas. Essas pessoas criaram, em 2016, a Frente de Evangélicos pelo Estado de Direito. Rotulado de "esquerda" pelos conservadores, o grupo iria para as ruas nas eleições de 2018 fazer campanha para Fernando Haddad. "Quando vimos a força de Bolsonaro, nos organizamos ao redor de Haddad e fizemos a campanha do Vira Voto", conta Ramos. "Acho que fomos bem eficazes, porque o IBGE chegou a dizer que, graças a essa resistência democrática, o apoio dos evangélicos a Bolsonaro no segundo turno recuou 12%."

O trabalho foi intenso. Os integrantes da Frente iam até a porta das igrejas com folhetos evangelísticos para pregar a necessidade de engajamento político, colocando-se em defesa do direito dos trabalhadores. Ariovaldo Ramos acredita que, com mais tempo, a Frente teria conquistado uma quantidade maior de votos de evangélicos para o petista.

Sua preocupação agora é com a presença de conservadores no Judiciário. É o caso do pastor André Mendonça, que assumiu uma vaga no STF no final de 2021. "Esse movimento conservador cristão quer ganhar espaço no Judiciário porque é o único poder ainda com capacidade de brecar as pautas da ultradireita", disse.

Até mesmo o pentecostal Marco Feliciano ironiza a onda evangélica no Judiciário. "Nunca tinha visto tanto juiz se dizendo evangélico para conseguir vaga no Supremo", debocha. Mantendo o tom irônico, diz ter a impressão de que estamos voltando à época do imperador Constantino.

> Foi Constantino quem cristianizou o mundo no século III. Ele disse que olhou para o céu, no campo de batalha, viu uma cruz incendiada e ouviu uma voz que dizia: "Por essa cruz vencerás". Mas o outro lado da história diz que Constantino era um oportunista. Ele fez um censo em Roma e percebeu que os cristãos mortos no Coliseu viravam mártires. Por isso o cristianismo cresceu assustadoramente. Ele não teve dúvida. Disse que vira a cruz quando quase metade do Império Romano já era cristã.

A estimativa atual é de que existam no Brasil 65 milhões de evangélicos, a maioria deles jovens e negros. As estatísticas dão conta de que, em 2032, os evangélicos já serão majoritários no país. O grande problema do crescimento desenfreado dessa comunidade, segundo o pastor Ariovaldo Ramos, é a falta de treinamento e de preparação religiosa:

> Esses evangélicos estão ligados às rádios e aos programas de televisão que se retroalimentam o tempo todo. Esse crescimento, aliado à não formação, resultou em uma comunidade bastante manipulável. Quando se usa a linguagem que estão

acostumados a ouvir, eles seguem sem questionar. É isso que a esquerda não consegue compreender, e parte para o ataque, afastando ainda mais esse público.

Mas Bolsonaro entendeu como lidar com essa comunidade. "A linguagem autoritária e moralista acabou por encontrar ouvidos férteis entre os evangélicos. É nesse imbróglio que estamos metidos. E tudo isso é muito anticristão", concluiu o pastor.

4. Limpando a barra no STF

O advogado Gustavo Bebianno chegou ao Campo Olímpico de Golfe, na Barra da Tijuca, Zona Oeste do Rio de Janeiro, num começo de noite de maio de 2017. Tinha assuntos práticos a tratar com Carlos Ruffato Favoreto, o presidente e gestor do campo, e com o sócio dele, Luiz Medeiros. Bebianno estava ali a pedido do amigo e também advogado Sergio Bermudes, principal sócio e figura central de uma das maiores bancas de advocacia do Brasil, reconhecida pela excelência e agressividade na prática do direito processual. Iria tratar de questões ambientais de um cliente do escritório, discussão na qual o clube estava envolvido.

A construção do campo de golfe para os Jogos Olímpicos de 2016 foi polêmica. Eduardo Paes, prefeito do Rio de Janeiro à época, que autorizara a obra, fora acusado pela Procuradoria do estado de ter cometido irregularidades. A primeira delas, permitir a construção do campo dentro de uma reserva ambiental. A segunda, conceder vantagens excessivas para a construtora Fiori, que tocou a obra. Seu dono, o empresário Pasquale Mauro, era proprietário de uma grande área no entorno do campo. Num acordo com o prefeito, Mauro construiria o campo de golfe com recursos próprios. Em troca, negociou a mudança do gabarito dos prédios na região, que passou a ser de 22 andares em vez dos seis permitidos até então pela lei de ocupação do solo. Em 2016, após as Olimpíadas, Favoreto, dono da ECP Environmental Solutions — ironicamente uma consultoria na área ambiental —, ganhou a concorrência para administrar o campo, localizado numa reserva ecológica.

Na hora em que Bebianno chegou ao Golfe Olímpico, naquele fim de tarde de maio, não havia quase ninguém por lá. Ele cumprimentou os dois sócios e trocou amenidades. O advogado contou que passara um tempo nos Estados Unidos fazendo um MBA em finanças, ao mesmo tempo que trabalhara numa das academias de jiu-jítsu dos irmãos Gracie. Não chegou a terminar o MBA, e o trabalho na academia tampouco prosperou. Voltou para o Brasil sem emprego e abriu um pequeno escritório de advocacia. Bermudes o ajudava indicando alguns clientes. A conversa corria solta quando Bebianno viu passar, pelo lado de fora da sala envidraçada onde estava, uma figura que lhe pareceu familiar. "Eu estou enganado ou aquele ali é o Bolsonaro?", perguntou, espantado. "Sim, é ele. Está sempre aqui", responderam os dois sócios. Bebianno vibrou. "Não acredito que Bolsonaro está aqui. Sou louco para conhecer esse cara. Eu gosto demais dele."

Fazia quase um ano que Bolsonaro frequentava o Golfe Olímpico. Mas não para praticar o esporte. Desde julho de 2016, Favoreto havia emprestado uma sala do local ao filho mais velho de Bolsonaro, para que montasse o comitê da campanha à prefeitura do Rio, à qual ele concorreu pelo PSC e perdeu. Flávio passara a utilizar o espaço com três amigos — Rodrigo Amorim, vice dele na chapa; o advogado Bernardo Santoro, responsável pelo plano de governo do candidato; e o publicitário Gutemberg Fonseca, que tocava a campanha. Com tanta polêmica envolvendo o campo de golfe, estar próximo de um político com chances de chegar à prefeitura parecia uma boa ideia a Favoreto.

Mais tarde, em outubro de 2018, Rodrigo Amorim sairia candidato a deputado estadual e se notabilizaria por quebrar, ao lado do colega Daniel Silveira, então candidato a deputado federal, uma placa com o nome da vereadora Marielle Franco, assassinada em março daquele ano com o motorista Anderson Pedro Gomes ao sair de uma palestra no centro do Rio. Apesar do gesto abjeto, que chocou grande parte dos brasileiros, Amorim e Daniel, ambos do PSL, sairiam vitoriosos, sobretudo por estarem colados a Flávio Bolsonaro, eleito para o Senado com uma votação espetacular.

Com mais de 140 mil votos, Amorim se sagraria o deputado mais votado do estado. Silveira, depois de eleito, engrossaria a corrente bolsonarista de ataques ao STF, mas acabaria preso em 2021, por ordem do ministro Alexandre de

Moraes, depois de fazer ameaças aos juízes da corte em suas redes sociais. Condenado a oito anos e nove meses de prisão por estímulo a atos antidemocráticos e ataque às instituições, seria objeto de rumoroso indulto presidencial logo após a publicação da sentença.

Depois da derrota naquelas eleições para a prefeitura do Rio, Flávio e os três amigos continuaram usando as instalações do clube para reuniões políticas, especialmente a partir de 2017, quando começaram a cuidar, ainda que de forma amadora, da campanha de Bolsonaro para presidente. Na época, o ex-capitão tentava encontrar um partido pelo qual pudesse concorrer, já que havia rompido com o PSC, que lhe abrira as portas da legenda no ano anterior. Sem comitê e contando apenas com a estrutura de seu gabinete na Câmara e a de sua casa, na Barra da Tijuca, Bolsonaro aceitou a oferta feita por Favoreto de utilizar as instalações do Golfe Olímpico para reuniões. Por essa razão, visitava o local quando estava no Rio, como naquele fim de tarde de maio.

Bebianno pediu a Favoreto que lhe apresentasse ao deputado. Espírita, o advogado estava convencido de que tinha uma missão na vida: ajudar Bolsonaro a se eleger presidente da República.

Na mesma época, outro homem também se empenhava para eleger Bolsonaro — e não por razões espirituais, mas pragmáticas. O marqueteiro Marcos Carvalho, então com 32 anos, era dono da agência AM4 e buscava um candidato em que pudesse aplicar suas técnicas de marketing pela internet. Carvalho estava convencido de que as eleições de 2018 seriam vencidas por quem utilizasse melhor as ferramentas digitais.

Para ele, os longos discursos, as teses políticas e as promessas de campanha nos programas de TV e rádio não tinham mais lugar. O que contaria mesmo seriam as redes sociais, com mensagens curtas e de fácil assimilação pela massa, nos moldes do que fizera Steve Bannon com Donald Trump na vitoriosa campanha de 2016. Bannon, chefe de um site de extrema direita americano, o Breitbart News, salvou a desastrada campanha de Trump, que era visto como um lunático, e o transformou no candidato preferido dos estados mais conservadores, recorrendo a um discurso de ultradireita, violento, em defesa de valores da família e que, com o seu *"America first"*, colocava os Estados Unidos no lugar que muitos americanos queriam, depois de ver o país perder espaço para a China. Inundando as redes sociais com notícias falsas e valendo-se de uma linguagem popular, salvacionista, contra a classe política tradicional e antiestablishment, Trump venceu a candidata democrata da elite intelectual e política americana, Hillary Clinton.

Carvalho, embora sem experiência em campanhas eleitorais — a AM4 fazia pesquisas para empresas —, entendia que Bolsonaro era o único candidato que havia compreendido essa nova forma de comunicação. Ele já tinha tentado vender seu projeto para Luciano Huck, mas, com a desistência do apresentador de concorrer à presidência, foi à procura de um candidato que estivesse disposto a comprar suas ideias — a mais relevante delas, uma ferramenta digital para arrecadar pela internet recursos para a campanha.

Carvalho era amigo de longa data de Luiz Medeiros, sócio de Favoreto no empreendimento esportivo. As famílias se conheciam havia muitos anos. Ao saber que Medeiros era próximo do pessoal de Bolsonaro, ele o procurou e foi apresentado a Flávio e seus amigos. Depois de algumas reuniões, Carvalho entendeu que seu projeto não iria adiante com aquele grupo. Detectara que o grande problema ali era que todos queriam ter protagonismo junto ao candidato e, com isso, em vez de ajudar, acabavam atrapalhando. Num sábado de inverno, pela manhã, após uma discussão com o grupo — em especial com o publicitário Gutemberg Fonseca, que queria ter o controle da candidatura —, o marqueteiro deixou a reunião irritado, dizendo que não perderia mais seu tempo com eles. Estava fora do projeto.

Bebianno não tinha conhecimento daquele embate. Nunca havia se metido em política, mas estava disposto a ajudar Bolsonaro. E foi com um misto de entusiasmo juvenil, admiração desmedida e fé messiânica que ele se apresentou ao deputado em 2017.

No estilo fã diante do ídolo, Bebianno não conseguiu esconder seu fascínio no primeiro contato dos dois. Falando sem constrangimento, o advogado confessou a Bolsonaro que o acompanhava havia alguns anos nas redes sociais e que tentava entrar contato com ele por e-mail desde 2013, mas nunca obtivera resposta. O parlamentar não deu muita conversa: abriu seu sorriso metálico e apertou a mão de Bebianno, mas não respondeu à oferta do rapaz de ajudar "no que fosse necessário" durante a campanha. Bebianno não se intimidou. A partir daquele encontro, passou a frequentar o clube de golfe quase que diariamente para assistir às conversas do grupo e ver onde poderia se encaixar.

Favoreto e Medeiros, percebendo a disposição do advogado, julgaram que ele poderia ser útil. Bebianno tinha bom entrosamento no mundo jurídico carioca, era um sujeito organizado, com MBA em finanças (ainda que não concluído) e bem relacionado na sociedade local. Numa campanha em que os quadros eram de baixíssima qualificação, ele representava uma esperança.

O advogado nascera em uma família rica do Rio de Janeiro. Seu avô, Ademar Bebianno, era herdeiro da Companhia Nacional de Tecidos Nova América, uma das maiores e mais tradicionais empresas do estado, e um apaixonado pelo Botafogo, time que presidiu de 1944 a 1946. Criado em um dos endereços mais nobres da cidade, a avenida Delfim Moreira, em frente ao mar do Leblon, o grande interesse de Gustavo Bebianno na juventude era o jiu-jítsu. Alto, forte e disciplinado, chegou à faixa preta no esporte. Só mais tarde, no final dos anos 1980, por volta dos 22 anos, quando a maioria dos colegas já estava quase se formando, resolveu cursar direito na PUC do Rio de Janeiro.

Ainda estudante, conseguiu um estágio no escritório de Sergio Bermudes, mas não se sobressaiu e foi dispensado ao final do contrato. Para os companheiros de escritório, Bebianno não era um sujeito talhado para a advocacia. Embora reconhecessem sua capacidade de organização, diziam que ele não tinha paciência para virar noites estudando processos. Por isso, ao deixar o escritório, no começo dos anos 1990, ele foi trabalhar no *Jornal do Brasil*, ainda na gestão da família Nascimento Brito, no qual chegou a diretor jurídico.

Lá fez amizade com o jornalista Paulo Marinho, também muito amigo de Sergio Bermudes. Bastante popular na sociedade carioca, Marinho tinha o costume de namorar solicialites e chegou a se casar com a modelo francesa Odile Rubirosa, viúva do ex-genro do ditador da República Dominicana, Rafael Trujillo. Mas os anos dourados de Bebianno no *JB* acabariam depois que o empresário Nelson Tanure, conhecido por adquirir companhias em situação falimentar para então retalhá-las e obter ganhos com os negócios — ou simplesmente abandoná-los, como fez com vários estaleiros no estado —, comprou o jornal, em dezembro de 2000.

Marinho, naquela época, trabalhava com Tanure nos seus negócios de compra e venda de empresas quebradas. Quando Tanure comprou a marca JB, deixando as dívidas, inclusive as trabalhistas, para trás, num sistema semelhante ao que fazia com as outras companhias que adquiria, Marinho foi para o jornal e lá se tornou diretor de Negócios na sucursal de Brasília. Tanure acabaria transferindo o jornal, tempos depois, para o empresário Omar Peres. O *JB* agora existe apenas na versão digital.

Com dificuldades de entrosamento com o novo patrão, Bebianno deixou a empresa e foi bater à porta de Sergio Bermudes, que dessa vez o contratou — não como advogado, mas para ajudar a cuidar das finanças do escritório. Depois de alguns anos, ele se encheu do trabalho e mudou para os Estados Unidos.

Bebianno e Bolsonaro, apesar das origens distintas — o ex-capitão era de classe média baixa, filho de um protético com problemas de alcoolismo, e passara a juventude no quartel —, acabaram se entendendo. Como o candidato, Bebianno tinha um temperamento estourado, visão militarista, defendia o porte de armas e não tolerava Lula e o PT, por considerá-los responsáveis pela crise política e econômica do país. O que diferenciava Bebianno de Bolsonaro e de seu caótico entorno — e que lhe renderia uma grande vantagem competitiva — era o fato de ser organizadíssimo, atributo que se mostraria de fundamental importância na campanha.

Nas conversas que passou a ter com Bolsonaro durante as constantes idas ao Golfe, Bebianno se deu conta de que o maior problema da campanha eram os processos contra o candidato. Sua primeira providência foi fazer um levantamento de todos eles. Algumas das ações causavam mais preocupação: a queixa-crime movida pela deputada Maria do Rosário, do PT gaúcho, e a denúncia da Procuradoria da República, também em defesa da deputada, no Supremo Tribunal Federal. Ambas envolviam o mesmo fato: a frase de Bolsonaro dizendo que não a estupraria porque ela não merecia.

O episódio se dera durante um enfrentamento entre os dois parlamentares no Salão Verde da Câmara, em 2003. O deputado concedia uma entrevista para a RedeTV!, na qual defendia a redução da maioridade penal para adolescentes que cometessem crimes hediondos. O alvo da polêmica era Champinha, o adolescente que em 2003, aos dezesseis anos, havia torturado, estuprado e matado uma jovem depois de ter assassinado o namorado dela.

Rosário, que esperava a conclusão do deputado para falar à mesma emissora, não se conteve com o que ouviu e reagiu à entrevista, dizendo que pessoas como Bolsonaro, pela agressividade do seu discurso, acabavam promovendo violências como o estupro. Olhando para a câmera, Bolsonaro revidou: "Grava, grava aí. Ela está dizendo que eu sou estuprador". E então, dirigindo-se à deputada, soltou a frase: "Jamais ia estuprar você porque você não merece". Indignada, Maria do Rosário respondeu que lhe daria uma bofetada caso ele tentasse algo parecido. Ele revidou, dizendo que lhe daria outra, e a empurrou duas vezes com o braço esticado. Rosário o chamou de desequilibrado, e ele a xingou de vagabunda. Nervosa, ela repetia "Mas o que é isso? O que é isso?" e, aos prantos, se retirou do ambiente.

Em 2014, Bolsonaro relembrou o caso no plenário da Câmara, durante a comemoração do Dia dos Direitos Humanos. Ao falar aos seus pares, defendeu o coronel Carlos Alberto Brilhante Ustra, reconhecido torturador de presos políticos durante a ditadura. Ao ouvir seu discurso, Rosário deixou o plenário, enquanto Bolsonaro gritava para que ela ficasse e voltou a repetir a frase do estupro com que a atacara em 2003. Foi depois disso que Maria do Rosário entrou com um processo contra ele no Supremo e no Conselho de Ética da Câmara.

O Conselho de Ética da Casa ignorou o caso, sob a alegação de que os dois parlamentares se agrediram mutuamente. Já o STF acatou a queixa da deputada e a denúncia da Procuradoria, e Bolsonaro virou réu por injúria e incitação ao estupro. Se condenado, ele perderia o direito de concorrer à presidência da República.

Bebianno, de posse desse e de outros processos, pediu a advogados cariocas amigos seus que fizessem uma avaliação do que poderia inviabilizar a candidatura. Com essa iniciativa, ele caiu nas graças do "capitão", como se referia a Bolsonaro. O presidenciável acreditou que o advogado resolveria seus problemas no Judiciário e passou a dar mais atenção aos conselhos dele do que aos de outros integrantes da equipe. Essa deferência a Bebianno passou a incomodar o núcleo original da campanha, composto de amigos próximos, mas sem qualquer experiência política.

Dentre eles estava Waldir Ferraz, conhecido como "Jacaré", um funcionário aposentado da Marinha Mercante que, pelos muitos contatos que tinha na imprensa carioca, atuava como uma espécie de assessor de imprensa informal do deputado. Outro era o policial militar reformado Fabrício Queiroz, amigo de Bolsonaro havia décadas, desde os anos de quartel. Queiroz gozava de tanta confiança na família que fora colocado pelo ex-capitão no gabinete do Zero Um na Assembleia Legislativa do Rio de Janeiro, quando o rebento ainda era deputado estadual. Ali fazia de tudo: cuidava das finanças do gabinete, da segurança de Flávio e era o motorista do parlamentar.

A lealdade do ex-policial era recompensada. A filha e a esposa de Queiroz foram lotadas por Bolsonaro em seu gabinete, em Brasília, e no do filho primogênito. No entanto, nunca batiam ponto e só apareciam para receber o salário — eram as proverbiais funcionárias fantasmas. Tempos depois, Queiroz se veria envolvido na investigação sobre a ocorrência de irregularidade nessas contratações dentro dos gabinetes de Bolsonaro e de Flávio, na qual se apurou que a maior parte dos salários pagos a esses funcionários ia, na verdade, de acordo com investigações do Ministério Público, para o bolso dos dois parlamentares, numa prática ilícita conhecida como "rachadinha".

A proximidade de Bolsonaro e Bebianno passou a irritar também Flávio e seus aliados, mais especificamente o publicitário Gutemberg, cada vez mais alijado da campanha pelo advogado, que, com o tempo, passou a afastar do candidato os amigos que considerava inconvenientes.

Por causa dessas disputas, a campanha se dividiu em dois grupos — o de Bebianno, Medeiros e Favoreto, e o de Flávio e amigos do pai. A competição se acirrou quando Medeiros e Gutemberg tiveram a ideia de fazer um livro sobre Bolsonaro para apresentá-lo ao público. Gutemberg saiu na frente e acertou com Flávio que o próprio Zero Um assinaria a biografia do pai, e os dois montaram uma editora em sociedade com o filho de Gutemberg, a Altadena.

O livro era uma forma de burlar a lei que proibia campanha eleitoral antecipada. Ele poderia ser lançado em várias cidades, com grande aparato, sem que parecesse propaganda. Era também uma forma de arrecadar fundos para a futura campanha. E então *Jair Messias Bolsonaro: Mito ou verdade* foi escrito às pressas para ser lançado em setembro de 2017.

"Esse livro vai vender pra cacete", disse Gutemberg. "E tem o seguinte. Vamos fazer o lançamento em Belo Horizonte porque os empresários lá estão entusiasmados com Bolsonaro e querem bancar tudo", contaria Medeiros a amigos. Gutemberg e Medeiros tinham contatos na cidade e, apesar da rivalidade, conviviam civilizadamente. Numa das viagens à capital mineira, Medeiros conhecera alguns empresários, entre eles Jader Kalid, primo do prefeito da capital mineira, Alexandre Kalil. Kalid, dono de uma revista de boa circulação junto à elite local, a *Exclusive*, era fã de Bolsonaro e demonstrou vontade de ajudar na campanha.

Antes disso, Kalid tinha sido doleiro e esteve envolvido no Mensalão. Em 2005, o publicitário Marcos Valério de Souza, preso pela participação no escândalo de caixa dois da campanha do PT, disse em depoimento à Polícia Federal que Kalid operava para Duda Mendonça, marqueteiro de Lula. Valério confirmou ter repassado, por meio do doleiro, 15,5 milhões de reais para Mendonça em esquema de caixa dois, como pagamento de dívidas do PT. Kalid acabou sendo denunciado pelo Ministério Público por evasão de divisas e condenado a quatro anos e um mês de prisão em regime semiaberto. Mas, em 2017, tudo parecia esquecido.

O lançamento do livro foi marcado para as sete da noite do dia 14 de setembro, no Automóvel Clube de Minas Gerais, localizado na avenida Afonso Pena, uma das mais movimentadas de Belo Horizonte. O evento vinha sendo bastante divulgado nas redes sociais, com um convite feito pelo próprio Bolsonaro, que prometia tirar fotos com os que comparecessem.

Durante o dia, contudo, os outros planos na agenda do candidato pareciam indicar que a passagem por Belo Horizonte seria um fracasso. Gutemberg tinha conseguido para aquela manhã um encontro de Bolsonaro com Alexandre Kalil, o prefeito da capital, que estava no primeiro ano de mandato e fora vitorioso com uma campanha feita basicamente pelo celular, disseminando conteúdo pelo WhatsApp. Mas a conversa não prosperou. Na reunião, em seu gabinete, Kalil sugeriu que Bolsonaro perdoasse os erros de Lula.

"Você vai quebrar a resistência de muita gente contra você", afirmou.

O presidenciável descartou a proposta. "Nem pensar. Não posso. Aquilo é um bandido", disse.

De lá, Bolsonaro seguiu para uma palestra no auditório da Fumec, uma faculdade privada de Belo Horizonte. Enquanto falava, sua comitiva foi avisada pelos seguranças do local de um protesto contra ele do lado de fora do prédio. Como a turba estava armada com paus e pedras, recomendou-se a Bolsonaro que não saísse dali. O deputado descartou a sugestão, e seu carro foi cercado pelos manifestantes — em sua maioria ligados ao movimento LGBTQIA+ —, que o xingavam de homofóbico, racista e machista. Bebianno se atracou com o grupo para que o ex-capitão conseguisse deixar o prédio. O advogado saiu dali com a camisa rasgada e algumas contusões, mas satisfeito com a própria atuação. Queiroz havia se juntado a ele.

Apesar dos percalços daquele dia, a noite de autógrafos foi um sucesso estrondoso, com uma fila de convidados que se estendeu pela calçada. Foram vendidos 915 exemplares, autografados pelo pai e pelo filho, e, conforme o prometido, Bolsonaro tirou fotos com os presentes. A venda só não foi maior porque o Automóvel Clube precisou fechar.

No dia seguinte, Bolsonaro recebeu outra demonstração de apoio. Em um almoço com empresários mineiros num evento organizado por Jader Kalid, ficou claro que a turma do dinheiro fechara com ele. Muitos empresários mineiros já estavam mobilizados produzindo e distribuindo por conta própria adesivos com o nome do candidato nos seus estabelecimentos comerciais, e não escondiam a enorme aceitação que a figura do deputado de ideias radicais tinha entre eles.

Naquele dia, Kalid postou na sua página do Facebook fotos de Bolsonaro e Flávio no almoço. Numa delas, o deputado aparece dando uma gravata de brincadeira em um dos presentes. Kalid escreveu: "O mito Jair Bolsonaro com filhão foda Flávio Bolsonaro no nosso tradicional almoço mensal na sede da revista *Exclusive*, dia 15 de setembro, sexta-feira. Ele é muito divertido. #Bolsomito".

O livro, apesar de todo o sucesso do lançamento, geraria mal-estar nos bastidores. A turma de Bebianno descobriu que o dinheiro da venda não tinha sido destinado integralmente à campanha, porque parte ficara para Flávio e Gutemberg, seu sócio na empreitada. Bebianno não perdeu tempo: levou o caso a Bolsonaro, que ficou possesso e chamou os três filhos para uma reunião. Pai e primogênito brigaram, mas, quando o Zero Um ameaçou não concorrer mais ao Senado, Bolsonaro recuou. Perdoou o rebento, mas exigiu que Rodrigo Amorim, Bernardo Santoro e Gutemberg Fonseca deixassem a campanha.

A influência crescente de Bebianno sobre Bolsonaro foi fundamental para o retorno de Marcos Carvalho ao projeto. O advogado teve uma longa conversa com Luiz Medeiros sobre os planos de Carvalho para a campanha digital, incluindo a proposta de arrecadação pela internet. Entusiasmado, Bebianno chamou Carvalho de volta, e os dois viraram amigos.

A partir daí, sem saber, Bebianno comprava uma briga gigante com o Zero Dois, que até então era o maior responsável pelo controle das redes sociais do deputado. Muito próximo do pai e com dificuldade de lidar com quem interferisse na relação dos dois, Carlos não gostou da chegada de Carvalho para atuar na sua área. O filho do meio sempre fora objeto de muitos cuidados por parte de Bolsonaro, em razão das fragilidades emocionais que demonstrara desde a separação dos pais.

Rogéria, a primeira esposa de Bolsonaro, mãe de Flávio, Carlos e Eduardo, era vereadora pelo Rio de Janeiro quando da separação. Depois do divórcio, ela tentou concorrer novamente, mas Bolsonaro obrigou Carlos, então com dezessete anos, a disputar a mesma vaga. A mãe perdeu e deixou a política. O filho venceu o primeiro de muitos pleitos, mas saiu traumatizado da história. Quando o pai se casou com Michelle, Carlos se afastou. Só voltou a se aproximar para ajudar na campanha ao Planalto, mas foi jogado para escanteio pelo grupo de Bebianno. O Zero Dois nunca perdoaria nem Bebianno nem Marcos Carvalho por essa interferência.

Em setembro, Bolsonaro tinha muito mais com que se preocupar do que a evasão dos recursos do livro ou o ciúme de Carlos, Flávio e seus três amigos. Os advogados consultados por Bebianno, após lerem os processos que ele encaminhara, alertaram que o deputado corria sério risco de ter a candidatura impugnada em razão das ações penais no STF referentes ao caso Maria do Rosário. Era preciso agir rápido.

A denúncia havia sido acolhida pela Primeira Turma do Supremo, e o ministro Luiz Fux fora sorteado como relator. Coincidentemente, Fux era lutador de jiu-jítsu como Bebianno, e, embora não se conhecessem, tinham amigos em comum. Entre eles, Sergio Bermudes, em cujo escritório a filha do ministro trabalhara. Bermudes, inclusive, redigira uma carta atestando a experiência de Marianna Fux para que ela conseguisse se candidatar à vaga de desembargadora do Tribunal de Justiça do Rio de Janeiro. A carta foi o único documento apresentado por ela para comprovar os dez anos de experiência exigidos para o cargo. Questionado sobre a natureza do trabalho da pupila, Bermudes disse que ela se ocupava de processos sigilosos.[1]

Diante do risco de que Bolsonaro não concorresse, Bebianno resolveu consultar Paulo Marinho, que era amigo e cliente de Sergio Bermudes, além de vários outros advogados importantes. Em outubro de 2017, Bebianno enviou uma mensagem de WhatsApp ao jornalista, que topou encontrá-lo para almoçar no restaurante Gero, em Ipanema. Marinho estava acompanhado do filho André. Ali, Bebianno explicou que estava trabalhando na campanha de Bolsonaro e precisava da ajuda do amigo, bem relacionado no mundo empresarial e jurídico.

Paulo Marinho achou a fé de Bebianno em Bolsonaro pueril, quase uma maluquice. Disse que aquilo era perda de tempo, porque o deputado não tinha a menor chance de se eleger. Marinho, ao contrário de Bebianno, já tinha se envolvido em campanhas políticas. Trabalhara com o prefeito de São Paulo, João Doria, do PSDB, tentando deslanchar a candidatura dele para a presidência, mas o partido acabou optando pelo governador Geraldo Alckmin, e Marinho perdeu o trabalho. Bebianno não esmoreceu e continuou exaltando as qualidades de Bolsonaro, na esperança de que o jornalista o auxiliasse. Até que deixou claro o objetivo do encontro. "Nós estamos com um problema na campanha, e eu tenho certeza de que você pode ajudar", disse Bebianno. "Bolsonaro tem duas ações contra ele no Supremo, cujo relator é o ministro Fux. São ações da Maria do Rosário e da PGR, e estamos com medo de que ele se torne ficha-suja e seja impedido de concorrer", contou. "Estamos achando até que esse troço é uma armação contra ele."

Marinho tentou minimizar a paranoia do advogado dando sua opinião sobre o clã Bolsonaro. Para ele, a família via tudo como conspiração. Eles sempre buscavam uma teoria mirabolante para justificar o que lhes acontecia. Apesar de tudo isso, Marinho ficou interessado na proposta.

"Gustavo, eu conheço o deputado Bolsonaro de ponte aérea. Nunca conversei com ele, mas acho ele bronco pra cacete. Porra, tu acha que isso aí pode voar?", perguntou.

"Vai voar. Eu tenho certeza. O Brasil, por tudo que está passando, precisa de uma pessoa com o perfil dele. Moralizador. Um cara que vai combater a corrupção, que vai derrubar o PT. Porque nenhum desses candidatos que estão aí, nem os dos grandes partidos, terá condições de tirar o PT do poder", entusiasmou-se.

Marinho levantou uma questão crucial: "Que mal que lhe pergunte, nós temos partido?".

"Ainda não", admitiu Bebianno. "Mas vamos arrumar."

O advogado contou então que estavam em negociação com o partido de Adilson Barroso, uma legenda nanica do Centrão chamada Partido Ecológico Nacional (PEN), embora nada tivesse a ver com meio ambiente. De qualquer forma, Bolsonaro estava tentando mudar o nome para algo que contivesse a palavra "patriota". Antes de definirem o partido, contudo, era preciso livrar Bolsonaro das ações do STF. Sem isso, não adiantava levar nada adiante.

Marinho saiu do almoço disposto a participar. Colocou sua casa no Jardim Botânico à disposição do candidato para que pudessem gravar vídeos para a campanha. E foi além: ofereceu que a casa também servisse de QG da campanha, já que o Golfe Olímpico ficava muito afastado da área central da cidade e não tinha estrutura para receber apoiadores fora do núcleo familiar.

Menos de um mês depois, por volta das onze horas de uma manhã do começo de novembro, Bolsonaro chegou à casa de Marinho numa Land Rover blindada acompanhado de Waldir Ferraz, o Jacaré. Como o deputado queria manter o encontro em sigilo, o anfitrião recebeu os dois dentro da garagem. Aquela foi a primeira vez que trocaram apertos de mão. Dali, Marinho, o filho André, Bolsonaro e Bebianno seguiram para o anexo da casa. Por ordem de Bolsonaro, Jacaré não os acompanhou. Quando Marinho perguntou se ele não iria com eles, o presidenciável foi seco: "Não, deixa ele lá fora". Acomodados no sofá do escritório, Bebianno repetiu o discurso sobre as ações penais no Supremo que fizera no restaurante.

"Temos esse problema da Maria do Rosário. Estamos com medo de que Bolsonaro se torne inelegível. E sabemos que o Fux está acelerando o julgamento, colhendo oitivas das testemunhas. Enfim, pode ser que a sentença venha antes da campanha", confidenciou Bebianno, passando mais uma informação-chave para Marinho. "Cogitamos até de o capitão renunciar ao mandato de deputado, para perder o foro privilegiado e ir para a primeira instância. O tempo que essas ações vão demorar para correr na primeira instância é o tempo de Bolsonaro concorrer. É o nosso último recurso."

Havia uma razão para tanta preocupação. Em 7 de dezembro de 2016, o STF havia decidido, por seis votos a três, que o presidente do Senado, Renan Calheiros, do PMDB de Alagoas, não poderia ficar na linha sucessória do presidente da República em caso de vacância do cargo por ser réu num processo no tribunal. Os ministros haviam acolhido a denúncia de peculato contra Renan, acusado de receber propina da construtora Mendes Júnior para apresentar emendas que beneficiariam a empreiteira.

Ao acatar a tese que condenou Renan, o Supremo abriu o precedente de que réus no STF não poderiam estar na linha sucessória à presidência. Nesse caso, Bolsonaro estaria muito mais encrencado do que o senador. Se os ministros entendiam que Renan não poderia estar na linha sucessória por ser réu no Supremo, que dirá um candidato que concorria ao cargo de presidente. Era com esse entendimento que os advogados de Maria do Rosário, Cezar Britto e Paulo Freire, tentavam barrar a candidatura do ex-militar.

Ao final da explanação de Bebianno, Marinho perguntou: "Vocês têm advogado?". Bolsonaro, que tinha permanecido calado até ali, se manifestou pela primeira vez: "Não. Eu tenho um amigo meu do Paraná que advoga para mim nessa causa, mas ele não tem experiência de tribunal superior e está comendo mosca".

"Quem foi que arrumou esse advogado para vocês, capitão?", perguntou Marinho, que, percebendo que Bolsonaro gostava de ser chamado dessa forma, resolveu não contrariar.

"Foi o Frederick Wassef", respondeu.

Wassef, advogado paulista que afirmava ter trânsito nos tribunais superiores, atuava mais como representante de interesses de políticos — como os da família Bolsonaro — do que como defensor. (Tanto que, em 2019, o advogado acabaria se envolvendo no escândalo das "rachadinhas" depois que Fabrício Queiroz foi encontrado em um sítio seu, em Atibaia.)

Marinho bateu com as mãos espalmadas nas pernas e falou: "A primeira coisa que você precisa é de um bom advogado. Vou te arrumar um bom advogado".

"Não tenho um tostão pra pagar", avisou Bolsonaro.

"Não precisa, capitão. Vai ser 0800. Esse advogado é um amigo meu de São Paulo, um dos grandes criminalistas do Brasil, que tem uma megaexperiência em advogar no STF. Vou trazer ele de São Paulo para se encontrar com você." Marinho se referia ao criminalista Antônio de Moraes Pitombo, seu amigo de longa data.

Bolsonaro vibrou. "Pô, finalmente alguém do andar de cima vai ajudar na campanha. Porra, só tem pé de chinelo aqui. Chegamos ao Olimpo", comemorou.

Desse momento em diante, a conversa correu solta. Marinho mandou servir beiju com queijo ralado, e Bolsonaro, que nunca tinha experimentado a iguaria, acabou comendo tudo praticamente sozinho. Relaxados, riram e contaram casos, e André Marinho aproveitou para tirar fotos ao lado do ex-capitão.

Bolsonaro estava tão entretido na conversa que não atendia ao celular. "Era como se fosse o encontro mais importante da vida dele", Marinho observaria.

Ao final do encontro, que durou uma hora, Marinho avisou: "Capitão, eu vou marcar com o advogado e aviso ao Gustavo. Me dê uma data para eu marcar com ele".

"Faz o contrário. Vê quando ele pode e eu me encaixo na agenda dele, já que o cara vem de São Paulo. Eu estou à disposição dele, porque isso para mim é prioridade."

Quando Bolsonaro e Jacaré deixaram a casa, Marinho não se conteve e perguntou a Bebianno, ainda na garagem: "Gustavo, só me explica uma coisa. Como é que um deputado me chega aqui numa Land Rover blindada... Como ele tem grana pra ter esse carro? Um carro blindado importado? Custa caro essa merda".

"Ele comprou do Frederick Wassef", contou.

Pouco depois, Paulo Marinho ligou para Antônio Pitombo.

"Conhece um deputado chamado Bolsonaro?"

"Conheço de nome. Candidato à presidência aí pelo Rio, né?"

"Pois é. Queria que você viesse ao Rio para encontrar com ele."

"Pô, Paulo. Onde é que você se meteu?"

"Eu tô a fim de ajudar esse cara na campanha dele. Como você sabe, o meu projeto com o Doria não foi adiante e eu acho que esse cara tem chances de ganhar."

"Porra, Paulo. Você é bom de piada. Quer que eu saia de São Paulo pra encontrar esse cara no Rio?"

"Quero que você assuma a causa dele no Supremo. Uma ação penal movida pela Maria do Rosário. E quero mais. Quero que você faça de graça."

O advogado riu, mas concordou em fazer a defesa de Bolsonaro gratuitamente, como Marinho lhe pedia. "O que eu não faço por você", brincou.

Dois dias depois, Pitombo estava na casa de Marinho, às onze da manhã, para conversar com Bolsonaro. No encontro, o próprio deputado explicou a situação para o criminalista e aproveitou para tentar convencê-lo das suas chances de vencer. Disse que era uma candidatura viável e que tinha uma lógica por trás do projeto: derrotar o PT.

"O PT não pode mais se eternizar no governo. Aquilo ali é um bando de ladrões", disse.

Pitombo assumiu a causa. A situação de Bolsonaro na Justiça ficou muito mais fácil com um criminalista de peso, com experiência vasta em tribunais superiores, para defendê-lo. Ao analisar o processo, o advogado identificou que o colega do Paraná não estava aproveitando bem os recursos disponíveis e explicou sua estratégia a Bolsonaro: "Vamos usar o sistema processual para retardar o julgamento".

As palavras do advogado soaram como música aos ouvidos do presidenciável. Tudo o que ele queria era que o julgamento ficasse para depois das eleições.

A primeira providência foi dificultar a oitiva das testemunhas. Para isso, Pitombo juntou um número grande de depoentes, muitos de fora de Brasília, para que não houvesse tempo de ouvir tanta gente. O então deputado Onyx Lorenzoni, do DEM, por exemplo, foi ouvido em Porto Alegre, embora tivesse residência também na capital federal.

Para atingir seus objetivos, o criminalista se aproveitou da inexperiência do Supremo em ações penais — tanto que Fux não ouviu as testemunhas, cabendo esse trabalho a um ministro do Superior Tribunal de Justiça. A estratégia funcionou. O caso não foi julgado, e quando todas as testemunhas finalmente foram ouvidas Bolsonaro já estava eleito.

Em fevereiro de 2019, Fux suspendeu o processo sob a alegação de que o presidente da República não poderia ser julgado por atos cometidos antes do mandato. A defesa de Maria do Rosário insistiu até o fim, alegando que Bolsonaro nem sequer poderia ter concorrido por já ser réu durante a campanha. Ao final, prevaleceu o entendimento de Fux de que não era possível cassar a vontade popular, que decidira pela vitória de Bolsonaro. O ministro então postergou o julgamento para quando Bolsonaro deixar a presidência da República. Diz a sentença:

> Como é de conhecimento público, o réu foi empossado, em 1º de janeiro de 2019, no cargo de presidente da República. Em razão disso, aplicam-se as normas da Constituição Federal, relativas à imunidade formal temporária de Chefe de Estado e de Governo, a impedir, no curso do mandato, o processamento dos feitos de natureza criminal contra ele instaurados por fatos anteriores à assunção do cargo.
>
> Brasília, 11 de fevereiro de 2019

Antes disso, outra decisão de Luiz Fux já havia ajudado a campanha de Bolsonaro. Em setembro de 2018, o ministro impedira que Lula, já preso nas instalações da PF em Curitiba, concedesse entrevistas. Dois jornais — a *Folha de S.Paulo* e o espanhol *El País* — entraram com pedido no STF para ter o direito de ouvir o ex-presidente antes das eleições. A decisão caberia ao então presidente do tribunal, Antonio Dias Toffoli, mas naquele dia o ministro estava em São Paulo, dando uma palestra na USP.

Sob a alegação de que Toffoli estava fora do tribunal, Fux entendeu que a resolução cabia a ele, o vice-presidente. E, sem levar o caso a plenário, tomou sua decisão. Esse movimento, no entanto, só valeria se o presidente do STF estivesse fora do país, o que não era o caso. Cezar Britto, também advogado da causa em favor de Lula, argumentou que a decisão não cabia a Fux — mesmo porque, quando cassou a liminar que autorizava a entrevista de Lula, o próprio Fux estava no Rio, portanto também fora da sede do STF.

Lula só teria autorização para falar à imprensa em 2019 — três meses depois da posse de Bolsonaro.

5. À procura de um partido

Em 2017, Bolsonaro começava a aparecer nas pesquisas como um candidato competitivo, embora muitos políticos não o vissem como uma ameaça real. A imprensa e a elite intelectual ainda tampouco acreditavam que ele tivesse musculatura eleitoral para um cargo majoritário — apostavam que era fogo de palha.

Era difícil imaginar que um deputado com ideias tão radicais e um discurso violento e nada elaborado pudesse cair no gosto popular. Mas havia outro fator que tornava a candidatura ainda mais improvável: Bolsonaro não tinha partido, ao contrário dos seus concorrentes, todos pertencentes a legendas tradicionais, com bancadas no Congresso e representantes nos governos estaduais e municipais. Ainda assim, o Instituto Datafolha mostrava, em setembro de 2017, Bolsonaro com 16% das intenções de voto, atrás somente de Lula, com 36%. Marina Silva vinha em terceiro, com 14%.

Os problemas de Bolsonaro com o Partido Social Cristão, do pastor Everaldo Pereira, tinham começado no final de 2016, quando a agremiação fez uma aliança com o PCdoB do Maranhão nas eleições municipais. Bolsonaro, com aversão a comunistas e a qualquer pensamento e ato que pudessem ser remotamente identificados com a esquerda, se enfureceu. Irrompeu na sede do partido, no centro do Rio, e disse que não toleraria aquele tipo de aliança — mesmo porque, à época, qualquer acordo nesse sentido atrapalharia até um dos seus slogans de campanha antecipada, que era "Vamos endireitar o Brasil", num trocadilho para marcar sua posição política.

O evangélico PSC até tinha tentado domar Bolsonaro, pagando-lhe um curso de media training quando de sua entrada para o partido, em 2016, para que não fosse tão raivoso com a esquerda. Mas, no final daquele ano, quando começaram a circular nas redes sociais bolsonaristas mensagens dizendo que o partido tinha pedido recursos para a campanha contra a vontade de Bolsonaro, o pastor Everaldo se dera conta de que seu aliado não tinha jeito. Era a deixa para que o ex-capitão abandonasse a legenda bem-visto pelo público, sem manchar sua imagem de político incorruptível.

Como o prazo para filiação partidária se encerrava em abril de 2018, a situação era complicada. Faltando menos de um ano para a data, o núcleo da campanha — que a essa altura já contava com Gustavo Bebianno — começou a sondar entre todas as legendas nanicas disponíveis alguma que aceitasse abrigar um candidato de perfil tão radical.

O PEN pareceu a alternativa mais viável, muito porque topava mudar seu nome para Patriotas. Adilson Barroso, o líder do partido, havia concordado também em ceder o controle provisório da legenda para Bolsonaro — exceto em Minas Gerais, onde alegava ter obrigações com políticos locais.

A questão é que o estado era também de interesse de parte do núcleo da campanha, em especial do marqueteiro Marcos Carvalho, que já se comprometera com as aspirações políticas de empresários de Belo Horizonte — entre eles, Marcelo Álvaro Antônio, futuro ministro do Turismo de Bolsonaro, à época filiado ao PSL. Carvalho reclamou com Bebianno que o acordo para que seu amigo pessoal assumisse a legenda em Minas já estava apalavrado, mas Barroso se recusava a ceder. No dia de formalizar o pacto com o PEN, Bebianno, em um gesto de apoio ao marqueteiro, rasgou a ficha de filiação de Bolsonaro na cara de Adilson Barroso, encerrando ali qualquer possibilidade de entendimento. Voltava tudo à estaca zero.

Por volta dessa mesma época, o empresário e político Luciano Bivar, um homem de negócios bem-sucedido do ramo de seguros em Pernambuco, estava desiludido com a política.

Na década de 1970, Bivar iniciara sua carreira de dirigente do Sport Club do Recife, chegando à presidência do clube em 1989. Ali colecionaria algumas polêmicas, entre elas a de ter pagado para que o jogador Leomar fosse convocado para a Seleção Brasileira, em 2001. Em 1994, abraçou a política e fundou o PSL, que durante anos foi inexpressivo. Quatro anos mais tarde, Bivar foi eleito deputado federal e chegou a concorrer à presidência da República em 2006, ficando em último lugar. O momento de maior protagonismo de seu partido na política nacional foi em 2014, quando Bivar fechou uma coligação partidária com o então candidato à presidência pelo PSB, Eduardo Campos.

Com a morte de Campos num acidente aéreo durante a campanha, a aliança quase se rompeu. Bivar chegou a desistir de apoiar a vice de Campos, Marina Silva, mas voltou atrás e reforçou a aliança despejando um caminhão de dinheiro na campanha da coligação, pela qual ele concorria a deputado federal. Para sua decepção, perdeu. Quem ficou com a vaga de deputado da coligação foi Kaio Maniçoba, do PSB pernambucano.

Frustrado com a derrota, mudou-se para Miami em 2015. Ao ver o partido abandonado, seu filho, Sergio Bivar, então com 37 anos, pediu permissão ao pai para recriar a legenda em novos moldes. Bivar concordou, passando a presidência da Fundação Abraham Lincoln, a gestora do partido, para o filho com a seguinte promessa: "Se fizer o partido deslanchar, eu me desligo dele e passo o comando pra você".

Sergio Bivar, entusiasta das ideias liberais, mergulhou no projeto de refundar o PSL. Em 2015, entrou em contato com jovens de posicionamentos parecidos — liberais na economia e nos costumes, como o gaúcho Fábio Ostermann, um dos fundadores do MBL. Passaram então a discutir um novo estatuto para o partido. Na economia, defenderiam um Estado menor e menos intervencionista, que apoiasse as privatizações e fizesse as reformas tributária, trabalhista e do Estado, sem deixar de se ocupar com políticas públicas para reduzir as desigualdades sociais. Nos costumes, apoiariam os direitos humanos, as liberdades individuais, a união homoafetiva e a legalização da maconha, entre outras pautas progressistas.

Em meados de 2016, o grupo de Sergio Bivar começou a ganhar espaço dentro do partido. Por meio do movimento denominado Livres, atraíam filiados e parlamentares de perfil progressista, para se diferenciar da ala fisiológica do PSL. Dos 25 estados onde havia comissões provisórias, catorze passaram para as mãos do Livres. As comissões eram uma forma de o presidente do partido controlar a legenda nos estados, mas como o Livres propunha transformar as comissões em diretórios — tornando-os mais institucionalizados e geridos por estatutos próprios que garantiriam a sua independência —, na prática o controle do presidente sobre o partido diminuiria.

Um grande reforço para o movimento viria do deputado pernambucano Daniel Coelho, do PSDB. Coelho pertencia a um grupo de jovens tucanos insatisfeitos com o partido. Eles haviam votado pelo impeachment de Dilma Rousseff, mas também a favor da abertura de processo contra o presidente Michel Temer, seu substituto no posto, por seu envolvimento no escândalo de corrupção do frigorífico JBS, que oferecera ajuda financeira para o PMDB em troca de favores. Além disso, os jovens tucanos queriam a expulsão do presidente do partido, o senador Aécio Neves, por seu envolvimento na mesma trama.

Com isso, o PSDB rachou. Os parlamentares se desentenderam com as fileiras mais antigas do partido, que não queriam a expulsão de Aécio. Os jovens revoltosos foram apelidados de Cabeças Pretas, enquanto os parlamentares mais velhos, de Cabeças Brancas. Indignados com a decisão dos Cabeças Brancas de não abandonarem Aécio, os Cabeças Pretas foram em busca de uma nova legenda. No final de 2017, estava praticamente certo que eles voariam para o Livres, como se pretendia rebatizar o PSL a partir de então.

Bivar filho estava feliz com os rumos que o novo partido tomava. Nomes de peso estavam se juntando a eles, como os economistas Persio Arida e Elena Landau. O grupo, criado dois anos antes, havia crescido: contava com sete deputados federais, seis estaduais, um prefeito e alguns vereadores.

No dia 4 de dezembro, Bolsonaro aparecia em segundo lugar nas pesquisas do Datafolha, com 18% da preferência dos votos — dois pontos percentuais a mais do que na medição anterior. Lula continuava na liderança, com 36%, mas Marina Silva caíra para 10%. Então, no princípio daquele mês, começaram a surgir na imprensa rumores de que Bolsonaro iria para o PSL. Em Curitiba, os advogados André Portugal e Érico Klein provocaram pelo WhatsApp alguns amigos que haviam se juntado ao Livres, dizendo que seriam colegas de Bolsonaro. O pessoal reagiu afirmando que aquilo jamais aconteceria.

Mas Sergio Bivar e seus aliados desconfiaram de que algo estranho estava mesmo acontecendo. Luciano Bivar, que havia retornado de Miami meses antes para assumir a suplência da vaga de Kiko Maniçoba na Câmara, recebera o deputado Jair Bolsonaro em seu gabinete. Preocupados, Sergio e outros líderes do Livres tiveram uma reunião com Bivar pai, que lhes garantiu que tinha sido apenas uma visita de cortesia.

O grupo, com Sergio à frente, exigiu que o presidente do PSL publicasse um esclarecimento público. No dia 21 de dezembro, Luciano Bivar soltou nota em nome do partido desmentindo o boato:

Nota de esclarecimento:
PSL-Livres descarta filiação de Bolsonaro

1. Não procedem, de forma alguma, as notícias de que o deputado federal Jair Bolsonaro possa se filiar ao PSL.

2. Após solicitação feita por Bolsonaro, o presidente nacional do PSL e também deputado federal Luciano Bivar recebeu-o em reunião. [...]

3. Em função das evidentes e conhecidas divergências de pensamento, o projeto político de Jair Bolsonaro é absolutamente incompatível com os ideais do LIVRES e o profundo processo de renovação política com o qual o PSL está inteiramente comprometido.

4. Bolsonaro representa o autoritarismo e a intolerância tanto na economia quanto nos costumes, sendo a antítese completa das nossas ideias.

Naquele mesmo dia, Bivar pai ainda confirmou, em entrevista à imprensa, que Bolsonaro pedira para se filiar, mas fora descartado. E, veemente, reafirmou: "[O presidenciável] é absolutamente incompatível com os ideais do Livres [...]. Ele representa o autoritarismo e a intolerância tanto na economia quanto nos costumes, sendo a antítese completa de nossas ideias". O pessoal do Livres respirou aliviado.

A verdade é que, apesar da promessa feita ao filho e aos integrantes do movimento, Luciano Bivar começara a negociar, por debaixo dos panos, a entrega do partido ao candidato. No final de novembro, o deputado Delegado Francischini, do Solidariedade do Paraná, admirador de Bolsonaro, tinha procurado Gustavo Bebianno com a sugestão de que o ex-capitão se filiasse ao PSL. Bebianno se entusiasmou com a ideia, e as negociações começaram a acontecer sigilosamente entre ele, Bivar e um novo personagem que surgira na campanha: Julian Lemos.

Lemos era sócio em uma empresa de segurança em João Pessoa e conhecera Bolsonaro em uma das viagens do deputado à capital da Paraíba, ocasião em que acabou fazendo a segurança informal do político na cidade. Assim, caiu nas graças do presidenciável, que o levou para a campanha. Grande e musculoso, nariz amassado e cara de lutador de artes marciais, Julian Lemos chegara a ser condenado em primeira instância por estelionato em 2011, mas o processo prescreveu. Também havia sido acusado três vezes de violência doméstica pela esposa, Ravena Coura, e pela própria irmã, Kamila Lemos, entre 2013 e 2016. Mais tarde, a esposa retirou as denúncias, alegando que havia exagerado nas queixas. Lemos e Bebianno virariam amigos inseparáveis.

Em São Paulo, no mesmo mês de dezembro, outro grupo de jovens, aqueles inspirados pelo liberalismo do austríaco Ludwig von Mises, se encontrava no 12º andar de um prédio em construção próximo ao Shopping Eldorado, na Zona Oeste da capital paulista, às margens do rio Pinheiros. Assim como os integrantes do Livres, a ala paulista também queria renovação política. Só que, ao contrário do grupo de raízes pernambucanas, Victor Metta, Leticia Catel e Rodrigo Morais eram liberais apenas nas ideias econômicas. Nos costumes, alinhavam-se a um conservadorismo inspirado em Olavo de Carvalho.

Durante cerca de um mês, o trio ocupou o andar com piso de cimento e sem paredes com vista para o rio Pinheiros e fez reuniões usando mesas e cadeiras que eles mesmos haviam levado para o espaço, suportando o calor do verão da cidade. Um observador diria, anos depois, que os esforços preliminares do trio foram quixotescos — e eles de fato chegaram a parecer heroicos a certa altura. Olhando em retrospecto, no entanto, segundo esse observador, tinham sido ridículos. Mas o fato é que, naquele momento, poucos haviam se lançado com mais fervor à tarefa de eleger Bolsonaro do que aquele grupo egresso das classes média e alta de São Paulo.

O prédio em questão pertencia à construtora Bueno Netto, e a filha do dono da empresa, Patrícia Bueno, já havia atuado no Movimento Endireita Brasil, criado em 2006 para "defender a direita liberal, ética e democrática", de acordo com suas redes sociais. O movimento, que teve entre seus fundadores o advogado Ricardo Salles — futuro ministro do Meio Ambiente de Bolsonaro cuja gestão nada comprometida com a causa ambiental lhe rendeu o apelido de "Exterminador do Futuro" —, foi um dos que ganhou tração a partir das manifestações de junho de 2013 e sobretudo do impeachment de Dilma.

Patrícia Bueno era admiradora de longa data de Jair Bolsonaro e se uniu a Metta, Catel e Morais para, meio que de moto próprio, buscar um partido para viabilizar a candidatura do deputado à presidência da República. Durante o mês de trabalho no escritório sem paredes, o ex-capitão só apareceu uma ou duas vezes para visitá-los.

O filho Eduardo esteve lá mais vezes, mas pouco se dedicou a atrair novos associados e potenciais candidatos para o projeto. Patrícia Bueno também receberia queixas por estar mais preocupada com a própria candidatura do que com o projeto de renovação da política.

No dia 5 de janeiro de 2018, Luciano Bivar chamou Sergio para um café da manhã em sua casa, em Piedade, na região metropolitana do Recife, e compartilhou com o filho sua intenção de permitir que Bolsonaro se filiasse ao partido. Sergio gelou. Fazia quase três anos que ele se dedicava ao Livres, atraindo gente de peso para o movimento. Se Bolsonaro realmente viesse, tudo iria por água abaixo. No mesmo dia, o ex-capitão voou para o Recife acompanhado de Bebianno e Julian Lemos e assinou a ficha de filiação ainda no aeroporto. Bivar e Bolsonaro soltaram uma nota conjunta anunciando a decisão:

O presidente nacional do Partido Social Liberal/PSL, Luciano Bivar, e o deputado federal Jair Bolsonaro comunicam aos órgãos de imprensa e a toda a sociedade que estão juntos em defesa do projeto que irá mudar o Brasil a partir do próximo ano. É com muito orgulho que o PSL recebe o deputado Jair Bolsonaro e sua pré-candidatura à presidência da República. Outrossim, é com muita honra que o deputado se sente abrigado pela legenda e muito à vontade em um partido onde existe total comunhão de pensamentos. Tanto para o presidente Luciano Bivar quanto para o deputado Jair Messias Bolsonaro são prioridades para o futuro do país o pensamento econômico liberal, sem qualquer viés ideológico, assim como o soberano direito à propriedade privada e a valorização das Forças Armadas e de segurança. Ambos comungam também da necessidade de preservar as instituições, proteger o Estado de Direito em sua plenitude e defender os valores e princípios éticos e morais da família brasileira. Desta forma, e em consonância com os anseios da maioria dos brasileiros, serão um só, a partir de agora, os objetivos do Partido Social Liberal e os desejos de mudança do deputado Jair Bolsonaro. O Brasil acima de tudo, Deus acima de todos!

Assim que a nota foi divulgada, todo o pessoal do Livres — incluindo Fábio Ostermann e Sergio Bivar — deixou o PSL. Bivar pai se mostrou surpreso com os representantes do movimento e, irônico, justificou a decisão numa entrevista dizendo que eles eram "muito jovens".

No Rio, o clima era de festa. Para comemorar a filiação ao partido, André Marinho, filho de Paulo Marinho, gravou um áudio para Bolsonaro, imitando com perfeição a voz e as expressões utilizadas pelo ex-capitão:

> Confirmando essa notinha de que de fato o namoro foi sacramentado entre mim para com o PSL/Partido Sem Livres. É isso aí. Tem que botar para correr essa facçãozinha calcada na libertinagem. Abortistas, maconheiros foram para a casa do caralho. E eu não quero saber nem mais dessa corjazinha aí, tá ok? A gente segue firme e forte na luta pelo nosso país em busca da presidência este ano. Conte comigo, seguimos fortes, Brasil acima de tudo e Deus acima de todos. Sem o PSOL de direita, os Teletubbies do PSOL, do Livres, estão onde eles merecem, que é bem longe de mim e do meu projeto, tá ok? Forte abraço, Deus fique com vocês e uma boa-noite pra todos vocês. Aqui para o companheiro Bostermann [alusão a Fábio Ostermann] fica aqui pra você. Valeu, valeu!

Bolsonaro respondeu imediatamente à mensagem de André, também com uma gravação: "Olá, André, nós do Partido Sem Livres estamos muito felizes. Bostermann vai ser lançado da base de Alcântara para o espaço". O áudio é encerrado com uma gargalhada.

A filiação de Bolsonaro foi efetivada no dia 7 de março — um mês antes do fim do prazo para que os candidatos mudassem de legenda, a chamada "janela partidária". Pelo acerto feito com o PSL, Bivar se licenciaria do partido, que ficaria sob o controle de Bolsonaro até o fim das eleições de 2018. Gustavo Bebianno foi nomeado presidente nacional, e Julian Lemos assumiu a presidência do partido na Paraíba. Em Minas Gerais, satisfazendo a vontade de Marcos Carvalho, o comando foi para Marcelo Álvaro Antônio — que mais tarde, em 2019, seria denunciado pelo Ministério Público de Minas Gerais como chefe estadual de um esquema de candidaturas falsas de mulheres para preencher a cota eleitoral e desviar verbas do fundo partidário, num escândalo que ficou nacionalmente conhecido como "laranjal do PSL". Segundo inquérito da Polícia Federal, Álvaro Antônio era "o dono do PSL mineiro". Em São Paulo, o diretório foi para as mãos de Eduardo Bolsonaro.

Àquela altura, a juventude bolsonarista paulistana já havia transferido o QG da laje da Bueno Netto para o escritório de advocacia de Victor Metta, localizado em Pinheiros. Ali, Metta e Catel assumiram em definitivo a missão de prospectar filiados e candidatos para a onda bolsonarista. Foram eles os responsáveis por trazer para a legenda figuras como Joice Hasselmann, Carla Zambelli, Alexandre Frota e Janaina Paschoal, ao mesmo tempo que tentavam enxotar do partido os políticos ligados a Luciano Bivar, que já pertenciam à legenda antes da chegada de Bolsonaro.

Pela proximidade com o Zero Três, Leticia e Victor acreditavam que teriam autonomia para impor seus pontos de vista, mas a falta de experiência política dos dois minou a relação com os quadros mais antigos do partido. Assim, logo que assumiram a Executiva Estadual, Catel, Metta e Patrícia Bueno — que pretendia sair candidata a deputada federal — trataram de se livrar de seus desafetos.

O jovem vereador Júnior Bozzella, que militava no partido havia anos, foi um dos primeiros alvos. Mas ele não estava disposto a se deixar abater. Sentindo-se pressionado, contou para Luciano Bivar como as coisas estavam se desenrolando no partido. "Eles dizem: 'Nós somos o Bolsonaro, falamos em nome dele e ninguém mais tem direito de contrapor, de falar, de se apoderar dessa pauta, essa pauta é nossa." Para além de seu desconforto particular, Bozzella externava uma preocupação com o comportamento autoritário dos jovens bolsonaristas, que poderia destruir o trabalho de anos do partido para se sedimentar no estado. Com um ativo de setenta vereadores, alguns vice-prefeitos e um projeto de coligação para eleger deputados federais e estaduais, o PSL estava instalado em cerca de trezentos municípios.

Antes da entrega do partido aos bolsonaristas, Bozzella tinha recebido a garantia de sair candidato pelo Livres, mas tudo mudou com a chegada da tropa de choque do ex-capitão. Os antigos filiados de São Paulo só haviam tomado conhecimento da entrega do partido através da nota conjunta de Bivar e Bolsonaro. Foi um espanto — e não apenas porque não se identificavam com o deputado, mas porque nem sequer o levavam a sério. Embora ele estivesse bem colocado nas pesquisas, a maioria dos filiados o via como um "mico".

Dias depois da publicação do comunicado, Bozzella teve uma conversa com Luciano Bivar, à época ainda presidente do partido. O argumento de Bivar, que estava seguro da vitória de Bolsonaro, era de que o PSL cresceria após as eleições. "Parece que o filho dele, o Eduardo, terá uma votação expressiva aqui em São Paulo. Com isso, podemos fazer uns quatro ou cinco deputados, em vez dos dois em que pensávamos inicialmente. Isso será muito bom para o PSL, que precisa crescer para sobreviver." E continuou a peroração: "O partido, para ter protagonismo nacional, precisa ter fundo, tempo de exposição, deputados, senão não tem capilaridade. O projeto de um partido depende de boas eleições".

Convencido, Bozzella decidiu testar a reação dos seus eleitores em Santos e São Vicente e colocou um outdoor perto da praia com o nome de Bolsonaro junto ao seu. Foi crucificado, tanto por amigos como pelos seguidores nas redes sociais, que passaram a atacá-lo com comentários do tipo: "Agora você é homofóbico, meu? Racista, misógino?".

Pelo lado dos bolsonaristas, sua situação também não era nada confortável. O primeiro contato de Bozzella com os novos colegas de partido foi com o Major Olimpio, que ele considerou, de início, frio e arrogante. O encontro se dera no gabinete de Luciano Bivar, na Câmara, em Brasília. Ali, o deputado pernambucano explicou para Olimpio — que assumiria a presidência do partido no estado — que Bozzella tinha muito a contribuir, pois vinha ajudando a organizar o PSL em São Paulo desde 2013. "Vocês podem aproveitá-lo para preservar a minha base", propôs. Olimpio aquiesceu sem entusiasmo, mas entendeu o recado de Bivar para que seu pupilo ficasse no partido.

O desconforto de Bozzella seria ainda maior na reunião com Eduardo Bolsonaro e os jovens bolsonaristas que tomariam a Executiva Estadual do partido. No encontro, na sede do PSL, em São Paulo, Bozzella ouviu de Eduardo a promessa de que eles não chegariam colocando o pé na porta. "Não vamos atropelar ninguém", disse o Zero Três. Bozzella desconfiou. Para ele, não estava claro nem mesmo quem assumiria a Executiva. Entendeu que a promessa de Eduardo não era real quando foi apresentado ao que ele chamou de "a tropazinha de Eduardo". Eram Leticia e Victor. "Fizeram uma reunião comigo de umas quatro, cinco horas pra sugar minhas informações sobre o diretório", ele contaria. "Depois de arrancarem tudo de mim, começaram a me escantear."

Bozzella ficou perturbado com a agressividade do grupo. Em uma das ligações que fez para o presidente licenciado do partido para colocá-lo a par da situação, transmitiu suas primeiras impressões sobre os jovens bolsonaristas.

Eles não têm uma pauta coletiva republicana nem real interesse de salvar o país. Eles vieram com uma discussão ideológica, do Escola sem Partido, aquelas coisas da ideologia de gênero, de cercear as vozes das minorias, da comunidade LGBTQIA+, dos negros etc. Eles querem impor um discurso de família, de 'Nós precisamos preservar a base da sociedade que é a família'.

Em outra troca de mensagens, alertou Bivar de que os novos pesselistas adotavam o discurso do "nós contra eles":

Essa perspectiva foi intensificada por esse núcleo duro do Bolsonaro, e não pela sociedade. A sociedade, coitada, é vítima da manipulação dessas pessoas que já nascem com esse DNA do Bolsonaro, que representa um setor muito frustrado da população. Um traço de personalidade de pessoas que realmente nutrem o ódio no coração, que têm aversão ao ser humano. É essa a minha percepção.

Bivar se limitou a pedir calma.

A indignação de Bozzella com o tratamento que recebia crescia junto com a dos outros companheiros de partido. Todos se queixavam de que os jovens bolsonaristas agiam de forma "agressiva, arbitrária, controladora e ditatorial". Entendiam que aquela turma via o partido como deles, no melhor estilo "nós é que mandamos e tem que ser desse jeito". Quem pensava diferente, quem não defendia as mesmas teses, não servia para o PSL. "Eles não conseguem administrar as diferenças dentro da sociedade. Isso está muito claro pra mim", disse Bozzella a Bivar.

Com a convivência mais próxima, a situação só piorou. Um dos primeiros atos do grupo de Catel foi tirar Bozzella — enfronhado na política paulista desde 1999, quando se filiara ao PSB — do diretório estadual. O vereador voltou a reclamar com Bivar, que, embora distante do Brasil após entregar o partido para Bolsonaro, queria saber o que se passava na agremiação. As preocupações de Bozzella só aumentavam. "Luciano, as coisas estão tomando proporções perigosas. Nós vivemos a política. Temos experiência. Esses caras não são razoáveis, eles não vão caminhar pela estrada do bem. Eles são do mal. Totalmente esquizofrênicos, arbitrários."

Então, no dia 6 de abril de 2018, véspera do encerramento da janela partidária, Bozzella recebeu um e-mail rude de Leticia Catel. Sem levar em conta o histórico dele no partido, onde militava desde 2013, ela avisou, com frieza:

Bom dia, Júnior. Estão solicitando a retirada da sua filiação do PSL. A desfiliação retroativa foi enviada esta semana para a Executiva Nacional, assim como as últimas 305 nominatas que foram enviadas pelos diretórios ao TSE este mês. Caso deseje concorrer a deputado federal, peço que solicite legenda em algum outro partido. Obrigada. Leticia Catel.

Bozzella gelou. Naquele dia estava fazendo campanha em Rio Preto, a quatrocentos quilômetros de sua casa.

Àquela altura, mesmo que quisesse, seria impossível encontrar outra legenda que o abrigasse. Todos os partidos já haviam acertado suas mudanças. A janela se fechara. Desesperado, Bozzella mandou uma mensagem para Bivar no WhatsApp:

Presidente, não sou homem de desistir, e sim homem de resistir! Pela confiança que adquiri no senhor, faço aqui um desabafo entre dois amigos. Como homem público, cidadão e brasileiro, me sinto extremamente preocupado e incomodado com este cenário. Além dos insultos e humilhação sofrida na data derradeira de me filiar a um partido, vejo um grupo de garotos liderados por deputados federais exercendo a mesma prática tão condenada pelos próprios. A velha política de querer se apropriar de um partido político para uso exclusivo dos amigos, usando de artifícios e argumentos falsos apenas para fazer valer os interesses pessoais. Me assustam esse ambiente e os métodos autoritários, além da quebra de palavra e compromissos ditos pelos próprios de que não atropelariam a construção de um trabalho de anos feito através de saliva, muito suor, e colocando a nossa palavra e credibilidade em risco. As perguntas que ficam no ar são estas: será esse o método que irão utilizar para governar o país? Será que por isso nenhum outro partido proporcionou tamanha oportunidade? Recebi a mensagem do grupo de jovens apoiadores do Bolsonaro de Mauá, que receberam uma ligação de um PM, a mando do Coronel Castro, dizendo que estariam assumindo o partido amanhã.

E concluiu seu desabafo: "Como jovem, me preocupo se serei cúmplice de um possível 'golpe' que possa levar o país em definitivo para caminhos perigosos. Não me preocupa o fato de ter ou não a minha legenda, mas sim de eles terem a legenda em suas mãos".

Tão logo recebeu a mensagem, Bivar se exasperou e ligou imediatamente para Bozzella. "Essa mulher tá maluca. Liga pra ela", disse. O outro respondeu: "Eu liguei, mas ela disse que estava decidido, que era uma decisão da Executiva Estadual. Que a culpa não era dela. Desligou o telefone na minha cara e não me respondeu mais. Hoje é o último dia de fechamento de janela, o que eu faço, Luciano? Me pegaram de calça curta".

Bivar pediu um tempo para resolver o problema. Pouco depois, retornou para Bozzella dizendo que Eduardo Bolsonaro entraria em contato. Quem ligou, na verdade, foi Julian Lemos, a mando de Bebianno. Lemos o tranquilizou. "Sua legenda está garantida. Eu e o Bebianno gostamos muito de você, e o Bivar exigiu a sua permanência no partido."

A situação chegou a ponto de fervura quando Bivar, normalmente calmo, ligou para Eduardo e avisou: "Se for para cassar a legenda do Bozzella, cassa a minha. Ou então, a qualquer momento, eu volto para presidência do partido e desmonto todo o projeto nacional de vocês". Eduardo tentou enfrentá-lo e chegou a ser hostil com o deputado pernambucano. Foi então que Bebianno e Julian Lemos entraram em cena e desautorizaram Zero Três e sua turma. "O Bozzella vai ter a legenda e ponto-final", disse Bebianno.

Foi somente com esse episódio que Bozzella tomou conhecimento de que a relação entre Bebianno e Lemos com o grupo bolsonarista ligado a Eduardo também era complicadíssima. Descobriu ainda que os jovens bolsonaristas haviam se desentendido até com Major Olimpio, à época próximo de Bolsonaro, que recém-ingressara no partido.

A tropa de Bebianno reclamava que Catel, na Secretaria Geral do PSL, em São Paulo, não dava satisfação a ninguém e se investia de uma autonomia que o partido não lhe concedera. Major Olimpio chamava sua atenção por ela se postar como coordenadora da campanha de Bolsonaro, alertando que isso causava uma série de dissabores ao partido. Segundo ele, Catel usava essa imagem para passar a impressão aos militantes de que era ela quem mandava.

Já para Catel, a forma de agir de Bebianno e de seu grupo era ultrapassada e centralizadora. "Eu sou empresária. Gosto de ver as coisas acontecerem, tomo a frente. Não sou o tipo de pessoa que acha que é preciso fazer uma assembleia para decidir tudo o que precisa ser feito", ela disse em entrevista à *piauí*. Muitos políticos do partido em São Paulo acabaram ficando sem espaço para concorrer, porque cabia a ela e a Victor Metta decidir quem seriam os candidatos. Geralmente os escolhidos eram gente de fora do partido, a maioria com o mesmo perfil de Bolsonaro e Eduardo. Entre os beneficiados pela ala bolsonarista estavam Alexandre Frota e Carla Zambelli, ambos sem nenhuma tradição na política, mas que Victor e Leticia consideravam puxadores de votos. A dupla, segundo os pesselistas com mais tempo de casa, além de não cumprir os acordos feitos com Bivar, começou também a fazer intervenções nos diretórios, colocando militares no comando e destituindo os políticos tradicionais.

Em 26 de março de 2018, dias antes da confusão com Bozzella, os advogados de Curitiba André Portugal e Érico Klein já não faziam troça com os amigos do Livres no WhatsApp. O escritório deles, Klein Portugal Advogados Associados, foi contratado pelos filiados do Livres do Paraná para entrar com mandado de segurança preventivo no Tribunal Superior Eleitoral contra a filiação de Bolsonaro. Na peça, os advogados apontavam várias razões para que o partido não aceitasse o deputado em suas hostes. Uma delas era que o PSL se definia, em seu estatuto jurídico, como "forte defensor dos direitos humanos e das liberdades civis", exatamente o contrário do que Bolsonaro pregava.

Para comprovar o descaso do candidato com o tema, os advogados listaram postagens do presidenciável no Twitter e declarações dele na imprensa que revelavam seu desprezo pelas minorias e pelos partidos de esquerda. Em uma das postagens, Bolsonaro afirmava: "DIREITOS HUMANOS, O ESTERCO DA VAGABUNDAGEM".

Àquela altura, a direção do Livres não estava mais envolvida com a briga no PSL e não participou da petição. Achava que era causa perdida. A percepção foi confirmada pela decisão do TSE de não interferir na questão.

Victor Metta e Leticia Catel permaneceram no comando do partido em São Paulo até quase o fim da campanha. Catel acabou sendo destituída da secretaria do PSL paulista por articulação de Bebianno e Major Olimpio, sendo substituída no cargo por um de seus companheiros da laje da Bueno Netto, Rodrigo Morais, que compartilhava da mesma orientação ideológica que ela, mas era mais gentil no trato. Metta, Morais e Catel ganhariam cargos no governo Bolsonaro.

Em meados de setembro de 2018, dados do TSE revelariam que Luciano Bivar recebeu pelo menos 1,8 milhão de reais em doações do PSL para sua campanha a deputado. O valor equivalia a quase 30% do total de despesas pagas pela cúpula nacional do partido até aquela data. A imprensa insinuou que esse teria sido o pagamento de Bivar por emprestar o partido a Bolsonaro até o fim das eleições. O pernambucano, no entanto, afirmou que os recursos foram destinados de maneira justa para a sua campanha.

6. Nas redes

O WhatsApp de Alex Melo, um pequeno empresário cearense fabricante de painéis de sinalização, exibiu uma notificação de mensagem. Por alguns instantes, ele desconfiou da autenticidade do remetente, mas ainda assim resolveu abrir o áudio. Ao ouvir a voz, a dúvida desapareceu, e ele sentiu o coração acelerar, como quando se leva um susto ou se tem uma surpresa.

Ô Alex, tudo bom? Aqui é Jair Bolsonaro. Eu tô te acompanhando aqui nos grupos. Peguei três áudios teus aqui. Estou vendo que você tá com o coração aberto para o Brasil. É o meu caso. Desculpe a modéstia, mas eu tenho quinze anos de Exército, dois mandatos de vereador, 25 anos de deputado federal. É isso, Alex. Tamo construindo. Estou vendo aí a possibilidade de mudar em 2018. Quero vir pra presidente. Eu não posso dizer mais do que isso aqui, porque a multa da esquerda é pesada. Eu tenho vários processos. Não é brincadeira não, cara. Mas vamos lá lutar. Vou continuar te ouvindo aqui. Um dia a gente pode se conhecer.

Era julho de 2015. Superado o espanto, Alex entrou em êxtase. Ouviu o áudio repetidas vezes, encantado com o fato de que o deputado Jair Bolsonaro falava diretamente com ele. Homem de fé, católico, Alex viu no recado algo maior: no seu entendimento, "aquilo era mão do Divino, mesmo". Bolsonaro participava dos quatrocentos grupos de direita nos quais ele também atuava — um universo de cerca de 40 mil pessoas, considerando que, à época, cada grupo podia ter até cem participantes. Então, como explicar aquela mensagem que Bolsonaro havia mandado justo para ele? Não, não se tratava de mero acaso. Ao ouvir a voz do deputado, Alex teve certeza de que estava "predestinado pelos céus a ajudar Bolsonaro a mudar o Brasil".

Alex Melo, então com 45 anos, nunca se interessara por política. Sua vida era dedicada a tocar a empresa, sair com os amigos e cuidar da família. Nas manifestações de 2013, contudo, começou a achar que não podia mais ignorar o que estava acontecendo no Brasil. Era como se a bolha da apatia tivesse explodido. Embora as primeiras manifestações tenham sido organizadas pelos movimentos de esquerda, dos quais sempre estivera apartado, Alex se deu conta de que "milhares de pessoas estavam desgostosas com alguma coisa, por algum motivo". Nas conversas com os amigos, começou a refletir sobre o que era, afinal, "aquilo que estava atrapalhando o país". Mesmo sem enxergar o cenário com muita clareza, também foi para a rua protestar e, de cara, estranhou a ausência de lideranças guiando a multidão. Deu-se conta de que, como ele, a maioria das pessoas estava ali apenas pela sensação de que "tinha algo errado no Brasil", e percebeu que aquela onda ganhava cada vez mais força. Era como se todos, ele pensava, estivessem enfim despertando.

O que no início parecia ser um bando de insatisfeitos sem comando logo se organizou em grupos de WhatsApp, que em pouco tempo se desdobrariam no Brasil Indignado, movimento de milhares de cearenses que passaram a culpar os governos do PT e a esquerda por todo o seu descontentamento. Essa turma, ao lado de outros movimentos de direita surgidos da mesma forma Brasil afora, não deixaria as ruas até o impeachment de Dilma. E esse seria o maior combustível para a campanha de Jair Bolsonaro à presidência.

Antes de participar das conversas nos grupos, Alex não tinha noção de que, no espectro ideológico, seria carimbado como um sujeito de direita. Tal qual seus companheiros do Brasil Indignado, ele era conservador, religioso, defensor dos chamados "valores da família", contrário ao comunismo e a favor da ordem, dos militares e da propriedade privada. Se pensar assim era ser de direita, então ele se orgulhava de seu posicionamento político — e mais ainda de não estar sozinho nessa, afinal, lá fora havia uma multidão que enxergava o mundo da mesma forma que ele. Trocar ideias nas redes sociais o fez começar "a conectar as coisas". Pelas informações que recebia nos grupos, entendeu que "o problema no Brasil era a esquerda, que ridicularizava tudo o que eles mais prezavam". E a esquerda não era só o PT: tinha também o PCdoB, o PSOL, o PSB. A julgar pelo que se dizia nas redes com as quais ele se afinava, até o centro-direitista PSDB integrava o rol dos "comunistas".

Nessas conversas, ele era alertado de que a esquerda queria transformar o Brasil numa grande Cuba ou numa Venezuela, embora a maioria ali jamais tivesse colocado os pés na ilha caribenha e desconhecesse que a situação da Venezuela era bem diferente da do Brasil. Alex acabou convencido de que o regime militar tinha sido bom e de que os relatos de tortura aos presos políticos, a censura, a cassação de políticos e funcionários públicos e a perseguição a estudantes eram uma "invenção da esquerda para desmoralizar o Exército". Espalhavam-se também informações falsas, como a de que Dilma Rousseff tinha sido "terrorista e que sequestrara aviões". Alex não tinha por que duvidar, já que as informações vinham de pessoas que pensavam como ele.

Aos poucos, o empresário cearense se sentiu seguro para opinar. Foi nessas trocas de mensagens nos grupos que ele descobriu o deputado Jair Bolsonaro, que verbalizava tudo o que ele acreditava da forma "mais simples e clara possível". Sua admiração pelo parlamentar "autêntico" aumentava a cada dia. O que Alex Melo não sabia era que Bolsonaro também prestava atenção no que era debatido nessas redes. Foi assim que o deputado chegou até ele, e a deferência o deixou lisonjeado. Logo ele, que levara tanto tempo para se interessar por política! Mas o que se seguiu àquele primeiro contato Alex jamais poderia imaginar: uma ideia sua acabaria por revolucionar a campanha do candidato.

Em uma tarde de sábado, menos de um mês depois da primeira troca de mensagens, Alex assistia à televisão deitado no sofá da sala quando seu celular começou a vibrar. Num primeiro momento, pensou em não atender, mas a insistência da chamada o deixou curioso. Ao olhar para a tela, quase foi ao chão. Era Bolsonaro.

"Opa, Bolsonaro, tudo joia?"

"Ô Alex, tudo tranquilo, cara. Estou na estrada. Meu carro quebrou e eu resolvi te ligar pra gente falar de política."

"Pois não, deputado, é um prazer", respondeu, tentando transparecer naturalidade.

A conversa ganhou corpo, e Alex comentou sobre a ida de Bolsonaro à região, porque tinha visto uns vídeos em que o deputado anunciava: "Pessoal de Fortaleza, estou indo praí". O parlamentar fora convidado para dar uma palestra sobre porte de arma em uma cidade do interior do estado. Desde que vira os vídeos, Alex matutava sobre um plano que considerava "uma iluminação".

"Bolsonaro, é o seguinte, cara. O senhor tá com uma energia enorme, mas não tá sabendo usar essa energia. Eu soube que o senhor tá vindo para cá, e eu tô com uma ideia que vai explodir você para o Brasil. Vai amplificar o discurso do senhor pelo Brasil." Naquele momento, Alex não contou a Bolsonaro que sua intenção era fazer uma recepção para ele no aeroporto de Fortaleza. Por conta própria, ligou para o gabinete do presidenciável em Brasília e descobriu o dia e a hora em que o presidenciável desembarcaria na capital cearense: 13 de agosto de 2015, uma quinta-feira, às onze da noite.

A avaliação de Alex Melo era de que seria muito fácil reunir apoiadores. Na sua cabeça, a estratégia da recepção tinha tudo para dar certo: o candidato iria para Fortaleza, e tudo poderia ser organizado pelas redes sociais. "Pronto. Todos os ingredientes estavam ali. Fim de papo", ele diria tempos depois. "A energia em torno de Bolsonaro já existia. Eu sabia que tinha muita gente que gostava dele e que gostaria de estar perto se tivesse oportunidade. Ele precisava de um mecanismo para explodir, para acender essa bomba. E a recepção nos aeroportos foi esse mecanismo."

Definida a estratégia, começou a convidar apoiadores pelas redes sociais. Na data marcada para a chegada, tirou a tarde para confeccionar algumas bandeiras com o nome do deputado. Às cinco horas, um amigo ligou perguntando se haveria mesmo a manifestação, e Alex confirmou. Em seguida, ligou para Bolsonaro, que àquela hora já estava a caminho do Galeão, no Rio de Janeiro, para embarcar para Fortaleza. Foi só aí que revelou seu plano. "Estou juntando umas pessoas para receber o senhor no aeroporto."

A reação de Bolsonaro o deixou comovido. "Rapaz, será que vai ter pelo menos umas cem pessoas lá? Porque você sabe, eu sou muito odiado." Alex se compadeceu e, depois que desligou o celular, chorou. "Fiquei com muita pena dele na hora que ele me disse aquilo", contou depois.

Por volta das oito da noite, foi para o aeroporto com as bandeiras, acompanhado apenas de uma prima. Como não viu ninguém no saguão, ficou preocupado. Duas horas antes da chegada do voo havia apenas cinco pessoas. Ele subiu até o primeiro andar para comer um sanduíche no McDonald's e, enquanto fazia o pedido, sentiu uma mão bater nas suas costas. Era Carlos Bolsonaro, que o vira com as bandeiras e quis saber do que se tratava. Alex o reconheceu e respondeu, sorrindo: "São para o teu pai, cara". Os dois se abraçaram.

Quando Alex voltou, já havia quinze pessoas no saguão vestidas com camisetas verde-amarelas. Ficou animado. Faltando uma hora para o avião pousar, mais gente começou a aparecer. Por volta das dez e meia, cerca de 150 pessoas estavam à espera. Quando Bolsonaro apareceu no portão de desembarque com uma mochila nas costas, foi recebido com uma festa que Alex compararia à Copa do Mundo. "A turma gritava 'Bolsonaro, Bolsonaro!', 'Mito, mito!'. Tocavam corneta, batiam palmas", contou.

O idealizador registrou o momento com a câmera frontal do celular, filmando a si mesmo e ao grupo, que vibrava alto. Os presentes não chegavam a encher o saguão do aeroporto, mas o ângulo do vídeo dava a impressão de um público muito maior à espera do ex-capitão. Durante a filmagem, Alex alternava entre a câmera frontal e a traseira e capturou Bolsonaro cumprimentando os apoiadores. Depois, editou as imagens.

O ato viralizou imediatamente nas redes sociais. Mas Alex só se daria conta do impacto causado pelo evento no dia seguinte, ao ler os jornais locais e assistir aos noticiários cearenses. "Deputado carioca é ovacionado no aeroporto de Fortaleza", anunciava a manchete de um deles. Embora Alex não tivesse gostado muito da forma como a notícia fora divulgada — abaixo da manchete vinha uma crítica a Bolsonaro —, estava satisfeito. "Sabe como é a imprensa, né? Essa coisa meio de esquerda. Logo embaixo colocaram: 'Bolsonaro é um político de direita que adora a ditadura'. Já foram logo queimando o cara." Com ou sem crítica, o fato é que a recepção em Fortaleza repercutiu na imprensa nacional. Eufórico com a visibilidade que ganhou, Bolsonaro fez um agradecimento público ao empresário e passou a referir-se a ele nas redes como "Alex Ceará".

Um mês depois, alguns seguidores de Bolsonaro pediram a ajuda de Alex para organizar uma recepção semelhante no aeroporto Val-de-Cans, em Belém. O empresário topou na hora. Comprou uma passagem, "parcelada em quinhentas vezes no cartão", e seguiu para lá. No dia acertado, faltando uma hora para a chegada de Bolsonaro, havia apenas trinta pessoas para recepcioná-lo. Alex, mais uma vez, ficou tenso. Olhava para os organizadores em Belém e se perguntava se o ato seria um fracasso. Conforme se aproximava a hora da chegada, contudo, os apoiadores começaram a aparecer. Quando Bolsonaro desembarcou, o saguão estava intransitável: mais de oitocentas pessoas o recebiam aos gritos de "Mito, mito!". A partir dali, o movimento se espalhou pelo Brasil. Não havia aeroporto em que o deputado chegasse que não estivesse lotado de seguidores. Como Alex previra, as recepções catapultaram a visibilidade de Bolsonaro na internet à estratosfera.

Num sábado, no final de julho de 2016, o parlamentar foi a Bangu, bairro da Zona Oeste carioca, para participar da convenção que referendaria a indicação de Flávio Bolsonaro e de alguns vereadores para concorrer à prefeitura do Rio pelo PSC. O palco do Bangu Atlético Clube e o salão estavam enfeitados com balões verdes e brancos, as cores do partido. Os candidatos a vereador se revezavam no palco, e o nome de Deus era evocado quase o tempo todo. Também se falou em resgate de valores humanos e respeito à família e criticou-se a falta de segurança.

A chegada de Jair Bolsonaro levou a plateia ao delírio. Enquanto se dirigia ao palco, era agarrado e ovacionado com os já corriqueiros brados de "Mito!" e "Bolsomito!", uma manifestação apaixonada que só confirmava a força que a direita vinha adquirindo.

O candidato a vereador Anderson Bourner, um rapaz sorridente, estava atento aos movimentos do deputado. Como a maioria ali, ele se considerava de direita e reclamava do "autoritarismo" de seus rivais políticos. Em uma entrevista à *piauí* feita durante o evento, ele disse: "A esquerda quer dividir as pessoas entre pobres e ricos, brancos e negros, gays e héteros". E completou: "Eu tenho amigos gays de direita que apoiam Bolsonaro. Essa história de homofobia é invenção para desmoralizá-lo".[1]

Outra que se mostrava eletrizada com a presença de Bolsonaro era a cabeleireira Charlo Ferreson. Uma das líderes do movimento Revoltados On Line no Rio, ela se dizia anti-PT e contou ter ajudado na convocação de pessoas para apoiar as manifestações pelo impeachment de Dilma. Durante as manifestações de 2013, Ferreson esteve entre os jovens do movimento Ocupa

Cabral, que acampou em frente ao prédio em que morava o então governador do Rio para protestar contra a sua gestão. Em 2016, Ferreson e seu grupo passaram a divulgar as viagens de Bolsonaro pelo Brasil, ajudando a encher de apoiadores o saguão dos aeroportos. Para ela, o deputado era a voz da direita, alguém que defendia os valores do trabalho e do empreendedorismo, tudo o que, na visão dela, a esquerda renegava. "A esquerda nos olha com preconceito. Nos rotula de conservadores e despreza os nossos valores, como se só eles tivessem razão em tudo", reclamou.[2] Além disso, assim como Bolsonaro, Ferreson acusava o Bolsa Família de sustentar "vagabundos". Eleito presidente, Bolsonaro não apenas manteve o programa (que depois trocou de nome) como aumentou o valor do benefício, num movimento para atrair a simpatia dos mais pobres.

Como se chegou a isso? Como milhões de brasileiros passaram a se identificar com a direita e a dar sustentação ao discurso raivoso de Bolsonaro contra a esquerda? Como um país que por catorze anos apoiou um governo de esquerda deu tamanha guinada ideológica? Como foi que o discurso bolsonarista colou e passou a ser replicado com entusiasmo na internet por seus apoiadores? Teria Bolsonaro, sozinho, a capacidade de mobilizar a população para criar tamanha aversão à esquerda, aos partidos políticos, às minorias? Como foi possível a criação desse batalhão de seguidores que o levariam à vitória em 2018?

Dois anos antes do pleito, o historiador Daniel Aarão Reis Filho já explicava o fenômeno do crescimento da direita no Brasil. "A sociedade brasileira sempre foi muito conservadora, embora o pensamento da direita estivesse relativamente oculto", disse ele à época numa entrevista publicada na revista piauí.[3] Em parte, segundo ele, isso se explica pela associação da direita com a ditadura. "As direitas, por aqui, sempre recusaram esse rótulo. Essa negação distorcia a realidade e gerou, em muita gente, uma espécie de autossatisfação, a ideia de que a democracia no Brasil estava consolidada e de que a direitização da sociedade era coisa do passado."

Outra razão para esses grupos se manifestarem, avaliava ele, tinha a ver com o fracasso de algumas políticas de esquerda. "Ao abandonar as perspectivas reformistas, em particular a ideia de reforma política ao longo de catorze anos de poder, o PT e as esquerdas não ganharam a respeitabilidade almejada entre as elites sociais e políticas." Ao mesmo tempo, disse ele, as esquerdas não implementaram mudanças profundas em áreas centrais como saúde e educação. Na visão do historiador, o PT perdeu a perspectiva reformista e se acomodou ao velho padrão da política corrupta.

Bolsonaro se aproveitou desse sentimento de desencanto para vender a imagem do outsider, alguém novo na política, embora ele e seus filhos vivessem à custa da mesma velha prática corrupta havia décadas. Mas o eleitor não via as coisas dessa maneira. Em seu discurso no clube em Bangu, ele levou o público ao êxtase quando, ao pegar o microfone, gritou: "A esquerda pode me acusar de tudo, menos de...", e a plateia respondeu: "Corrupto!".

O escândalo das rachadinhas viria à tona somente em 2018, após a eleição. Antes disso, porém, as evidências de que o patrimônio imobiliário da família era incompatível com os seus ganhos, conforme denunciou a *Folha de S.Paulo* em 2018, foram ignoradas pela sociedade. Isso só foi possível porque, até 2016, Bolsonaro fora tratado com indiferença pela imprensa tradicional. Uma figura tosca e caricata, que atraía somente um bando de fanáticos e que por isso mesmo não era levada a sério.

O economista e cientista político Eduardo Giannetti, autor de *Trópicos utópicos*, também já chamava a atenção para o discurso do medo encampado por políticos de direita em todo o mundo e, no Brasil, por Bolsonaro. Ao listar os grandes temores que acometiam os cidadãos mundo afora — colapso financeiro, imigração, mudança climática e destruição dos valores familiares —, explicou que candidatos de direita tendem a avivá-los nos eleitores para, em seguida, se apresentar como garantidores do conforto e da segurança que as pessoas procuram, num discurso que mobiliza sentimentos primários do ser humano. "Quanto mais ameaçador o candidato pinta o futuro", avaliava Gianetti em entrevista concedida em 2016, "mais fácil fica vender a ideia da ordem, da rigidez, da segurança, da polícia."[4] Ao incutir nas pessoas a sensação de que os valores familiares estão por um fio, a segurança está ameaçada, a propriedade está em risco, esses políticos se apresentam como os líderes salvadores que evitarão o esfacelamento do mundo. Era o caso de Donald Trump, nos Estados Unidos, e de Bolsonaro, no Brasil.

As redes sociais se mostraram um terreno fértil para o estímulo do medo, pintando a realidade com cores muito sombrias. Os problemas econômicos

— como a inflação e o desemprego —, as invasões de terra pelo MST, a criminalidade e os escândalos de corrupção eram amplificados e trombeteados incessantemente na internet, dando a impressão de que o país estava mergulhado na miséria, na violência e na desordem. O temor de que o país pudesse entrar em convulsão fez a sociedade embarcar no discurso salvacionista de Bolsonaro.

O mais difícil de entender, contudo, era a adesão à sua fala agressiva. Afirmações como "Vagabundo tem que ser morto" e "É preciso armar a população" levavam as redes ao delírio, encantando sobretudo o público de menos idade. "Os jovens, de um modo geral, desacreditam mais dos canais tradicionais de participação política", disse Alessandro Janoni, à época diretor do Instituto Datafolha, quando consultado em 2016 sobre o crescimento de Bolsonaro nas pesquisas.[5] Ao mesmo tempo, explicou ele, os jovens são os mais vulneráveis a temas como o direito à posse de arma e as ações intempestivas contra a criminalidade, como Bolsonaro defendia. "Eles acabam se agregando por meio de afinidades temáticas, e as redes sociais potencializam isso", concluiu Janoni. Não à toa, uma das imagens mais repetidas pelos jovens naquela época foi o gesto de Bolsonaro que simulava a empunhadura de um fuzil.

O parlamentar já fazia sucesso com seu discurso exaltado desde 2014. Em uma entrevista a jornalistas na Câmara, enquanto aguardava para saber se seu nome seria aprovado para a Comissão de Direitos Humanos (o que não ocorreu), o deputado, então no PP, deu uma declaração que chocou parte da sociedade. Sobre as mortes bárbaras nas rebeliões de presos no presídio de Pedrinhas, no Maranhão, que vinham ocorrendo desde o ano anterior, ele disse aos berros: "A única coisa boa do Maranhão é o presídio de Pedrinhas. É só você não estuprar, não sequestrar, não praticar latrocínio que tu não vai para lá. Vai dar vida boa para aqueles canalhas?".[6] Por fim, saiu em defesa das "maiorias", afirmando que o entendimento da Comissão de Direitos Humanos sobre minorias era equivocado. "Minha proposta é defender direitos da maioria, e não da minoria."

Enquanto imprensa, políticos e lideranças da sociedade civil criticavam a selvageria desse discurso, as redes sociais exaltavam Bolsonaro. Em vez de perder apoio, como seria de esperar, ele foi endeusado, e a fala acabou transformada num meme comum à época, ao som de "Turn Down for What", do rapper norte-americano Lil Jon com o francês DJ Snake. A música, assim como os óculos escuros rajados de branco que caíam sobre o rosto de Bolsonaro cada vez que ele respondia aos que o desafiavam, era marca registrada da página de

Facebook Bolsonaro Zuero, acompanhada do bordão "Mitou". A exaltação às mortes no presídio foi uma de suas primeiras "mitadas".

Mas não era apenas nos discursos defendendo ações truculentas contra bandidos que ele ganhava espaço: suas falas sobre o politicamente correto também lhe rendiam "mitadas". "No meu tempo de moleque, chamavam você de gordinho, de quatro olhos, não tinha problema nenhum. [...] Hoje o gordinho virou mariquinha. Vamos acabar com essa frescura. Isso não é o problema do Brasil. [...] Tem que deixar o politicamente correto de fora",[7] defendia, irado.

Na cabeça de muitos brasileiros que não viam violência nesse tipo de bullying, Bolsonaro tinha razão. Sentindo-se autorizados por esse discurso, seus apoiadores então replicavam nas redes a aversão do candidato ao politicamente correto. Para eles, as acusações que a direita recebia de ser homofóbica, racista e preconceituosa eram injustas. "A esquerda que criou essa dicotomia de negro contra branco, de rico contra pobre. Essa coisa do politicamente correto", dizia Alex Melo em seus comentários no WhatsApp, fazendo eco ao que pensavam os seguidores das redes bolsonaristas. "Existe o racismo, claro, mas não nessa amplitude que a esquerda diz. A esquerda potencializou o racismo criando cotas na universidade. Depois vieram com o politicamente correto", dizia ele.

O fato é que havia um ressentimento enorme por parte de quem estava acostumado a naturalizar a violência e as práticas discriminatórias e de repente passou a ser chamado de racista e violento. Em vez de uma reflexão sobre se esse tipo de comportamento era aceitável, o que houve foi um aumento do ódio contra a esquerda. Os argumentos se baseavam em lembranças do tempo de escola, quando os ataques eram encarados como brincadeira — para quem ofendia; os ofendidos certamente não se sentiam confortáveis. "Quando eu era criança tinha aqueles brancosos. A gente chamava de 'vela branca', de 'tapioca'. Ou chamava o gordo de 'elefante', e o negro de 'carvão'. Mas era tudo na brincadeira. Ninguém se ofendia. Eles me chamavam de 'pixaim', por causa do meu cabelo. Era tudo assim. E a gente levava tudo na brincadeira. No *Programa dos Trapalhões* eles viviam fazendo troça com gays e com pretos. O Didi chamava o Mussum de 'negão' e era normal", argumentava Alex, reproduzindo o posicionamento de seus correligionários.

O público das redes bolsonaristas não via problema em certos comportamentos, considerados por eles "brincadeiras inocentes", molecagem sem consequência. Acusavam a esquerda de não ter senso de humor, ser professoral e copiar valores de fora para impô-los aos brasileiros. As redes sociais viraram um termômetro da polarização dos brasileiros e um desaguadouro de ódios que transformou a comunicação virtual em guerra. Em função disso, a fúria e o ressentimento entre direita e esquerda — ou "coxinhas" e "mortadelas", como passaram a se atacar os espectros políticos — atingiram níveis impensáveis.

Em maio de 2016, quando a discussão sobre o impeachment de Dilma corria solta no Senado, Bolsonaro viajou para Israel com os filhos e o pastor Everaldo Pereira, presidente do PSC, legenda à qual o deputado pertencia então. Era uma viagem para atrair apoio dos evangélicos para a sua campanha. Os Bolsonaro levaram com eles uma equipe de jornalistas e cinegrafistas para registrar toda a agenda e postar nas redes sociais. O deputado e os três filhos seriam batizados pelo pastor Everaldo no rio Jordão, onde os evangélicos acreditam que Jesus tenha sido batizado (o batismo, na verdade, não se deu naquela região, e sim na Jordânia). No dia 12 de maio, Bolsonaro — que é católico —, vestido de camisolão branco, se deitou nos braços do pastor e mergulhou nas águas do Jordão. O evento, é claro, explodiu na internet. Foi depois dessa viagem que alguns jornalistas se deram conta da organização da família nas redes — uma movimentação que se agigantaria em 2018. "Ninguém no Brasil percebeu o que eles estavam fazendo", contaria, anos depois, um ex-assessor de Bolsonaro.

Foi após as manifestações de 2013 que o clã Bolsonaro teve a confirmação definitiva da força da comunicação virtual. Carlos Bolsonaro foi quem primeiro vislumbrou o potencial da rede para a troca de ideias para as quais não havia espaço nos meios tradicionais. As pessoas já tinham se organizado em comunidades para compartilhar sua insatisfação com a ordem social e política quando Bolsonaro pai se apresentou como porta-voz daquelas bandeiras. Em 2015, sob Dilma Rousseff, o Brasil tinha seu pior resultado econômico em 25 anos, e a família Bolsonaro soube usar a seu favor, na internet e fora dela, a imensa rejeição ao governo petista.

O pernambucano Mateus Henrique tinha apenas dezessete anos quando fundou com alguns amigos o Direita Pernambuco, o primeiro movimento do estado a abraçar bandeiras conservadoras — e por vezes reacionárias. Embora não tivesse frequentado as aulas de Olavo de Carvalho, Mateus acompanhava seus vídeos no YouTube e se declarava influenciado pelas ideias do professor.

"Bolsonaro representa a nossa voz", explicou o rapaz, que mesmo antes de conhecer a atuação intempestiva do deputado em Brasília já planejava comemorar o dia 31 de março na praça do Derby, no Centro do Recife, um dos maiores entroncamentos de transporte público da cidade. Para Mateus, assim como para Bolsonaro, os militares de 1964 haviam tomado o poder para salvar o Brasil de uma iminente ameaça comunista.

A célula-mãe do grupo conservador, segundo o seu fundador, foi uma comunidade do Facebook chamada Panelinha da Direita, que em dezembro de 2014 se viu inundada por memes do bate-boca entre Bolsonaro e a deputada Maria do Rosário. Nessa época, Bolsonaro passou a vender nas redes sociais a ideia de que, enquanto a esquerda defendia e vitimizava bandidos, ele se colocava ao lado das vítimas dos marginais. Foi a partir daí que os movimentos de direita abraçaram de vez o slogan "Direitos humanos para humanos direitos" — que em 2018 se tornaria um dos alicerces do programa de governo de Bolsonaro: segurança pública com mão de ferro.

Em 2016, os Bolsonaro passaram a agir com método e habilidade, tirando o máximo proveito do Facebook e do Instagram, as principais ferramentas disponíveis na internet àquela época. Mas, por dois motivos, se valeriam com muito mais força do WhatsApp, que começava a despontar como a maior plataforma de comunicação: a mensagem de voz — que facilitava a comunicação de um público pouco instruído, com baixa capacidade de leitura e de escrita — e a explosão na venda dos celulares com acesso à internet.

A venda de smartphones no Brasil havia atingido a marca de 35,6 milhões de unidades em 2013, uma alta de 123% em relação ao ano anterior, segundo um estudo divulgado em 2014 pela consultoria IDC Brasil, especializada em telecomunicação. Em 2014, subiu 55%, alcançando 54,5 milhões de unidades, de um total de 70,3 milhões de novos aparelhos vendidos. Naquele ano, a densidade de telefones (fixo, móvel sem acesso à internet e smartphones) no país ultrapassou a dos Estados Unidos. Os dados do IDC mostravam que, no Brasil, havia mais de três telefones para cada dois habitantes. Em 2015, o mercado de celulares retraiu, acompanhando a economia brasileira como um todo. Mas àquela altura os smartphones já representavam mais de 90% da venda de novos celulares no país e passariam a ser o principal meio de conexão à internet. Quase ninguém mais comprava um telefone que não fosse smart.

Três anos antes das eleições presidenciais, o Zero Dois já usava o WhatsApp para distribuir missões aos apoiadores do pai. Verdadeiros soldados digitais, os seguidores de Bolsonaro se espalhavam pela rede em grupos autodeclarados de direita. Carlos e outras forças próximas a Bolsonaro eram responsáveis por direcionar as missões, fosse o ataque a um opositor, fosse a reação a um projeto progressista em tramitação no Congresso. As mensagens ganhavam vida própria tão logo caíam no fértil terreno virtual bolsonarista. Uma vez na rede, não havia controle centralizado nem limites, apenas foco total no objetivo que unia os integrantes do circuito, nos seus diversos escalões: destruir o PT.

Antes da campanha declarada no WhatsApp, durante anos Bolsonaro se limitou a se relacionar com apoiadores nas redes sem pedir voto. Nenhum outro candidato havia usado esse recurso com tanta habilidade para se comunicar com os eleitores. Depois que o Direita Pernambuco surgiu, por exemplo, Bolsonaro não demorou a ser incluído no grupo do WhatsApp dos garotos, e lá mandava áudios, dava opinião, conversava com o pessoal. O filho Eduardo também fazia suas aparições por lá — uma amiga de Mateus Henrique tem até hoje um áudio do Zero Três chamando-a pelo nome: "Boa noite, Dai, eu te amo". Outros amigos de Mateus têm mensagens de voz de Bolsonaro pai guardadas com carinho. "Esse é o estopim dele", explicou o pernambucano, "quando Bolsonaro chega aos grupos de direita dos estados."

Pernambuco foi o primeiro estado em que os conservadores se organizaram em um grupo fechado. Depois surgiram outros, que sobretudo no Sudeste cresceram em relevância. Com o tempo, as facilidades da comunicação por WhatsApp e Facebook possibilitaram que essas organizações se multiplicassem sem depender de proximidade física. Elas passaram a ganhar subgrupos segundo profissão, gênero, bairro e interesses mais específicos dos participantes.

Em um vídeo antigo que ainda circula pelas redes, Bolsonaro aparece mostrando o smartphone no momento em que o WhatsApp é conectado à internet. As mensagens dos grupos de direita inundam o aplicativo do deputado. Mesmo quando a demanda cresceu, o parlamentar dedicou tempo na agenda para interagir com os seguidores.

Todos os dias, por volta da meia-noite, Mateus e os colegas conservadores percebiam, pelos dados das mensagens que o WhatsApp permite acessar, que Bolsonaro tinha visualizado as conversas. De quando em quando, usavam outro recurso do aplicativo para chamar a atenção do parlamentar: em massa, os participantes marcavam diretamente o contato de Bolsonaro nas mensagens e o saudavam. "Boa noite, deputado", diziam repetidas vezes, e ele aparecia para cumprimentar os integrantes do grupo, que passaram a considerá-lo um amigo.

Muitas foram as vezes também em que Mateus esteve em programas de rádio e, sem avisar, telefonou ao deputado para que ele participasse ao vivo. Acessível, o parlamentar atendia e concedia as entrevistas sem hora marcada na agenda.

O próximo passo dos Bolsonaro seria integrar WhatsApp a todas as plataformas disponíveis, multiplicando o alcance das mensagens. No Facebook, que já era um terreno dominado pelos conservadores, Carlos e companhia haviam criado as páginas Bolsonaro Opressor e Bolsonaro Opressor 2.0, que datam respectivamente de 29 de junho de 2015 e 20 de julho de 2016. Ambas eram comunidades declaradamente bolsonaristas, mas existiam também as que o público não enxergava como tais, que eram divididas em três segmentos de notícias: nacionais, regionais (por região do país) e municipais.

Nesse processo, o núcleo Bolsonaro passou a contar com a ajuda de seguidores dispostos a trabalhar para a causa, inclusive voluntariamente. Um deles era Allan dos Santos, criador do site Terça Livre, que defendia ideias conservadoras ainda em 2014. Anos depois, ele se tornaria um dos soldados mais célebres do bolsonarismo. O conteúdo gerado por canais como o de Allan era distribuído nas redes sociais por outros apoiadores menos ou nada célebres e então compartilhado com milhões de pessoas.

O Terça Livre ganhou notoriedade sobretudo por ser um dos primeiros canais a atacar a exposição Queermuseu, montada em 2017 no Santander Cultural de Porto Alegre. Em 9 de setembro, o canal publicou um vídeo intitulado "Exposição criminosa no Santander Cultural" cuja legenda dizia: "DENÚNCIA: pedofilia, zoofilia, pornografia e profanação sendo promovidas pelo Ministério da Cultura aos olhos de crianças! Avaliem o Santander Cultural com 1 estrela, compartilhem o vídeo e ajudem a denunciar esses crimes. ABSURDO!". O vídeo estourou nas redes, contabilizando 1638153 visualizações e milhares de comentários, até ser removido do ar. Potencializada por robôs projetados para aumentar a visibilidade nas redes sociais (cerca de 13% das contas foram identificadas como automáticas nas discussões), a publicação teve grande repercussão, chegando a prejudicar a página do Santander Cultural no Facebook. A instituição vinha recebendo avaliações e comentários negativos desde o dia 6 de setembro, até que, quatro dias depois, decidiu encerrar a exposição.

Blogueiros trabalhando indiretamente para políticos não eram exatamente uma novidade. A prática, notória entre apoiadores de Lula e do PT, era financiada pelo governo. Sem compromisso com a notícia, mas com a ideologia dos seus divulgadores, as páginas faziam a defesa do presidente e de seus feitos, atacando com virulência os opositores, e por esse motivo ficaram conhecidos como "blogs sujos".

Com os apoiadores de Bolsonaro, a história não era muito diferente: eles também atuavam em defesa do candidato e de suas ideias conservadoras, sempre atacando aqueles que lhes eram críticos. Mas a infantaria virtual bolsonarista ia muito além dos "blogs sujos". A estratégia escolhida por Carlos Bolsonaro consistia em dar formatos diferentes a uma mesma mensagem, a depender da rede em que era compartilhada. Assim, de acordo com um ex-assessor da família, enquanto a página de Facebook Bolsonaro Opressor tratava de um assunto de um jeito, a Bolsonaro 2.0, na mesma plataforma, o abordava por outro viés, deixando para o Terça Livre, no YouTube, uma terceira visão do mesmo tópico. A crítica à Queermuseu, por exemplo, foi redigida de várias formas que foram replicadas ao mesmo tempo, mas atingiu públicos diferentes. Foi com esse modus operandi que, entre 2015 e 2018, as redes criadas ou ampliadas com a supervisão do Zero Dois fidelizaram um batalhão de seguidores simpáticos aos militares e a ideias como a defesa da família e a ampliação do porte de armas, entre outras pautas conservadoras e violentas.

No entanto, especialistas em redes sociais avaliam que quem primeiro utilizou o esquema de comunicação virtual segmentada foi o PT, em 2006, na campanha de Lula à reeleição. Ainda que naquele momento não existissem as ferramentas digitais de massa que a família Bolsonaro passou a usar com destreza, Lula não demorou a perceber a força da comunicação regional. Até os dois primeiros mandatos de FHC, a prática recorrente entre os políticos era divulgar seus feitos em matérias compradas nos veículos de comunicação.

Outra particularidade das redes sociais explorada pelo clã era a facilidade com que permitiam destruir reputações daqueles que atrapalhavam os planos de Bolsonaro. Não havia pudor em postar notícias falsas ou, no mínimo, distorcidas. Quando o PSC se coligou a algumas prefeituras do PCdoB do Maranhão, fotos em que o pastor Everaldo Pereira e Flávio Dino, o governador maranhense, apareciam juntos começaram a surgir, acompanhadas de um texto afirmando que os dois haviam se aproximado e por essa razão o PSC estava virando comunista. O registro fora feito meses antes das eleições, numa feira de gado, não num evento político. Uma foto tirada ao acaso, mas que foi usada para enfraquecer a imagem do pastor e justificar a saída de Bolsonaro do partido.

A estratégia, muito bem pensada, era posta em prática por blogueiros que se aglutinavam em torno de Carlos, como José Matheus Sales Gomes, Mateus Matos Diniz e Tercio Arnaud Tomaz — este último, um dos administradores das páginas Bolsonaro Opressor 2.0 (suspensa pelo Facebook em abril de 2018 por divulgar fake news) e Bolsonaro Opressor.

Depois que Bolsonaro foi eleito, o trio passou a cuidar da comunicação digital do presidente atuando no que se convencionou chamar de "gabinete do ódio", de onde saíam ataques aos adversários do governo. Desde que se instalou no Palácio do Planalto, o "gabinete" já se envolveu em várias polêmicas, inclusive com figurões do governo que acabaram deixando seus postos depois de sofrerem ataques agressivos nas redes. Um dos que acabou limado pelo grupo foi o general Santos Cruz, ex-ministro-chefe da Secretaria de Governo, que deixou o governo apenas seis meses depois de assumir o posto. E saiu atirando: denunciou a existência de um grupo de extremistas fanáticos dentro do governo que plantava notícias falsas com o objetivo de destruir reputações. Gomes, Diniz e Thomaz seriam investigados na CPI das Fake News. Já Allan dos Santos, depois de ter a prisão decretada em 2021 por seus ataques à democracia, fugiria para os Estados Unidos.

Um levantamento informal feito pelo PSC em 2016, quando Carlos Bolsonaro ainda era filiado à legenda, deu conta de que o financiamento de blogs e redes bolsonaristas vinha da verba de gabinete do próprio Zero Dois. O custo anual de um vereador carioca beira os 6 milhões de reais, gastos com folha de pagamento e com despesas como combustível (o equivalente a mil litros), material de escritório, telefone, viagens etc., algo em torno de 500 mil reais por mês. Carlos, pelos cálculos do PSC, despejava a maior parte desse dinheiro nas redes sociais e em blogs de apoio ao pai.

O primeiro grande teste eleitoral da infantaria digital da família Bolsonaro foi na campanha de Flávio Bolsonaro à prefeitura do Rio, em 2016. O pai era contra a candidatura e se engajou discretamente em pedir votos para o Zero Um. Temia que o filho fosse um mau prefeito, o que atrapalharia a sua campanha à presidência. Os dois acabaram se desentendendo, e Carlos e Eduardo, que tomaram o lado do pai, quase romperam com o irmão. Para evitar que Flávio crescesse junto ao eleitorado, a família confiscou suas redes duas semanas após o início da campanha, negando o acesso às senhas, que estavam em poder de Carlos. Mesmo impossibilitado de fazer postagens, o Zero Um terminou a eleição com 14% dos votos — um resultado surpreendente.

Encerrado o pleito municipal, a família continuou desunida. Mas, a partir de 2017, por determinação do pai, Flávio cuidaria da campanha à presidência enquanto Carlos continuaria à frente das redes. Até o segundo turno, os irmãos não trocaram palavra. Em 2018, num encontro entre Bolsonaro e o arcebispo do Rio de Janeiro, d. Orani Tempesta, organizado pelo advogado Sergio Bermudes e por Paulo Marinho para aproximar o candidato dos católicos, Carlos daria uma demonstração pública de raiva do irmão. Ao entrar no carro com o pai e ver Flávio ao lado deles, diria, colérico: "Não sabia que esse aí ia junto".

A aproximação entre Marcos Carvalho e Flávio Bolsonaro no Golfe Olímpico, no Rio de Janeiro, se deu em 2017. Quando fez as primeiras reuniões com o núcleo duro da campanha de Jair Bolsonaro, ainda sem Bebianno, Carvalho já percebera havia muito a força do ex-capitão nas redes sociais. "Era o único pré-candidato à presidência que tinha torcida", disse. Dentro e fora das plataformas, as pessoas buscavam Bolsonaro e seus assessores espontaneamente, perguntando como poderiam ajudar a pavimentar o caminho do então deputado federal para o Planalto.

Foi a partir dessa devoção espontânea, combinada ao fato de que Bolsonaro teria míseros oito segundos de propaganda eleitoral na TV e no rádio, que surgiu a ideia de fazer a campanha on-line em esquema de voluntariado. Os ávidos seguidores bolsonaristas receberiam já pronto o conteúdo que deveriam (e desejavam) distribuir.

A experiência de Carvalho na política era quase nula. No entanto, a engrenagem oculta que ele enxergava entre os apoiadores do "Mito" era perfeitamente compatível com uma técnica publicitária moderna que ele dominava: personalizar o conteúdo das peças publicitárias de acordo com o rastro digital deixado pelos usuários de redes sociais. Com uma base de seguidores tão apaixonados e dispostos a participar da campanha, a ideia era criar caminhos para que os entusiastas de Bolsonaro fornecessem, de bom grado, mais dados sobre seu comportamento e suas preferências. Seria possível montar, assim, perfis psicológicos e sociais mais complexos e completos, e entregar, a cada um desses eleitores, conteúdo personalizado.

Apesar do projeto ambicioso, a relação entre Marcos Carvalho e o núcleo duro da campanha quase azedou cedo demais — apenas três meses depois de o marqueteiro ter se juntado ao grupo. Era um sábado ensolarado de agosto no Rio de Janeiro quando Carvalho chegou à conclusão de que estava de "saco cheio" da "zona" que era a organização da campanha, até então liderada por Flávio Bolsonaro. A engrenagem não girava, e o marqueteiro, acostumado a assumir projetos de grandes e bem estruturadas empresas privadas, perdera a paciência. Naquele sábado, durante mais uma reunião improdutiva, ele comunicou a Flávio e ao dono do Golfe, Carlos Favoreto, que desistiria de emplacar o projeto de voluntariado que sua agência, a AM4, tinha pensado para aproveitar o potencial das redes bolsonaristas.

A situação se reverteria apenas duas semanas depois, quando Gustavo Bebianno entrou no circuito e telefonou para Marcos Carvalho. "Agora é comigo", diria o recém-chegado homem forte do deputado, "já combinei com o capitão e eu é que vou coordenar. Vou organizar essa bagunça." Para Bebianno, eleger Jair Bolsonaro como presidente da República era uma missão.

Depois do episódio do lançamento do livro, em que Bebianno havia partido para o corpo a corpo com militantes antibolsonaristas, o advogado assumiu o controle da vida de Bolsonaro. Com tanta influência sobre o candidato, Bebianno tratou de jogar para escanteio todas as pessoas que considerava nocivas ao ex-capitão: Fabrício Queiroz, o assessor Waldir Ferraz (Jacaré), Carlos Favoreto, os três amigos de Flávio e o próprio Zero Um.

Além de Paulo Marinho, que emprestara a casa para servir de quartel--general da campanha, Bebianno montou um pequeno time de sua confiança: Marcos Carvalho, Julian Lemos e Luiz Medeiros, que mais tarde deixaria a trupe. A turma era inseparável, e Bolsonaro gostava de tê-la por perto. Para economizar com hotel, costumava levar os camaradas para dormir no seu quarto e sala em Brasília, cuja mobília consistia em uma cama de ferro, uma estante, uma geladeira, uma televisão e vários colchonetes. O local era apertado para tanta gente, mas o que tornaria o pequeno e desconfortável apartamento conhecido seria a declaração grosseira do deputado ao ser questionado sobre o motivo de manter a verba de moradia da Câmara se tinha um apartamento próprio na cidade, financiado pelo Congresso: "Como eu estava solteiro naquela época, esse dinheiro do auxílio-moradia eu usava pra comer gente"[8] — resposta que, aliás, mereceu muitas "mitadas" dos seus seguidores.

Às cinco e meia da manhã, Bolsonaro gostava de despertar aqueles que dormiam nos colchonetes ao som de uma corneta de quartel gravada em seu celular. Outra de suas manias era passar laquê no cabelo, muito fino e liso, para evitar que caísse no rosto. "Ele tinha tubos de laquê espalhados pelo apartamento e pelo gabinete para manter o cabelo arrumado", contou um ex-assessor.

Essa era a parte divertida da campanha. A peculiaridade nada alegre eram os acessos de pânico noturnos de Bolsonaro, que obrigavam Bebianno a dormir no mesmo quarto que ele nas viagens. Mais do que isso, o advogado, segundo os assessores que os acompanhavam, tinha poder total sobre o candidato: decidia desde a roupa que Bolsonaro vestiria até a que horas acordaria e com quem conversaria. À noite, agia como enfermeiro e dava os remédios a Bolsonaro, postando-se ao lado dele 24 horas por dia, numa subserviência mais que canina. Por questão de segurança, passou a carregar Bolsonaro nos ombros nas recepções nos aeroportos e chegou ao ponto de provar a comida de seu capitão antes que ele comesse, para se certificar de que não estava envenenada.

Bebianno também interferia nos vídeos para as redes sociais do candidato, gravados na casa de Marinho. Como Bolsonaro tinha dificuldade de memorizar os textos, era comum ter crises de pânico durante as gravações. Nesses momentos, Bebianno saía com ele do estúdio, o levava para o jardim, o abraçava e o acalmava.

Apesar de toda a lealdade, Bolsonaro dava mostras constantes de que não confiava inteiramente em Bebianno. Certa vez, no apartamento de Brasília, perguntou ao advogado e a Julian Lemos se confiavam nele. Os dois, de pronto, responderam que sim. Bolsonaro retrucou: "Pois não deveriam. Confiar só se confia em Deus".

Em abril de 2018, somando seguidores de Instagram, Facebook, Twitter e YouTube, Jair Bolsonaro falava diretamente com quase 8 milhões de usuários nas redes sociais, de acordo com um relatório da agência de Marcos Carvalho, que passara a monitorar as redes do presidenciável. Mas o número cru de seguidores não mostrava quem de fato estava sendo alcançado pelas publicações do "Mito", compartilhadas a perder de vista. Era necessário decupar os dados.

Assim, a agência detectou que, naquele mês, 90% das menções a Bolsonaro nas redes vinham de homens. Isso apontava para a necessidade de, no mundo real, fazê-lo crescer entre o eleitorado feminino. Organizando as interações pela natureza do conteúdo — isto é, menções negativas, positivas ou neutras — e ao mesmo tempo por rede social, região e estado, foi possível visualizar o tipo de "sentimentos" que o candidato despertava e definir estratégias para cada grupo e universo digital. Num ambiente eleitoral tão polarizado, as citações neutras eram vistas como vantajosas. Além disso, como ainda faltavam quatro meses até o início oficial da campanha, a agência queria apresentar aos eleitores, sobretudo aos neutros, um Bolsonaro diferente da caricatura conhecida pela maioria. Em pouco tempo, por meio de uma série de peças virtuais intitulada "Desmitificando o Mito", acreditavam que o candidato se desvencilharia daquela impressão caricata. Na época, Carvalho negou à imprensa que sua empresa fazia segmentação de usuários ou ajuste de conteúdos.

Em julho, marqueteiro e equipe lançaram as redes sociais do PSL. Àquela altura, Bolsonaro tinha ultrapassado a soma de 8,6 milhões de seguidores nas quatro redes sociais mais importantes, mas a agência acreditava que o conteúdo do candidato vinha sendo penalizado pelo algoritmo das plataformas. A página de Bolsonaro no Facebook, por exemplo, existia desde junho de 2013 e oferecera conteúdo irregular aos seguidores ao longo dos anos. Com 5,4 milhões de seguidores em julho de 2018, o marqueteiro não estava satisfeito com a "taxa de entrega" dos posts realizada pela plataforma. O frenesi em torno do candidato prometia muito mais engajamento. Era necessário higienizar as redes de Bolsonaro, oferecendo conteúdo mais regular e assertivo a seu público.

O presidenciável não entendia bem as necessidades que Carvalho e sua equipe colocavam à mesa. Como um cadete entusiasmado, achava o máximo a ideia de que, apenas com um celular na mão, conseguia se comunicar com seus milhões de seguidores Brasil afora. O marqueteiro explicava ao ex-capitão que não bastava "ter um grande número de apoiadores, um discurso na cabeça e fazer uma live". Isso podia ser suficiente para eleger um deputado ou um senador, mas não um presidente da República.

Carvalho pretendia levar a base consistente de seguidores bolsonaristas para um novo ambiente, livre do vício dos algoritmos. A intenção era construir do zero as redes do PSL, entregando conteúdo que se adequasse às necessidades de cada tipo de eleitor: os simpatizantes de Bolsonaro; os neutros, propensos a pelo menos discutir algumas propostas bolsonaristas; e os opositores, que expressavam nas redes sentimentos negativos em relação ao ex-capitão. Entre meados de agosto e o fim do primeiro turno, em outubro, o Facebook do PSL alcançava em média 45 milhões de pessoas por semana, de acordo com relatórios da plataforma.

Mas entregar conteúdo, pura e simplesmente, não bastava. Na concepção da campanha, a palavra-chave era colaboração, e a equipe de Carvalho se dedicou a desenvolver projetos que contassem com participação ativa dos apoiadores. De abril a outubro de 2018, foram criadas doze plataformas. Uma das primeiras, a Mais que Voto, que visava à arrecadação, concentrou todas as doações à campanha de Bolsonaro e automatizou a prestação de contas ao Tribunal Superior Eleitoral. Enquanto deputado, o ex-capitão tinha votado contra o novo Fundo Especial de Financiamento de Campanha, apelidado de "fundão", durante a tramitação da reforma política aprovada pelo Congresso no ano anterior. Para se manter coerente, o candidato dispensou a verba de cerca de 3 milhões de reais a que teria direito.

A Mais que Voto fora pensada para ir além da vaquinha virtual. Não bastasse a ferramenta embutida que enviava recibos automáticos à Justiça Eleitoral, economizando carga de trabalho à equipe da agência, a plataforma era integrada a outros serviços que chamavam os apoiadores para a campanha — por exemplo, um serviço de e-mail que enviava, a cada 48 horas, instruções ao pessoal, como se fosse um dever de casa bolsonarista. Carvalho partia do seguinte conceito: "No momento em que damos uma tarefa de participação ao apoiador, ele passa a ter outro tipo de comportamento frente ao projeto". Ao final de seis meses, a plataforma arrecadaria cerca de 3,5 milhões de reais de 25 mil doadores. A contribuição média foi de 140 reais por doador.

A equipe do marqueteiro explorava a disposição dos seguidores bolsonaristas para produzir conteúdo digital, identificada por Carvalho desde muito antes de assumir a campanha. A partir dessas colaborações, a equipe fazia um trabalho extenso de curadoria — não só do material gerado pelos apoiadores, mas também dos desejos intrínsecos ao conteúdo que produziam.

Outra plataforma, batizada de Marqueteiros do Jair, surgiu depois que a agência foi surpreendida com uma denúncia publicada pela *Folha de S.Paulo* às vésperas do segundo turno. A matéria contava como empresários, entre eles Luciano Hang, da Havan, compravam pacotes de mensagens disparadas em massa pelo WhatsApp. Se comprovada, a prática seria considerada ilegal, porque configurava doação de campanha por empresas, proibida pelas leis eleitorais brasileiras. O bolsonarismo reagiu nas redes: um movimento espontâneo dos apoiadores deu à luz a hashtag #EuSouMarqueteiroDoJair.

As publicações inscritas sob a hashtag debochavam da denúncia de impulsionamento. "Sou Marqueteiro do Bolsonaro e não cobro nada para fazer isso", diziam os tuítes. Para o eleitorado, era óbvio que o ex-capitão jamais precisaria recorrer a mensagens automáticas para falsear apoio. A equipe de Carvalho surfou na onda, transformando o movimento espontâneo em ação oficial da campanha do PSL. Na conta do partido, tuitou: "Os #MarqueteirosDoJair não se cansam. São milhões, espalhados pelos quatro cantos do país, demonstrando a nossa força, provando que o Capitão não está sozinho e que juntos vamos mudar o futuro do Brasil. O nosso muito obrigado! Vocês são demais!".

Anos mais tarde, um ex-assessor especialista em redes sociais rompido com a família diria:

> A esquerda se ilude achando que os seguidores eram robôs. Não eram, pelo menos não naquela época. Os robôs até existiam, mas era para simular número de seguidores. O que muitos críticos dos Bolsonaro não entendiam é que robô não gera ativismo digital. O robô só manda a informação. O que gera ativismo é o compartilhamento e, para isso, é preciso que os seguidores interajam com as redes. E não se interage com robôs. Não adianta você ter 300 mil seguidores se não há interação. Se fosse assim, ganhava a eleição quem tivesse mais robôs. Para muita gente é difícil acreditar nisso, mas seria melhor que acreditassem. Por mais que seja difícil aceitar, a verdade é que eles tinham milhões de seguidores que os apoiavam apaixonadamente. Ele criou uma máquina de comunicação que não precisava de nada. Por que iria para debate? Não precisava. Criou a máquina dele. O "Sistema de Comunicação de Bolsonaro", como eu chamo. Ele não precisava de debate, de Globo, de imprensa, de nada.

O que movimentava as redes bolsonaristas não eram só curtidas e compartilhamento. Aqueles seguidores significavam votos. "Não estavam lá só como audiência. Eles eram de fato um exército digital de eleitores", continuou o ex-assessor. "Bolsonaro teve 57,8 milhões de votos. Se as redes atingiam 45 milhões de pessoas, significa que, nesse universo de eleitores, tinha a galera dele e mais os que acabaram votando nele sem serem seguidores."

A força da rede bolsonarista era tão grande que acabou elegendo no mesmo ano o desconhecido juiz Wilson Witzel para o governo do Rio de Janeiro. "Quem elegeu o Witzel foi o Flávio Bolsonaro, que concorria ao Senado e deixou Witzel colar nas redes dele", revelou o ex-assessor. Só no estado fluminense, a rede bolsonarista alcançava 2 milhões de pessoas — um número bastante expressivo, considerando que a população do estado é de cerca de 17 milhões. "O Flávio colocou a rede para funcionar para o Witzel. Enquanto era só o Witzel, a mensagem chegava por meio de disparos de robôs, mas ninguém reagia, porque o que faz a mensagem ser compartilhada é o ativismo. Ele se misturou à corrente sanguínea do Flávio quando começou a ser postado ao lado dele."

Em 2018, os "robôs" eram, na verdade, chips que eram incinerados depois de usados. Por esse motivo, é quase impossível rastreá-los. Na campanha de Bolsonaro, seus ex-assessores estimam que devam ter sido usados pelo menos 200 mil desses.

Chip da Ucrânia, de não sei onde, de tudo que era país, porque com o chip eles conseguiam fazer chegar as informações num número grande de pessoas. Mas isso importava pouco. Porque para fazer replicar as mensagens dele, para conquistar aqueles 45 milhões de pessoas, era necessária a força do pensamento. E eles trabalhavam a ideia desde 2013, mas o pessoal não querer reconhecer isso. É burrice. "Ah, o Carlos Bolsonaro é burro." Burro onde? Ele trabalhou desde 2013 com essa comunicação. Desde os vinte centavos eles estavam falando as mesmas coisas: a favor do armamento, contra os direitos trabalhistas e todo esse ideário do Bolsonaro que ele vem trabalhando e que entusiasma quem concorda com isso. Teve robô em 2018? Claro que teve robô. Tem robô até hoje. Mas o robô garante audiência, não garante que você vai passar para a frente. E sem compartilhamento a rede não cresce.

Bolsonaro ganhou as redes porque havia um campo fértil para as suas ideias. As pessoas acreditavam no que ele dizia.

Os esquemas e as estruturas tradicionais dos partidos políticos foram atropelados pelo domínio que os apoiadores de Bolsonaro mostraram ter das redes sociais. Entre maio e novembro de 2018, em franca campanha eleitoral, Bolsonaro fez quase 3 mil publicações nas suas diferentes redes. Com elas, atingiu 300 milhões de interações, que incluem cliques, curtidas, comentários e compartilhamentos. No mesmo período, o candidato do PT, Fernando Haddad, teve apenas 76 milhões de interações. A internet já tinha se estabelecido como espaço formador de opiniões, e a máquina bolsonarista conseguiu dar escala à onda anti-PT e anti-Estado. Foi nesse ambiente que Bolsonaro encontrou os conservadores brasileiros e os reuniu em torno de pontos de vista que, até pouco tempo antes, eram inconfessáveis. Para os especialistas em análises políticas das redes sociais, ficaria claro que as forças tradicionais haviam menosprezado a internet e os desejos do eleitorado conservador.

Em 2018, Bolsonaro monopolizava a internet. Os outros partidos ainda estavam preocupados com o tempo de televisão, demonstrando um total descolamento da realidade. O PSDB, por exemplo, fez uma coligação com oito partidos para garantir doze minutos e meio de televisão, contra os oito segundos de Bolsonaro. Em 6 de abril de 2018, dia em que renunciou ao cargo de governador de São Paulo para concorrer à presidência da República, Geraldo Alckmin, enquanto encaixotava seus pertences no Palácio dos Bandeirantes, debruçou-se sobre um mapa do Brasil e indicou um ponto ao acaso. Era a cidade de Cruzeiro do Sul, no Acre. Bateu repetidamente o dedo sobre o local e, como um guardador de relíquias, parado no passado, comentou: "Precisa ter alguém aqui que vai votar em você, distribuindo santinho".[9] Naquela época, Bolsonaro já tinha uma extensa rede de apoio na internet, inclusive no Acre, bem mais eficaz do que os ultrapassados panfleteiros. Alckmin terminou as eleições com apenas 5 milhões de votos, ou 4,76% do total apurado.

A avaliação de Marcos Carvalho é que, fora do bolsonarismo, os candidatos até tentaram penetrar nas redes sociais, mas pensavam as ferramentas com uma mentalidade ultrapassada. Essa foi uma autocrítica feita por Bruno Monteiro, que nas eleições de 2018 cuidou das redes locais de Fernando Haddad na Bahia. Não só o PT mas as esquerdas como um todo não entenderam a tática de mobilização que fez o bolsonarismo prosperar na internet. "A minha avó foi impactada por essas coisas a partir de um grupo criado no posto de saúde em que ela era atendida. O grande erro da esquerda, além de não avaliar os riscos de Bolsonaro, foi ser ingênua. Porque focou a comunicação nos grupos de política", contaria. "A galera bolsonarista não estava fazendo isso. Eles estavam fazendo campanha em grupo de academia, de escola, de igreja, de condomínio, de saúde. Foi por aí que a coisa se deu. Um negócio completamente fora do controle mesmo. Aí, quando a gente percebeu, já era tarde."

7. O poder econômico entra no jogo

"Porra, alguém leu um artigo hoje, no *Globo*, de um cara aí, articulista? Paulo Guedes, um economista? Esse cara me elogiou", disse Jair Bolsonaro a Gustavo Bebianno e Paulo Marinho na manhã de 18 de setembro de 2017, com satisfação estampada no rosto. Ele acabara de chegar ao QG da campanha e estava entusiasmado com o que lera — afinal, era a primeira vez que recebia um elogio na imprensa. Quando seu nome aparecia em algum veículo de comunicação tradicional, em geral era criticado por suas ideias radicais — por vezes incivilizadas — e pelas provocações raivosas aos opositores. Bebianno e Marinho também se empolgaram com o tom elogioso do artigo, intitulado "Vácuo ao centro".[1]

Nele, Paulo Guedes afirmava que "a ininterrupta expansão dos gastos públicos por décadas corrompeu a democracia e condenou a economia à estagnação". E continuava: "como o establishment mais uma vez perdeu a decência", em razão da hipercorrupção, a regeneração viria com "renovações pelas urnas em 2018". Mais adiante, previa que, como Ciro Gomes e Jair Bolsonaro haviam cumprido muitos mandatos sem "nenhum envolvimento nos sucessivos episódios dessa escalada rumo à hipercorrupção sistêmica", tinham grande potencial para conquistar o eleitorado.

Menos de um mês depois, os caminhos de Bolsonaro e Paulo Guedes começariam a se cruzar. Em 8 de outubro de 2017, Bolsonaro voou com Flávio, Carlos e Eduardo para os Estados Unidos. O objetivo da viagem era apresentar o candidato como liberal e mais moderado a alguns executivos do mercado financeiro americano e também colocá-lo em contato com brasileiros que residiam no país. A viagem foi toda documentada pelos filhos e postada nas redes sociais.

Um vídeo de 11 de outubro, com 25 mil visualizações no YouTube, começa em preto e branco e traz o seguinte alerta escrito sob as imagens de um Bolsonaro de camisa polo que circula no metrô de Nova York fazendo o V da vitória com os dedos: "Esta viagem foi financiada com recursos próprios". Em seguida, há um corte para o interior de um hotel, onde pai e filhos aparecem amontoados num mesmo quarto, em sucessivas camas extras. É Eduardo quem fala: "Então, deputado, não é desumano tanta gente dentro de um mesmo quarto? Você não está gastando muito do próprio bolso, não?", debocha. O candidato ri e acusa o site 247, "do PT", de afirmar que ele estaria "gastando horrores com a verba da Câmara".

A imagem seguinte mostra Lula ao lado de Dilma e o recorte de uma manchete do jornal *O Estado de S. Paulo*, de 10 de janeiro de 2013, onde se lê: "Lista de gastos secretos da Presidência vai de diária de hotel a material de pesca". Na sequência, há um trecho que diz, entre outras informações, que "as despesas secretas do Executivo federal somaram 44,5 milhões de reais entre 2003 e 2010".

O vídeo, intitulado "Acompanhe a visita do deputado Jair Bolsonaro para os EUA", volta-se então para a parte substancial. O deputado aparece com os filhos, todos de terno, na antessala do The Peter G. Peterson Center for International Studies, um think tank de direita americano que estuda as economias americana e internacional sob a ótica liberal. A partir desse momento, o vídeo fica colorido. Eles aparecem em uma sala, sentados ao redor de uma mesa grande, onde a encarregada do instituto para a América Latina, Shannon O'Neil, uma mulher magra, de cabelos negros e longos, pergunta como Bolsonaro pretende conduzir as relações comerciais entre Brasil e Estados Unidos.

Após ouvir a pergunta traduzida por um intérprete, Bolsonaro dá uma resposta surpreendente: diz que tem interesse em reduzir o papel do Mercosul "à estatura que ele merece" e que pretende ampliar as relações bilaterais com os Estados Unidos. Afirma ser muito simpático ao bilateralismo, no que ela concorda. Ambos sorriem. Depois ela explica que o instituto é uma organização com 5 mil integrantes que são "a nata de acadêmicos, ex-membros do governo e também investidores de peso que, durante muitos anos, estiveram envolvidos com o Brasil". Esses investidores, segundo ela, teriam interesse em fortalecer os laços comerciais com o país. Ela também diz que há muito espaço para o Brasil no mundo, mas acredita que o Parlamento brasileiro exerce um papel pequeno em termos de política externa, e ressalta que as relações com os Estados Unidos eram melhores com Lula do que com Dilma. "A política externa é influenciada pelo presidente", diz O'Neil.

Bolsonaro aproveita a deixa para bater na sua tecla favorita: atacar o PT. "Os governos Lula e Dilma deram muito mais prioridade para a China, para os países da América do Sul e os países de esquerda da África subsaariana", afirmou, fazendo gesto de desdém com as mãos, como se falasse de parceiros pouco relevantes, embora, naquela época, a China e o Mercosul fossem grandes importadores de produtos brasileiros. E, como quem faz uma confidência, assegura: "Acho que o afastamento do Brasil [em relação aos] Estados Unidos é proposital por parte da esquerda brasileira. Mas será diminuído pelas eleições do ano que vem, se Deus quiser".

O'Neil então afirma que os Estados Unidos estão preocupados com a Venezuela, e imagina que o Brasil também, por causa da fronteira. O deputado responde que o assunto o preocupa muito e volta censurar Lula e Dilma por terem ajudado Hugo Chávez e Maduro, criticando a política de fronteiras, que segundo ele "impede a expulsão dos venezuelanos". E vai além: defende uma política intervencionista, com adoção de sanções, "para forçar a mudança de regime da Venezuela". Aproveita o tema para atacar as urnas eletrônicas brasileiras, que foram exportadas para a Venezuela, e assegura, sem apresentar provas, que é difícil mudar o governo no país vizinho por causa do voto eletrônico, que em sua opinião é suscetível a fraude. O vídeo termina com os dois se cumprimentando e o deputado dizendo que ainda teria um longo caminho pela frente.

O encontro fora agendado por Gerald Brant, um financista residente nos Estados Unidos, sócio de uma empresa de investimentos em Wall Street. Filho de pai brasileiro e mãe americana, havia morado no Brasil na adolescência. Com Bolsonaro já eleito, chegaria a ser cotado para um cargo no Ministério das Relações Exteriores, na gestão de Ernesto Araújo. Fã do ex-capitão e de Olavo de Carvalho, de quem era amigo, Brant também tinha contato com Steve Bannon, peça-chave na vitória de Donald Trump em 2016, que se tornou estrategista--chefe do governo até ser demitido, em agosto de 2017.

Antes da campanha de Trump, Bannon tinha estado à frente do Breitbart News, um site de extrema direita de notícias e opinião. Com a morte de Andrew

Breitbart, Bannon se tornou diretor executivo da empresa, e sob o seu comando o site abraçou de vez uma abordagem mais nacionalista e inclinada à direita alternativa. A *alt right* é uma subdivisão da extrema direita americana e europeia que defende os valores tradicionais, milita na defesa dos brancos e dos heterossexuais e contra a imigração e a inclusão dos imigrados. O supremacista branco Richard Spencer se apropriou do termo em 2010 para fazer a defesa do movimento centrado no "nacionalismo branco".

Sobre seu papel no site, Bannon afirmou em 2016: "Nós nos vemos como virulentamente antiestablishment, particularmente contrários a uma classe política permanente".[2] Ele definiu a ideologia do Breitbart como uma mistura que incorporava "libertarianos", "sionistas", "membros conservadores da comunidade gay", "opositores do casamento gay", simpatizantes do "nacionalismo econômico" e do "populismo" de direita, além de partidários da *alt right*. Apesar de admitir que a direita alternativa tinha conotações raciais, o estrategista assegurava que pessoalmente não tolerava o racismo nem o antissemitismo. Uma reportagem da revista *Time*, contudo, acusou o Breitbart News de "instilar material racista, sexista, xenofóbico e antissemita na veia da direita alternativa".

Bannon compartilhava das mesmas ideias de Olavo de Carvalho. Em 2014, o americano participou de uma conferência no Vaticano e fez referência em seu discurso a Julius Evola, um esotérico italiano ideólogo do fascismo. Carvalho chegou a citar Evola em suas aulas. Como Bannon, o ex-astrólogo também demonstrava admiração pela escola perenialista, que pregava os valores tradicionais e religiosos do passado como saída para a humanidade, contrapondo-se ao racionalismo iluminista. Ambos eram seduzidos pelas ideias do escritor, místico e ocultista francês René Guénon, nascido em 1886. Guénon é considerado o pai do perenialismo e, coincidentemente, um dos escritores mais admirados por Olavo de Carvalho, que recomendava seus livros para os alunos. Carvalho e Bannon tinham conexões também com o filósofo e estrategista russo Alexandr Dugin, guru de Vladimir Putin, largamente associado ao fascismo e ao antiglobalismo.

Em setembro de 2021, Brant seria detido pela Polícia Federal no aeroporto de Brasília com o americano Jason Miller, também próximo a Bannon, por suspeita de estarem por trás dos atos antidemocráticos ocorridos em 7 de setembro. A ordem partiu do ministro Alexandre de Moraes. Miller e Brant estavam no Brasil para participar de uma manifestação em louvor à ultradireita, a

Conferência de Ação Política Conservadora, em Brasília, o maior evento conservador do mundo, criado nos Estados Unidos e importado para o Brasil por Eduardo Bolsonaro. Ambos visitaram Bolsonaro pai, Eduardo, o ex-chanceler Ernesto Araújo e Filipe Martins, assessor internacional do presidente. Miller, ex-assessor de campanha de Trump, é fundador do Gettr, uma nova rede social criada depois que o ex-presidente americano foi banido das grandes plataformas por violar os termos de uso.

Brant também havia ajudado a organizar um evento para apresentar Bolsonaro a brasileiros de direita que moravam nos Estados Unidos, ocorrido em Nova York em outubro de 2017. No encontro, num amplo salão alugado por representantes da comunidade brasileira, os apoiadores de primeira hora da candidatura ouviram as ideias do presidenciável. Também participaram do encontro Jeffrey Nyquist, um estudioso e ferrenho anticomunista — que voara de Los Angeles especialmente para a ocasião — e Olavo de Carvalho, que falava à plateia por vídeo desde sua casa, na Virgínia.

Naquele dia, a advogada Bia Kicis figurava entre os participantes do evento. Só mais tarde, no entanto, se revelaria peça fundamental para a eleição de Bolsonaro — não por ter reunido os expatriados em torno do então deputado, mas por ter aproximado, ao final do evento, o economista Paulo Guedes do candidato, o que seria determinante para garantir o apoio do poder econômico à candidatura de extrema direita. Ao lado dela, no mesmo evento, estava Otávio Fakhoury, que após a escolha de Guedes faria a ponte entre Bolsonaro e os operadores do mercado financeiro brasileiro — os "faria limers", como jocosamente os apelidou uma reportagem da revista *Veja São Paulo*, em razão de a maioria dos grandes bancos e das gestoras de investimentos estar concentrada na avenida Brigadeiro Faria Lima, em São Paulo. A alcunha logo foi adotada por eles.

"Não tem nenhum infiltrado aí, não? Nenhum mortadela?", perguntou Bolsonaro antes do início do evento, já acomodado na frente de uma bandeira do Brasil pendurada na janela. Ouviram-se risos na plateia. Alguém do auditório rebateu: "Tem gente aqui com fome". Fakhoury, ao lado do candidato, gracejou: "Um mortadela aqui vira sanduíche". E Bia Kicis completou: "É melhor Jair se acostumando", frase que se tornaria um dos bordões da campanha.

Embora Nyquist estivesse próximo na mesa que dividiam, Bolsonaro não lhe dirigiu o olhar nem a palavra, e acabou ainda errando a pronúncia de seu nome. Já ao ver Gerald Brant chegar, fez festa: "Grande *H*erald. Big *H*erald", disse misturando inglês com espanhol ao trocar o G pelo H. Depois, pediu papel e lápis para fazer anotações do seu roteiro de viagem, que parecia tê-lo deixado perdido. "Aqui nós estivemos onde?", perguntou. "Câmara do Comércio Brasil- -Estados Unidos, Conselho das Américas e Bloomberg", alguém respondeu. "Em Boston foram quantas reuniões? Três, quatro?", continuou questionando.

O mestre de cerimônias, um brasileiro residente nos Estados Unidos, explicou que o evento — inclusive a presença de Jeffrey Nyquist, que viera da Califórnia — era financiado "pela nossa comunidade em Nova York". Em seguida, anunciou os convidados:

> Jeffrey é um analista político, escritor, conservador, preocupado com a ameaça do totalitarismo global e o declínio da civilização ocidental. Olavo de Carvalho é um dos maiores pensadores da atualidade e certamente um dos maiores nomes da alta cultura brasileira. [...] Além de escrever, ensina filosofia no seu curso on-line e possui mais de 5 mil alunos. [...] É honrado por críticos como sendo um dos pensadores mais originais e ousados do Brasil.

Por último, referiu-se ao presidenciável. "Jair Bolsonaro está hoje no seu sétimo mandato consecutivo como deputado federal pelo Rio de Janeiro. Em 2014, foi eleito o deputado mais votado nesse estado. [...] Passou para vida a civil em 1989. [...] O Brasil não possuía um político que tivesse uma visão conservadora." E destacou aquelas que considerava suas grandes qualidades: "É um defensor da legalização do porte de armas, um aliado de Israel, admirador da democracia americana, combatente da criminalidade e da corrupção e defensor da família brasileira".

No telão, Olavo de Carvalho abriu o evento. Agradeceu a presença de Bolsonaro e de Nyquist e felicitou os organizadores por não terem permitido a entrada de repórteres.

> A imprensa no Brasil se transformou num grupo de organizações criminosas, dedicada especialmente à calúnia e à difamação. O mais curioso é que alguns tentam atingir o candidato Bolsonaro através da minha pessoa, pois [acham] que sou o ideólogo da campanha [...]. Vou votar nele por dois motivos apenas: em primeiro lugar, por ser um dos cinco ou seis, se houver tantos, políticos honestos no Brasil. Ser ladrão no Parlamento e no ministério se tornou uma obrigação

moral, e o Jair Bolsonaro tem descumprido vergonhosamente [essa regra]. [Risos na plateia] Em segundo lugar, ele é a única candidatura nacional. Os outros... Eu até tenho certa apreciação pessoal pelo Ciro e pelo Doria, só que o Doria repete igualzinho o discurso multicultural do poder globalista e o Ciro já mostrou e confessou publicamente estar vinculado ao Partido Comunista chinês. Como os dois são exportados, eu vou votar no nacional. É tudo o que sei de Bolsonaro e é mais do que suficiente para votar nele.

Em seguida, falou sobre nacionalismo e identidade nacional e afirmou que o grande problema do Brasil era que sua relevância no cenário internacional se dera justamente quando a identidade nacional entrou em refluxo. Sua tese era de que, nos anos 1980, regiões inteiras do Brasil haviam sido ocupadas por ONGs internacionais que proibiam a entrada de brasileiros.

Estávamos praticamente sob ocupação internacional, e não havia na sociedade reação suficiente contra isso. Esse é o problema principal [para] que eu gostaria de chamar a atenção especialmente do candidato Bolsonaro. No caso de ele ser eleito presidente, o que eu acredito que acontecerá, ele, como candidato nacionalista e patriota, voltado à defesa dos interesses nacionais, enfrentará resistências medonhas do mundo inteiro.

Finalizou sua fala criticando a esquerda por se concentrar em minorias: "A promessa de proteger as minorias de desconforto cria desconforto psicológico para a maioria". Alegou ainda que jogar as minorias contra a maioria tinha sido uma estratégia da esquerda depois do fim da Guerra Fria. Por isso, disse ele, Bolsonaro era acusado de misógino, racista, homofóbico, através da propagação de fake news. Segundo Carvalho, o mesmo havia acontecido com Trump.

Nyquist, disseminando medo na plateia, afirmou que a Guerra Fria não tinha acabado. "Qualquer comunista no mundo, Lula, Dilma, Obama, Putin, não diz que é comunista, diz que é outra coisa." Citou um ex-agente da KGB que lhe teria dito o seguinte: "Quero avisar aos americanos que vocês são muito inocentes em relação à Rússia e às suas intenções. [...] A Rússia não é sua amiga. Acham que por causa do fim da União Soviética são seus amigos. [...] Passei um tempo com desertores da KGB, e eles contam que a tragédia do governo americano é que a CIA não quer levá-los a sério". O ex-agente ainda teria afirmado que "nós fomos infiltrados. [...] Eles fingiram o colapso do comunismo para poder se infiltrar em tudo. [...] Eles ganharam acesso às armas do Ocidente, à tecnologia, à ciência da indústria armamentista. A Rússia e a China estão mais próximas militarmente do que nunca. [...] Os exércitos russos estão na fronteira da Otan. [...] Eles vão destruir a Ucrânia, que está contra eles".

Bia Kicis então tomou a palavra e afirmou que todos estavam na mesma luta para "resgatar o Brasil das garras do comunismo". "Eles tentam, como disse o Nyquist, mudar o nome, dizer que não são comunistas. Mas nós sabemos exatamente o que eles são; são comunistas, sim. Molestadores de crianças, querem destruir a família brasileira, e nós não vamos aceitar. [...] Eles nunca param, não desistem, mudam a aparência, o discurso, quantas vezes for necessário." Depois de uma pausa dramática, continuou: "Mas eu tenho uma notícia para eles. [...] Nós não vamos parar nuuunca!". Houve gritos e aplausos. Apontando para Bolsonaro, continuou: "Este encontro é emblemático, é maravilhoso. Ele é o único pré-candidato que ama o Brasil". Mais aplausos. "Nacionalista, que quer preservar os valores da família. Ele tem olhado pelas nossas crianças há muito tempo. E Jeffrey [...] é uma das personalidades que mais conhece a fundo o comunismo e a estratégia marxista. Deste encontro vai nascer algo novo que vai trazer novas ferramentas para enfrentarmos os comunistas". Na sequência, Kicis deu razão a Olavo de Carvalho e concordou que a ideologia de gênero é uma das estratégias dos comunistas. No Brasil, segundo ela, esse problema tem a ver principalmente com o PSOL. "Temos que tirar todo mundo ligado à agenda globalista. PT, PSOL, Rede, PSDB."

A advogada então convidou Bolsonaro a falar. A plateia foi ao delírio. Ele sorriu e começou seu discurso com uma demonstração de vassalagem aos Estados Unidos, a Trump e a Israel:

É uma sensação estar entre irmãos brasileiros e americanos. Eu sou apaixonado pelos Estados Unidos, sou amante de Israel. Estou muito feliz e seria mais ainda se tivesse parcerias também com a Coreia do Sul, o Japão, entre outros países democratas. Para onde estamos indo? Só estou aqui porque acredito em Deus. Sem ele, eu e todos nós aqui perderíamos até mesmo a vontade de viver. Eu poderia apenas falar uma coisa. Seria um resumo do que vem acontecendo no Brasil. Pouca coisa mudou após a saída da sra. Dilma.

O ex-capitão então citou como exemplo uma passagem do livro de Pepe Mujica, ex-presidente do Uruguai, que narra como o Paraguai foi afastado do Mercosul para permitir a entrada da Venezuela. "Dilma Rousseff toma decisões de Estado dentro do Palácio do Planalto ouvindo as inteligências cubana e venezuelana. Se fosse meu esse livro, ninguém acreditava. [...] Mas, vindo de quem veio... [Isso] foi exaustivamente denunciado por mim e não teve uma linha na imprensa escrita ou televisiva. Esse é o retrato da mídia brasileira."

Prosseguiu sua fala como se fosse militar, e não parlamentar havia quase trinta anos. "Sofremos — eu sou capitão do Exército — pressões enormes no Brasil. Criaram uma tal de Comissão Nacional da Verdade. O PT querendo a verdade. Dois objetivos, mas um alvo só. Desgastar as Forças Armadas. [...] Somos o último obstáculo para o socialismo. Foi o Exército Brasileiro que garantiu o julgamento de Dilma Rousseff."

Em seguida, passou à questão internacional, criticando a abertura da embaixada da Palestina próximo ao Palácio do Planalto, e fez a afirmação estapafúrdia de que a ideia seria construir um túnel entre os dois prédios. "Afinal", disse ele, "Dilma e Lula nunca tiveram qualquer amor à democracia." Confessou, porém, que sua maior preocupação era com a China.

O Brasil está sendo entregue à China. Não só a questão do subsolo — estão comprando reservas de nióbio em Catalão, retiram nióbio de uma mina [...] no Vale do Ribeira. A China acabou de comprar um porto no Paraná, está comprando linhas de transmissão, e aí vai [...] um alerta ao pessoal do agronegócio: [...] as terras agricultáveis, ou seja, a nossa segurança alimentar estará nas mãos da China. Tenho certeza de que a inteligência americana sabe disso. Eles não mandam homens para lutar. Mandam para negociar. [...] Sou favorável [à privatização], mas por critério econômico [...], e não feita às escondidas pelo critério ideológico.

E prosseguiu: "[...] O Brasil é uma região altamente estratégica. O recado está dado. Não por eu ser um capitão do Exército, mas por ser um patriota. Quando se fala em infiltração nas Forças Armadas, [...] mais cedo ou mais tarde teremos filhos do MST no comando [delas]. [...] É o velho ditado, [...] o inimigo ataca em todas as direções". Depois, para explicar seu raciocínio, caiu numa aparente contradição:

Não tomem quartéis, tomem escolas. Isso tem sido feito com uma maestria inimaginável. Estamos na segunda geração onde formamos militantes. E eu sempre digo: tão ou mais grave do que a corrupção é a questão ideológica. Se hoje baterem a tua carteira ou assaltarem a sua casa, daqui a algum tempo pode recuperar isso. Mas se roubarem sua liberdade, no arrasto vai todo o seu bem.

O discurso seguiria carregado de ameaças. Bolsonaro afirmou que a propriedade privada no Brasil estava em risco e que o Judiciário estava aparelhado. Disse que pretendia preservar o meio ambiente, mas que as políticas ambientais haviam se transformado "numa arma contra o desenvolvimento do Brasil", inclusive contra os proprietários que tiveram as fazendas invadidas. "Temos mais de cem fazendas invadidas só no Mato Grosso do Sul. Inclusive, cinco proprietários [...] estão presos porque a alegação do Ministério Público local é que eles reagiram [de forma] desproporcional." Por tudo isso, o Brasil, na sua visão, "se aproxima do socialismo, porque vão criando leis que nos oprimem, nos colocam reféns".

Depois, reclamando de não ter podido fazer uma brincadeira com um "colega que era um pouco mais pesado" — "A Justiça brasileira, em primeira instância, decidiu que eu ofendi todos os afrodescendentes" —, assegurou: "Vou até o final. Não tem recuo. [...] Já estou muito feliz em saber, através de amigos, que Donald Trump sabe que eu existo. Alguns me chamam de Trump do Brasil. Só não sou mais rico do que ele, mas nas ideias e pensamentos [...] comungamos das mesmas ideias". Entusiasmado, explicou para o público as razões para a comparação:

> América do Norte grande, Brasil grande. Ele [Trump] crente em Deus, eu também. Ele pensa no seu país, eu também. Nós queremos o fim do comunismo, repudiamos o terrorismo. Eu amo Israel e ele também. Parabéns, Trump. [...] Temos muita coisa em comum. Sei do meu lugar. Não sou igual ao presidente americano. Quisera [eu] ser próximo a ele. Vim estender minha mão. Caso a gente chegue lá podemos fazer muitas parcerias.

Em seguida voltou a atacar a imprensa, que o acusava de não entender de economia:

Vamos disputar eleições no ano que vem, e não vestibular. Se é para entender de economia tenho que entender também de medicina [...]. Das Forças Armadas, modéstia à parte, eu tenho um bom conhecimento. [...] A mesma revista *Veja* que me esculacha em cinco páginas diz que no próximo dia 28 de novembro vai entrevistar dez personalidades, e me bota lá como personalidade. [...] Se alguém acha que eu vou lá para não discutir o que a *Veja* publicou e ficar refém de alguém afinado com a esquerda para me levar para as cordas, está muito enganado. [...] Estão cobrando novecentos reais pelo convite e, deixo claro, não estão me pagando nada, nem mesmo a passagem. [...] Botaram meu nome como personalidade. Mas até agora não confirmei minha ida. [...] Vão ter que devolver dinheiro, porque eu sou a cereja do bolo.

A plateia aplaudiu mais uma vez. Bolsonaro então passou a detalhar um de seus planos de parceria com os Estados Unidos e sua intenção de excluir a China. "Outro problema grave que nós temos e que eu gostaria de conversar com o governo americano é a questão indigenista", disse ele.

Índio é massa de manobra nas grandes demarcações de terra. Roraima, estado que não tem densidade eleitoral, um estado médio, tem duas reservas [...]. Não existe subsolo mais rico do que aquele. Por que não fazemos parceria com os americanos para explorar essa região e, no contrapeso da balança, fazemos uma hidrelétrica, por exemplo, mesmo sabendo que existem outras fontes de energia [...]? Nós, em parceria com os Estados Unidos, e não [através de] concessão como a China, em Catalão, vamos explorar a região. A imprensa brasileira pode falar o que bem entender, dizendo que eu estou aqui para vender parte do Brasil. Estou aqui falando a palavra "parceria", com um país democrático que eu amo. [...] Ciro Gomes [está] completamente entregue ao PC chinês. O hemisfério sul pode ser nosso. O Brasil tem força para reagir [...]. Juntos temos como, ao salvar o Brasil, também ajudar em muito o povo americano. Estivemos juntos na Segunda Guerra Mundial. Lutamos por liberdade contra o nazifascismo. Vencemos a guerra. A nova guerra que está aí não é mais Guerra Fria, é amarela. [...] A pátria está ameaçada. Só não vê quem não quer ou é canalha.

Na sequência, propôs:

[...] No meu meio existem pessoas de boa índole que têm que sair da toca. Não basta termos a bancada da segurança, a evangélica, a do agronegócio. Temos que lutar pelo Brasil. Dificilmente teremos força para reagir a este ataque sozinhos. Precisaremos, sim, de ajuda norte-americana. Acabei de falar sobre o governo do PT. Temos 12 mil cubanos no Brasil, agentes e militares. Não estão lá pelo bem do nosso povo. Têm dois objetivos: garantir 1,2 bi para a ditadura cubana e para participar da doutrinação nos locais mais pobres do Brasil para sua causa.

E então, aproveitando para fazer uma preocupante exaltação à volta dos militares ao poder, colocou-se como um candidato das Forças Armadas — o que arrancou ainda mais aplausos da plateia:

Nós podemos voltar ao poder, sim, no ano que vem, com o voto impresso, sem que haja qualquer questionamento. E quando falo "nós", falo nós, os militares. Porque nós pretendemos concorrer às eleições do ano que vem. Espero que os observadores do mundo todo participem e fiscalizem essas eleições. [...] O Brasil tem tudo para ser uma grande nação. [...] Temos a questão da violência que atravanca a economia. No ano passado, na Barra da Tijuca, quatrocentos estabelecimentos fecharam. Quando a imprensa diz que quero dar carta branca para o policial matar, isso é uma meia verdade. Eu quero dar para os meus policiais o mesmo direito que os policiais americanos têm. Se houver reação atira, não vai para cadeia [...] e ganha medalha. Muitos de vocês que estão aqui hoje ou é por falta de oportunidade no Brasil ou é fugindo da violência [...]. Sem oportunidade e sem ter uma garantia de que o filho não será doutrinado em sala de aula, que não será levado precocemente ao sexo.

Bolsonaro finalizou a apresentação de forma apoteótica: "Esse é o PT. Um partido onde os estudantes não estudam, o trabalhador não trabalha e os pensadores não pensam". Houve aplausos e gritos de "Mito!". A pedido da plateia, o presidenciável fez o gesto de arma com as mãos, e foi seguido pelo público.

Bia Kicis deixou o evento eufórica. Ainda na rua, ao lado de Bolsonaro, recebeu um telefonema do amigo Winston Ling, um empresário do ramo imobiliário e de comércio exterior, defensor do liberalismo econômico e afinado com a direita. Gaúcho nascido em Santa Rosa, era filho de imigrantes chineses que se estabeleceram no Rio Grande do Sul em 1950, fugindo do comunismo. Seu pai, Sheun Ming Ling, havia fundado a processadora de soja Olvebra e a petroquímica Petropar. Àquela altura, Ling vivia em Hong Kong, mas estava sempre em Nova York, onde tinha contato com Gerald Brant e com pessoas do mercado financeiro. Antes mesmo de se conhecerem, Kicis e Ling compartilhavam das mesmas ideias.

Desde que começara a se envolver em causas políticas, a partir das manifestações de 2013, Kicis se colocou ao lado do conservadorismo, do liberalismo e da direita. Nesse sentido, Bolsonaro se encaixava como uma luva em seu ideal de candidato. Por apoiar um deputado com ideias tão radicais, por vezes antidemocráticas, Kicis passou a ser criticada pelos amigos. O que ela mais ouvia de especialistas em política era: "Bia, eu já coordenei não sei quantas campanhas políticas. Esse cara nunca vai ser presidente, porque ele polariza muito. Ele chega, no máximo, a 25%. Descola dele". Ela respondia: "Descolo nada, esse cara vai ser presidente".

Diante de tanta má vontade, ela concluiu que só tinha uma maneira de Bolsonaro ganhar credibilidade fora do campo apenas conservador e conquistar o país: atrair o poder econômico. "Esse cara precisa dos liberais com ele", ela acreditava.

No começo de 2016, ao expressar essa opinião a Leandro Ruschel, residente nos Estados Unidos e sócio de uma empresa de gestão de investimentos, Kicis ouvira falar de Winston Ling pela primeira vez. "É um grande liberal", disse Ruschel. "Pensador, influenciador nas redes. Um empresário fantástico, brasileiro-chinês. Um dia você tem que conhecer esse cara."

O dia chegou por acaso. Enquanto checava suas notificações no Telegram, ela viu que alguém digitava uma mensagem em um dos grupos ao qual ela pertencia. "Oi, pessoal, meu nome é Winston Ling, eu sou um empresário brasileiro, moro na China." Lembrando-se do que o amigo havia dito, Kicis imediatamente entrou na conversa: "Oi, Winston. Aqui é a Bia Kicis. Queria muito te conhecer. Já ouvi falar de você. Tenho ótimas referências suas". Ling respondeu: "Também te conheço, que legal". "Ué, você me conhece? De onde?", ela quis saber. "Você é do barulho", escreveu ele.

Bia Kicis ficou envaidecida. Não esperava que um "superempresário" como ele já tivesse ouvido falar dela. "Que legal. Quero muito te conhecer", respondeu.

Ling disse que estava em Nova York, mas iria a São Paulo na semana seguinte. Kicis não perdeu tempo e combinou um almoço no restaurante do hotel onde ele se hospedaria.

Quando enfim se encontraram, falaram sobre suas vidas e ideias, mas Kicis não demorou a chegar ao ponto fulcral da conversa: "Winston, queria te perguntar uma coisa. Você topa conhecer o Bolsonaro? Se uma pessoa que influencia tanto as redes gostar dele vai ser muito bom. Você pode trazer muita gente para o lado dele". Ela se surpreendeu ao saber que o empresário tinha muito interesse em conhecer Bolsonaro. Sua resposta foi imediata: "Topo, topo".

No mesmo instante, ela ligou para o deputado. "Bolsonaro, estou aqui com um superempresário, um brasileiro-chinês incrível, liberal. Eu queria muito te apresentar a esse cara porque acho que ele pode contribuir muito com você. Topa conhecê-lo?" Sem pensar duas vezes, Bolsonaro aceitou. Como Ling voltaria para a China, combinaram de se encontrar dois meses depois, em 14 de março de 2016, uma segunda-feira, no Rio de Janeiro. Coincidentemente, era o dia da filiação de Flávio e Carlos ao PSC. "Venha dar as boas-vindas para os nossos mais novos filiados. Esperamos por vocês!", dizia o convite.

O encontro entre Bolsonaro e Ling se deu na Câmara dos Vereadores, no gabinete de Carlos, um pouco antes da cerimônia de filiação. O empresário então ouviu Bolsonaro e expôs suas ideias sobre o liberalismo, dando uma espécie de aula sobre juros e a importância da independência do Banco Central, além de responder a algumas dúvidas sobre economia. Presenteou o deputado com dois livros: *A lei*, de Frédéric Bastiat, e *As seis lições*, do austríaco Ludwig von Mises, ambos expoentes liberais. De lá, foram todos juntos à cerimônia de filiação na sede do partido, do outro lado da rua.

Dias depois, Bia Kicis fotografou Bolsonaro lendo os livros que ganhara de Ling durante um voo a Brasília. Mandou o registro para o empresário com a seguinte mensagem: "Acho que vai dar samba isso aí".

Um ano e meio depois, o samba começou. Caminhando ao lado de Bolsonaro por Nova York, na saída do evento de outubro de 2017 com brasileiros residentes nos Estados Unidos, Bia Kicis recebeu um telefonema de Ling:

"Bia, você viu que o Gustavo Franco foi para o Novo?"

"Não. Estou aqui em Nova York."

"Pois é, o Gustavo Franco foi para o Novo, e isso está repercutindo muito. Vamos colocar em prática a nossa ideia de ter um liberal ao lado de Bolsonaro?"

"Vamos. Em quem você pensou?"

"No Paulo Guedes, conhece?"

"Só de ler os artigos", disse ela.

"Será que Bolsonaro topa conhecê-lo?", perguntou Ling.

"Vou falar com ele agora."

A resposta — positiva, é claro — foi imediata. Bolsonaro, que já tinha sido elogiado por Guedes, quis encontrá-lo.

Guedes, à época com 69 anos, era formado em economia pela Universidade Federal de Minas Gerais e tinha mestrado na Fundação Getulio Vargas e doutorado na Universidade de Chicago. Nos anos 1980, quando era sócio e economista-chefe do Banco Pactual, de Luiz Cezar Fernandes, tornara-se conhecido nacionalmente por suas críticas ao Plano Cruzado. Depois, combateu o confisco do dinheiro nos bancos, promovido por Collor em 1990, e foi crítico também do Plano Real, de FHC. Guedes defendia soluções afinadas com o liberalismo, como cortes nos gastos, privatização das estatais e redução do tamanho do Estado. Por suas ideias, entrou em confronto com a maioria de seus colegas com visão mais intervencionista, ligados aos partidos que ocuparam o poder após a democratização, o PMDB, o PSDB e o PT. Ao deixar o Pactual, criou a sua própria empresa de gestão de recursos, onde atuou até ser convidado para ser ministro da Economia.

Mas o que levara Ling a sugerir seu nome tinha sido o segundo artigo de Guedes no jornal *O Globo*, publicado em 9 de outubro de 2017, que elogiava Bolsonaro de forma ainda mais contundente. No texto, intitulado "Das ruas às urnas", Guedes dizia que "o vertiginoso crescimento da candidatura Bolsonaro é um sintoma dessa indisfarçável insatisfação com a estagnação na economia, a corrupção na política e a falta de segurança nas ruas, em que desembocamos sob a hegemonia social-democrata". E prosseguia: "Em suas variantes de 'punhos de renda' (PSDB), 'chão de fábrica' (PT) ou 'caciques regionais oportunistas' (PMDB), à 'esquerda' todos os gatos são pardos para os eleitores de Bolsonaro. Contra tudo isso e todos esses que nos dirigem desde a redemocratização, Bolsonaro é a 'direita' que quer 'a lei e a ordem', valores de uma classe média esmagada entre uma elite corrupta e massas que votam em Lula buscando proteção e assistencialismo".

* * *

Por volta das sete da manhã do dia 13 de novembro de 2017, Kicis, Ling e Guedes aguardavam a chegada de Bolsonaro numa sala no Hotel Sheraton, na Barra da Tijuca, Zona Oeste do Rio, muito próximo ao condomínio Vivendas da Barra, onde fica a casa do ex-capitão. Quando ele chegou, às sete e meia, pediu: "Põe aí meia hora para essa reunião". A conversa, no entanto, se estenderia até o meio-dia. Bia Kicis, ao relembrar o encontro, brincou: "Só para o Paulo Guedes falar do currículo dele deve ter levado umas três horas".

No encontro, Guedes contou estar orientando Luciano Huck, que à época ainda pensava em se lançar candidato à presidência, mas fez uma ressalva: "Se a nossa conversa for adiante, se eu gostar de você, se a gente se entender, eu posso até falar com o Luciano". Ficou acertado um novo encontro só entre Guedes e Bolsonaro. O candidato avisou, porém, que não haveria mais conversa com o economista se o encontro vazasse. Quinze dias depois, Guedes contou a Kicis que os dois haviam se encontrado e que a conversa tinha sido boa. Ela ficou curiosa para saber se Bolsonaro anunciaria ou não o nome do economista.

Bebianno e Paulo Marinho também ficaram sabendo da conversa com Guedes, mas ouviram o relato diretamente de Bolsonaro. Ambos acharam que ele daria um bom nome para o Ministério da Economia, porque sabiam que atrairia para a candidatura o pessoal do mercado financeiro, à época dividido entre apoiar Geraldo Alckmin e João Doria, possíveis candidatos do PSDB à presidência, ou João Amoêdo, do Partido Novo. Bebianno teve uma conversa com o economista e o pressionou a decidir se fecharia ou não com eles. Guedes disse sim.

Então, em 28 de novembro de 2017, Jair Bolsonaro foi ao encontro Amarelas ao Vivo, da revista *Veja*, com dez personalidades da política, da economia e do Judiciário — o convite que ameaçava recusar desde a viagem a Nova York, por achar que seria maltratado. Marinho tomara a iniciativa de ligar para o jornalista Augusto Nunes, amigo seu de longa data e um dos entrevistadores do evento, para contar sobre a resistência de Bolsonaro. Nunes garantiu: "Manda ele vir que eu vou tratá-lo bem. Que ele não precisa se preocupar".

Sentados de frente um para outro no auditório da Editora Abril, Bolsonaro fez a Augusto Nunes a revelação mais esperada pelo poder econômico. "Essa pessoa eu procurei e tive com ela duas conversas, no total aproximadamente de oito horas. Não existe ainda sequer noivado. É um namoro. […] É o professor e economista doutor Paulo Guedes", disse. "Paulo Guedes?", repetiu Nunes. "O senhor está dando um furo aqui pra gente." "É um furo", concordou Bolsonaro. "Ninguém sabia disso até agora. A não ser eu e ele."

Em Brasília, no mesmo instante, Bia Kicis, que assistia à entrevista, deu um grito: "Ahhh! Não acredito!". Ela estivera bastante agoniada no último mês, na expectativa de saber se a indicação que ela e Ling haviam feito tinha dado certo. No dia seguinte, pela manhã, recebeu um telefonema de Guedes avisando que "a imprensa inteira estava ligando para confirmar se era verdade". Os dois comemoraram. No mesmo dia, Winston Ling ligou eufórico da China: "Biiia! A bolsa subiu, o dólar despencou". Ela comemorou do outro lado: "Bolsonaro é presidente".

Nos dias que se seguiram, Kicis se irritaria com a imprensa. Os jornalistas questionavam o que seria do governo se Bolsonaro brigasse com Guedes, dado que ele era sua única âncora. "Aí teve um dia que alguém escreveu: 'E se o Paulo Guedes morrer?'", contou. Ela e o economista se enfureceram. Guedes respondeu nas redes. "Eu não vou morrer". Os dois tiveram uma conversa por WhatsApp em que Kicis teria dito "Já estão querendo te matar para Bolsonaro não ganhar a eleição", tamanha era a certeza de que a presença do economista atrairia a elite econômica para a candidatura.

No dia da posse de Paulo Guedes no ministério, em janeiro de 2019, Winston Ling e Bia Kicis apareceram juntos numa foto com o economista. Ling postaria a foto no seu Twitter com o seguinte texto: "Eu e a Bia Kicis estamos orgulhosos e felizes de termos apresentado Paulo Guedes a Jair Bolsonaro".

Mais de um ano antes de Paulo Guedes ser anunciado como o provável ministro da Economia, parte do empresariado já olhava com simpatia para a candidatura de Bolsonaro, visto como a única alternativa para derrotar Lula e o PT. Para eles, pouco importava que o deputado tivesse ideias radicais, que fizesse apologia à tortura e à ditadura, que pregasse a volta dos militares ao poder. De fato, Bolsonaro nunca escondeu ou dissimulou seus pontos de vista. Quem votou nele sabia exatamente quem estava escolhendo para governar o país.

O paulista Meyer Nigri, de origem judaica, dono da Tecnisa, é um dos maiores empresários da área imobiliária e de construção civil. Criou sua empresa aos

24 anos de idade, quando estava no quinto ano de faculdade de engenharia. Muito religioso, é também ligado a causas filantrópicas. Embora não soubesse muito sobre Bolsonaro, seu primeiro contato com as ideias do deputado foi em fevereiro de 2016. Um de seus filhos reconheceu Eduardo em uma festa em Florianópolis e fez questão de ser apresentado a ele. Os dois ficaram próximos e começaram a surfar juntos.

Certo dia, o filho perguntou a Nigri se ele tinha interesse em conhecer o ex-capitão. Nigri topou e, num almoço *petit comité* organizado em sua casa, no bairro dos Jardins, simpatizou com Bolsonaro logo de cara. Quando o deputado saiu, o empresário já tinha escolhido seu candidato à presidência.

Uma das coisas que mais lhe agradou foi que Bolsonaro recusou quando Nigri se ofereceu para financiá-lo, dizendo que "não aceitava dinheiro de empresário". Além de considerá-lo um "cara honesto", Nigri se encantou pela suposta transparência do deputado. "Ele não é aquele político que fica em cima do muro, que fica ensaboando, que fala uma coisa num dia num grupo e, no dia seguinte, diz outra", explicou para os amigos. O empresário também atentou para o fato de que Bolsonaro não "falava por metáforas".

A partir de então, sempre que estava acompanhado, Nigri não perdia a oportunidade de elogiar o ex-capitão. Quando seus interlocutores rebatiam seus argumentos, dizendo que ele era homofóbico, racista, misógino, xenófobo e destruidor do meio ambiente, ele assegurava que não. Nos grupos de WhatsApp de que fazia parte, gravava áudios aos amigos explicando seu ponto de vista: "Ele declarou que não é homofóbico, que tem amigos gays, mas que é contra o 'kit gay', que não pode influenciar as crianças nas escolas".

Por esse motivo, muitos amigos de Nigri consideram que ele exerceu um papel importante na campanha, convencendo o empresariado a votar em Bolsonaro. "Ele deu credibilidade a Bolsonaro junto ao empresariado ao apostar na sua candidatura", disse um empresário que participava desses grupos e que também ajudou a impulsionar a candidatura.

No entanto, não houve apoio estruturado ou mesmo uma campanha organizada por parte do empresariado. Eles não foram para as ruas nem fizeram discursos louvando o candidato. Poucas foram as declarações públicas de apoio a ele — Nigri foi um dos poucos que não se omitiu de dizer que o apoiaria. Mas já em 2016 as pesquisas do Instituto Datafolha indicavam que Bolsonaro tinha a preferência dos votos de quem ganhava mais de dez salários mínimos. Em abril daquele ano, uma pesquisa indicava que, no cenário eleitoral mais provável, ele tinha 23% da preferência entre os que ganhavam acima de dez salários mínimos e 15% entre os que tinham nível superior, só perdendo, nesta segunda faixa, para Marina Silva. Portanto, antes mesmo de Guedes entrar em cena, havia uma clara tendência de a população mais rica votar em Bolsonaro. Isso já ficara demonstrado com a campanha aberta dos empresários a favor do impeachment de Dilma. A Federação das Indústrias de São Paulo (Fiesp) foi a que mais demonstrou sua insatisfação com o governo petista: colocou um imenso pato de plástico na frente do prédio da entidade, na avenida Paulista, com os dizeres "Não vou pagar o pato". Depois, uniu-se a outras federações patronais numa campanha nos jornais em que propunha "Chega de pagar o pato" e "Impeachment já".

Para Nigri, o motivo de o setor demonstrar dificuldade de assumir o voto em Bolsonaro era o constrangimento.

> Você falar que era de esquerda, tudo bem, não pegava mal. Falar que era de centro, melhor ainda. Falar que era de direita pegava mal. Mudou um pouco por causa de Bolsonaro. Eu sinto que muitos empresários que o apoiavam tinham vergonha de admitir publicamente, porque falar que você era pró-Bolsonaro ou que era de direita pegava mal. Me lembro das eleições nos Estados Unidos. Em nenhuma pesquisa Trump ficou em primeiro lugar. Chegou a eleição, e ele foi o escolhido. Um amigo americano me falou dos *shy voters*, que não assumiam nas pesquisas que votariam no Trump. Com Bolsonaro aconteceu a mesma coisa. Tinha muita gente que tinha vergonha de assumir, mas ia votar nele.
>
> [...] Tive reunião com Geraldo Alckmin e com João Amoêdo junto com outros empresários. Muitos achavam que Bolsonaro não era o candidato ideal por suas posições polêmicas. Mas, por acharem que Lula poderia ganhar, decidiram despejar seus votos em Bolsonaro logo no primeiro turno. Muitos fizeram voto útil, pois temiam que, se dividissem os votos do pessoal do centro com os de direita, Lula ganharia em primeiro turno. Então votaram em Bolsonaro para garantir um segundo turno.

Além disso, ele acreditava que as inclinações assumidamente liberais do candidato contaram muito: "Empresário não está preocupado com a questão dos costumes. [...] A maioria deles já devia estar apoiando Bolsonaro antes da escolha de Guedes, mas isso teve o peso de atrair mais gente, claro. Uma coisa é o candidato dizer que é liberal, outra é botar o Paulo Guedes, que todo mundo sabe que é mesmo. Isso sem dúvida deu mais confiança", dizia Nigri.

Muita gente admite ter decidido votar em Bolsonaro depois que Nigri declarou seu apoio. "É como se ele, ao falar abertamente de um candidato tão polêmico, nos livrasse do constrangimento de apoiá-lo", disse um empresário. Mas o endosso à candidatura de Bolsonaro acabou rendendo a Nigri um mal-estar com o presidente da Confederação Israelita do Brasil, o advogado Fernando Lottenberg. Por causa de uma declaração atribuída a ele, de que a comunidade judaica votaria em peso em Bolsonaro, Lottenberg reagiu e os dois se desentenderam publicamente. Lottenberg reclamou que ele não tinha dados para falar em nome da comunidade. Nigri negou que tivesse dito o que saiu na imprensa.

Mais tarde, em 2017, uma declaração de Bolsonaro no Clube Hebraica do Rio de Janeiro acabaria causando confusão na comunidade judaica. Parte dos presentes não gostou dos ataques que o parlamentar fez a indígenas e quilombolas, e seu convite para uma palestra no Hebraica de São Paulo acabou cancelado. Nigri foi um dos que se opuseram à interdição da fala do então deputado. "Ele tinha direito de se expressar. Não o deixaram falar, o que eu acho que foi um grande erro. Tem que deixar ele falar, tem que deixar o Haddad falar. Tem que deixar Lula falar. Todo mundo tem direito de se expressar. Eu sou um democrata", ele disse à época.

Se o empresariado em São Paulo mantinha a discrição — até mesmo por se tratar da terra do PSDB e de Alckmin, que eles costumavam apoiar —, em Santa Catarina havia uma figura de peso que não escondia sua preferência por Bolsonaro: Luciano Hang, dono da rede varejista Havan, sediada no estado. O empresário teve uma carreira próspera, embora polêmica. Em 2000, o Ministério Público de Santa Catarina o acusou de dar um calote no INSS, entre 1992 e 1999, no valor de 10,5 milhões de reais. Pelo crime, foi condenado pela Justiça Federal em Blumenau, em 2002, a três anos e onze meses de prisão (a pena foi convertida em serviço comunitário) e multa de 586 mil reais. Três anos antes dessa condenação, enfrentou outro problema na Justiça, dessa vez por evasão fiscal, e foi autuado em 117 milhões pela Receita Federal. Em 2007, voltou a ser condenado por remessas ilegais ao exterior e cumpriu dois anos e seis meses de pena em regime aberto.[3]

Em 2016, vítima de fake news espalhadas ironicamente por militantes da direita e do antipetismo, Hang gravou uma série de vídeos para desmentir que a Havan pertencia "ao filho do Lula, à filha da Dilma ou ao bispo Macedo": "A Havan é minha, é sua, é da família, é do Brasil". No ano seguinte, já se declarava abertamente contra o PT. "Quando vejo alguém falando mal da Havan, normalmente é petista", disse em entrevista ao *Diário Catarinense*. "Eu não comungo da ideologia deles, soltei foguete quando o Lula foi condenado."

Em janeiro de 2018, o empresário passou a apoiar o bolsonarismo com unhas e dentes. Em fevereiro, criou um perfil no Instagram e postou uma foto discreta, usando camisa social. Três meses depois, entrou de peito aberto na campanha: vestiu uma camiseta verde-amarela, que logo seria substituída pela fantasia verde-amarela do Capitão Brasil, personagem inspirado em super-heróis inventado por ele para protestar contra o atraso na liberação do alvará de construção de uma das lojas da Havan no Rio Grande do Sul.

Entusiasmado com o desempenho de Bolsonaro, Hang passou a usar as redes sociais para atacar o PT e louvar o ex-capitão, inspirando outros empresários a fazer o mesmo. Em julho daquele ano, postou uma foto do então juiz Sergio Moro e o chamou de herói nacional. Semanas mais tarde, postou um vídeo em que um assaltante era baleado ao tentar roubar um carro e aproveitou para criticar o Estatuto do Desarmamento, que considerava "mais um dos grandes erros cometidos pelo governo do PT. [...] Afinal, eles [os bandidos] são os únicos que podem portar armas".

A poucos dias do primeiro turno, Hang divulgou um vídeo em que ameaçava demitir 15 mil funcionários caso a esquerda vencesse as eleições:

> Olha o esforço que estou fazendo por este país, gerando cada vez mais empresas e empregos. Se você não for votar, se anular seu voto, votar em branco e depois do dia 7 lamentavelmente ganhar a esquerda, vamos virar uma Venezuela. Vou dizer para vocês, até eu vou jogar a toalha. A Havan vai repensar o planejamento, talvez não vai abrir mais lojas. E aí, se eu não abrir mais lojas ou se nós voltarmos mais para trás, você vai estar preparado para sair da Havan? [...] Já imaginou que tudo isso pode acabar no dia 7 de outubro, que a Havan pode um dia fechar as portas e demitir 15 mil colaboradores? [...] Você será o responsável por isso.

Em novembro daquele ano, o Ministério Público do Trabalho ajuizaria uma ação contra Hang, cobrando uma multa de 100 milhões de reais por danos morais coletivos e individuais aos funcionários. O empresário então contratou uma empresa para montar um laudo contra os procuradores. Baseando-se no perfil que eles mantinham nas redes sociais, o levantamento mostrou que cinco dos sete servidores seguiam as páginas de Leonardo Boff, um dos defensores da Teologia da Libertação, e do jornalista Leonardo Sakamoto, crítico a Bolsonaro. Hang acreditava, com isso, colocar a denúncia sob suspeita. O processo está sob segredo de justiça.[4]

Em 2021, o empresário catarinense seria inclusive chamado a depor na CPI da Covid, acusado de integrar o "gabinete paralelo" — grupo de médicos e empresários defensores de tratamentos ineficazes contra a covid-19 — e de disparar fake news. Nada foi comprovado, porém. Outros processos contra ele, envolvendo apologia contra o STF e a contratação de empresas para fazer disparos em massa contra o PT e em defesa de Bolsonaro nas redes sociais durante a campanha presidencial, continuam correndo. Ele negou que tenha espalhado fake news, afirmando ser seu direito se manifestar livremente nas redes sociais.

Com o anúncio do nome de Paulo Guedes como futuro ministro, bancos, empresas e associações de empresários correram na direção do candidato. Todos queriam ouvi-lo. A confusão, porém, estava armada: como contaria um dos organizadores de sua campanha, tudo o que Bolsonaro queria era se descolar do empresariado. Ele temia que fosse comparado ao PT, por causa das relações do governo com bancos e empreiteiras que foram dar na Lava Jato. Sua estratégia era tentar se mostrar um "político puro", próximo do povo, e não da elite.

Um desses momentos complicados foi quando Bebianno e Paulo Marinho insistiram para que Bolsonaro desse uma palestra no BTG Pactual, de André Esteves — que operou muito próximo ao PT e acabou sendo preso numa investigação da Polícia Federal; em 2018, porém, ele seria absolvido da acusação de obstrução de justiça por falta de provas. Depois de muita insistência do coordenador da campanha, Bolsonaro topou ir à sede do banco, em São Paulo, mas impôs como condição que André Esteves não estivesse lá. "Foi um constrangimento", disse um ex-integrante da campanha. "Tivemos que ligar e dizer que o dono do banco não poderia estar lá, que Bolsonaro se recusaria a apertar a mão dele." Os organizadores concordaram, e Esteves ficou de fora.

Em meados de 2018, porém, Bolsonaro mudou de ideia quanto aos empresários e passou a ter algumas reuniões com eles. Uma delas aconteceu na casa de Fabio Wajngarten, que se tornaria secretário especial de Comunicação Social de Bolsonaro. O apartamento, uma cobertura no bairro de Santa Cecília, em São Paulo, ficou lotado. Compareceram empresários de todos os setores, inclusive do agronegócio — entre eles estava Flávio Rocha, dono da Riachuelo, que havia pensado em concorrer à presidência pelo PRP, mas desistira para apoiar Bolsonaro. No encontro daquele dia, ficou claro que Bolsonaro era a opção da maioria deles. "Não é um café da manhã que vai mudar a impressão dos empresários. Eles chegaram lá com uma ideia formada de quem era ele", analisou Meyer Nigri, também presente ao encontro. "Alguns saíram de lá dizendo que, embora ele não fosse a opção deles no primeiro turno, num eventual segundo turno com Lula ou algum candidato do PT, iriam de Bolsonaro."

Logo depois do anúncio do nome de Paulo Guedes, Otávio Fakhoury tratou de marcar reuniões do pessoal do mercado com o futuro ministro. Suas tentativas seriam, porém, barradas por Bebianno. "Ele não deixava que fizéssemos nada. Não deixava a gente nem chegar perto de Bolsonaro. Ele queria ter o controle total do candidato", contou Fakhoury. Ele passou, então, a marcar conversas com o general Hamilton Mourão, que seria escolhido como vice de Bolsonaro. Victor Metta também sentiria a mesma dificuldade. "O pessoal do Rio não deixava que marcássemos reuniões. E eram tremendamente desorganizados. Levavam séculos para fazer as coisas. Nós ficávamos impacientes", disse Metta.

Para Fakhoury, era óbvio que a Faria Lima iria apoiar Bolsonaro. Foi assim que ele resumiu a opção de seus pares por Bolsonaro:

A Faria Lima sabe quem é o Ciro Gomes. Mesmo que ele fosse uma opção ao PT, além do Alckmin, o Ciro é a favor do Estado grande, e a Faria Lima é a favor de receber o que ela tem a receber. Pode ser até do Estado grande, mas me pague. Então, eles sabiam que o Guedes era comprometido com a austeridade fiscal e que, portanto, ele colocaria o país numa situação em que, se tudo explodisse, o pessoal do mercado não tomaria calote.

Fakhoury fez, então, um comentário jocoso sobre o mercado financeiro, durante uma conversa em novembro de 2021. "O pessoal entendeu que era melhor ter um ministro da Economia que, se tivesse que ter moratória, jogaria o calote para cima dos outros, e não em cima de nós, do mercado. É assim que a Faria Lima funciona. Nós somos socialistas também", explicou.

Trabalhei em Wall Street. Sabe como eles fazem lá? Eu estava lá quando estourou a crise imobiliária. Eles apostaram altíssimo naqueles imóveis. Quando a crise explodiu, eles se comportaram que nem no desenho do Papa-Léguas e do Coiote, quando o Coiote corre atrás do Papa-Léguas e cai no desfiladeiro sem perceber que não tem mais chão. Olha, e acabou o chão. O que vamos fazer? Vamos cair que nem o Coiote. O que eles fizeram? Foram chorar para o governo americano os salvar.

Fakhoury continuou com a analogia, debochando do capitalismo. "Mas espera aí, o que é o capitalismo?", perguntou.

O capitalismo é o seguinte. Você pode lucrar, mas se você fizer uma aposta errada, o prejuízo é teu, não é do outro. Você vai perder o teu dinheiro. O que Wall Street fez? Ah, acabou o meu dinheiro, fiquei sem solo. Vou cair, vou me espatifar. Ah, governo, por favor, *help*, *help*. Aí o governo ajudou todo mundo, menos a Lehman Brothers, que deixou quebrar porque tinha que deixar alguém quebrar para mostrar que é duro com o mercado. A AIG, a maior seguradora americana, ia quebrar inteira. O governo americano enfiou 300 bilhões de dólares lá. Aí, desse jeito é fácil. Também quero. Eu monto um banco. Se eu ganhar é meu, se eu perder é teu. Se eu perder, socializo o prejuízo. Mas quando o governo põe o dinheiro, o dinheiro é do contribuinte. Isso é Wall Street. Isso é a Faria Lima. Fui 'wall streeter' e fui 'faria limer'. Eles são socialistas, porque na hora do problema pega o dinheiro do governo e salva nós aqui.

Os "faria limers", segundo ele, pensam assim: "Na hora H, o governo vai salvar. Emite dívida e resolve tudo com o dinheiro dos outros. Os 'faria limers' apoiaram o Guedes porque acharam que a política de austeridade dele ia dar solvência para os nossos ativos". E por que não o Alckmin? "Ele não tinha chance. Era uma eleição muito polarizada. O Alckmin é o chuchu. Não tem gosto de nada. Não tem vermelho, não tem azul. É uma coisa chocha. Todo mundo sabia que era Lula ou seu preposto e Bolsonaro. Para a maioria estava claro que Bolsonaro iria para o segundo turno. Ele foi como Trump, que eu previa que iria ganhar mesmo com as pesquisas dizendo que não."

O paulista Luis Stuhlberger é um respeitado gestor de investimentos do mercado financeiro. Seu fundo, o Verde, é um dos maiores do mundo. Ele se considera um democrata, mas em 2018 acabou optando por Bolsonaro por não acreditar na possibilidade de vitória de um candidato de centro. Em 2021, escreveu uma carta para seus investidores se dizendo arrependido do voto. Três anos antes, porém, ele considerava Bolsonaro a única opção para derrotar o PT. Sua avaliação de por que o mercado aderiu ao candidato não foi debochada, como a de Fakhoury, mas baseada nas pesquisas mensais que fazia para seus investidores. Com interlocutores, ele comentaria, em 2021:

> Muitos setores da sociedade eram antipetistas. A corrupção virou um símbolo do PT, depois da Lava Jato. E não eram só o mercado e as empresas que apoiavam a candidatura, mas também as pessoas vinculadas ao agronegócio. E tinham razões para isso: a suposta perseguição petista ao agronegócio, a regulação que impedia o agro de se expandir — e não estou me referindo à Amazônia —, fiscalizações descabidas, saques. O agronegócio é grande no Brasil. Se juntar toda essa população vinculada ao agro dá muita gente. Sem falar no medo constante das invasões, das reintegrações de posse. Eu não sei quanto isso representa de votantes, mas não era um número pequeno.

"Depois, é claro", ele analisaria mais tarde em conversa com amigos, "tinha o voto empresarial, que também é antipetista. Vamos lembrar o caos que foi o segundo governo Dilma, de implicações econômicas muito grandes, dois anos de queda do PIB, recuo de 3,5%, a agenda mais à esquerda daquele governo." Mas faria a ressalva: "Nem tudo era culpa da Dilma, o modelo econômico caiu no colo dela, mas você tem que ter uma agenda econômica. Não era uma agenda bolsonarista, podia ser qualquer uma, menos a do PT. Por motivos simplesmente empresariais. O empresariado quer o progresso do país, quer que o PIB cresça, quer liberdade econômica. E isso também teve um peso grande na decisão de votarem em Bolsonaro".

Stuhlberger faria, em 2021, uma contabilidade imaginária para explicar a vitória de Bolsonaro.

Você vai somando esses setores, vamos lá, tem também uma agenda que se mistura com essas, digamos que não queria ter que participar do presidencialismo de coalizão. Nenhum governo do Brasil, nenhum, Fernando Henrique, Lula, Dilma, escapou do presidencialismo de coalizão. O primeiro governo do Lula deu a impressão de que escaparia desse modelo, por isso o mensalão, organizado pelo José Dirceu, para não ter que dividir o poder com a base aliada e o Centrão.

Ele seguiu com a análise:

No fim das contas, a base aliada sempre foi do PSDB, do PMDB e do antigo PFL. E depois o Centrão foi chegando também. Por isso havia a percepção de que o Bolsonaro significava uma mudança importante. É interessante porque o próprio desprezo dele pelo poder Legislativo mostrava a vontade de não ter que ceder ministérios. Porteira fechada para governar. Era um alento poder governar colocando ministros certos. Por ser um outsider da política. Um político, mas um congressista sem expressão.

Na sua conta para justificar a vitória bolsonarista, Stuhlberger também incluiria a votação quase em massa dos militares no candidato que os representava. "Tem o setor militar. As Forças Armadas e as polícias. Isso representava, se juntar os familiares, uns 7,8% dos votantes." Com a racionalidade de quem avalia as razões para os ganhos em uma operação financeira, continuou com os cálculos: "Ele prometia a revalorização do militar, porque durante o governo petista e mesmo durante o governo do PSDB houve… não vou dizer perseguição, mas certo desprezo pelos militares. Ele prometia uma revalorização da categoria. E isso é uma coisa que ele mantém até hoje".

Outro perfil que também somou votos, diria ele, especialmente nos três estados do Sul, foi o do homem branco de mais de cinquenta anos. "A tal da direita enrustida, que foi resgatada pelo Trump e pelo Brexit, foi um fenômeno mundial. Aquela direita que é contra tudo o que é politicamente correto. Esse contingente de bolsonaristas raiz, caras de direita mesmo, que nunca puderam aparecer na nossa social-democracia brasileira, representa um número bem significativo."

No espectro de votantes, só o eleitorado evangélico permaneceu um mistério para Stuhlberger:

> Vale a pena ser estudado. Quando vejo que os evangélicos gostam do Bolsonaro, evangélicos pentecostais, pessoas com convicções religiosas, aquele cara que doa o dízimo para a igreja, penso no que o Warren Buffett sempre fala: a pessoa está abrindo mão de consumir para doar. Quem ganha 2 mil reais por mês e doa duzentos para a igreja está abrindo mão de um consumo para doar. É muito difícil imaginar uma pessoa assim gostando do Bolsonaro. É um mistério pra mim.

A única explicação, ele costumava ponderar, era a influência de Edir Macedo, líder da Igreja Universal do Reino de Deus. Edir Macedo alega que os evangélicos não são contra o progresso, não querem o socialismo e admiram quem era pobre e foi bem-sucedido. Ainda assim, dizia ele, a aritmética não fecha. "Acho estranho essas pessoas continuarem apoiando o Bolsonaro, mesmo sabendo que o presidente é uma das pessoas que mais têm desprezo pela vida humana. Foi o que a pandemia mostrou."

Nas discussões que tinha com alguns de seus pares para entender a vitória da extrema direita junto aos menos favorecidos, Sthulberger avaliava que a agenda conservadora era outro fator responsável por atrair muita gente para a candidatura de Bolsonaro. "As classes mais baixas principalmente ficavam indignadas com as cenas de sexo e as discussões sobre homossexualidade nas novelas da Globo. Isso as fez apoiar Bolsonaro e a rejeitar as pautas liberais da esquerda."

Stuhlberger, no entanto, não tem dúvida de que a entrada de Paulo Guedes em cena foi crucial para virar os votos da fatia do empresariado e do mercado que ainda estava reticente quanto a votar em Bolsonaro. Em março de 2021, ele escreveu um artigo n'*O Estado de S. Paulo* explicando as razões que o levaram a também votar em Bolsonaro, afirmando, contudo, que não votaria novamente. Numa conversa no final daquele ano, ele explicaria que sua justificativa para optar por um candidato que depois viria a desprezar residiu em Paulo Guedes: "Claro que o Paulo Guedes ajudou muito o Bolsonaro a transitar em todo o meio empresarial, não só na Faria Lima. O que ele prometia era uma continuidade das reformas iniciadas no governo Michel Temer e uma agenda liberal de economia", explicou. "Sinto que o Paulo, digamos assim, era um economista que estava meio no ocaso, uma pessoa já nos seus setenta anos. Já há um tempo ninguém ligava muito pra ele, ninguém convidava pra dar palestras, ele estava meio assim no ocaso, dava umas aulas, tal, tinha lá o negócio dele, a gestora dele." Stuhlberger reconhecia, porém, alguns méritos do economista. "Ele é um cara com ph.D. nos Estados Unidos. O Paulo não é um economista que não entende de mercado. No primeiro ano eles entregaram a reforma da Previdência, que era vista como um dos problemas mais graves do Brasil. Ele estar como ministro da Economia já declarado e ajudando na campanha foi muito relevante no meio empresarial brasileiro."

Apesar disso, embora, na sua visão, Guedes tenha sido muito importante para atrair o voto do poder econômico, ele acredita que Bolsonaro seria eleito de qualquer maneira.

> É claro que ele ajudou. Poderíamos ter escolhido votar em Alckmin no primeiro turno, porque o PSDB estava comprometido com as reformas, ou no [Henrique] Meirelles. Eu sou aquele cara que votaria no Alckmin, mas no limite, como o Bolsonaro tinha chance de ganhar no primeiro turno e evitar a agonia do segundo turno contra o PT, os votos foram descarregados nele. Por isso Alckmin e Meirelles foram dizimados. Porque teve esse voto útil. "Já que o Bolsonaro está com mais de 50%, então vamos tirar voto do Alckmin e do Meirelles e jogar tudo no Bolsonaro para ganhar no primeiro turno."

Em abril de 2018, poucos meses após ser anunciado como ministro da Economia num provável governo Bolsonaro, Paulo Guedes passou a se reunir com empresários, gente do mercado e formadores de opinião. Num almoço com dois analistas em um restaurante carioca, Guedes questionou um deles. "Não consigo entender por que você não apoia o Bolsonaro! Você é um cara de direita, respeitado nesse ambiente." O outro respondeu: "Guedes, tenho horror ao Bolsonaro. Ele é o túmulo da ideia de conservadorismo". O economista insistiu: "Você não quer conversar, conhecer as pessoas? Não quer sentar com o Bolsonaro?".

Na época, Paulo Guedes passou a fazer essa ponte com muita gente. Alguns recusavam a conversa por achar que Bolsonaro era perda de tempo. "Paulo, não leve para o lado pessoal", disse um interlocutor. "Mas, primeiro, eu não sou agente político; segundo, não tenho o menor interesse, não gosto dele, não o admiro. Pelo contrário, acho o Bolsonaro ruim. É um parlamentar nocivo, com pautas atrasadas. Não acho que ele seja um conservador. É um reacionário."

O futuro ministro então quis saber a opinião dos comensais sobre a possibilidade de vitória de Bolsonaro. Um deles cravou que Bolsonaro não tinha a menor chance. "Ele não tem estrutura partidária, não tem máquina, não tem base, não tem capilaridade, não tem tempo de TV, não tem apoio da imprensa nem dos intelectuais. Está sozinho." Foi uma das poucas vezes em que Paulo Guedes ouviu alguém, já que costuma falar sem parar para defender seus pontos de vista. Quando o outro terminou, ele respondeu: "Muita coisa mudou. Afora a questão da internet, o próprio financiamento de campanha mudou. A estrutura dos grandes marqueteiros não existe mais. A Lava Jato já demoliu essa regra". E concluiu: "A sua análise é perfeita e você defende muito bem a sua posição, com base na história. Só que esse chão, a base na qual você constrói a sua projeção, não existe mais. Esse chão acabou. Ruiu".

Seis meses depois, o interlocutor concluiria que Guedes estava certo. "Todo o nosso sistema de crenças político-eleitorais, que tinham fundamentado, empacotado as eleições anteriores, não existia mais. Não é que tinha sobrado alguma coisa, não tinha sobrado nada! Também se subestimava muito a rejeição ao Lula. Que, aliás, continua sendo subestimada", diria ele quatro anos depois do almoço com Guedes.

Essa mesma conversa aconteceria com vários interlocutores — de jornalistas a empresários —, que asseguravam ao economista que Bolsonaro não tinha a menor chance de vencer.

> Vocês estão focados nos maus modos do presidente e perderam o contato, porque na verdade ele tem ótimos princípios. E o povo está justamente contra a roubalheira, a favor da transparência, da honestidade. Não faz mal o cara ser simples. Se ele é percebido como honesto, ele é a mercadoria mais valiosa hoje. Melhor do que o cara de ótimas maneiras, tipo o Temer, que as pessoas não confiam, acham que está roubando, isso ou aquilo.

Guedes entrara na defesa aberta do presidenciável. Explicava, a seus interlocutores, a razão de a direita ter ficado encolhida durante tantos anos:

Em resumo, tem uma visão minha que foi se consolidando e foi se revelando cada vez mais. Não sei em que momento eu descobri, mas esse troço foi acontecendo. É o seguinte: vinte anos de regime militar politicamente fechado e associado à direita. Quando você faz a redemocratização, o que é bom? Ser de direita ou de esquerda? Todo mundo quer ser de esquerda. Então nós todos vamos ser de esquerda pela redemocratização. Ficou assim: direita é ditadura e esquerda é democracia.

Nos anos 1980, desprezado por seus pares na academia por sua visão ultraliberal — que o levaria a trabalhar no governo do ditador Augusto Pinochet, no Chile —, Guedes, tal qual Bolsonaro, também saía em defesa dos militares brasileiros:

Mas o que aconteceu de fato? É que o regime político fechado, o regime militar, construiu a infraestrutura brasileira. Investiu em infraestrutura através das estatais — Petrobras, Siderbrás, Banco do Brasil, BNDES — eles na verdade fizeram o quê? A infraestrutura brasileira. Investiram em capital físico, instalações industriais, máquinas, equipamentos, coisas desse tipo.

Partiu, então, para a crítica aos governos democratas após o fim da ditadura:

Aí vem um regime politicamente aberto, começa a redemocratização. O que ela faz? Exatamente o contrário. Começa a investir na área social: saúde, educação, saneamento e tal. E claro que esse lado parece muito mais virtuoso do que o outro. O outro só cuidava de telefonia para a classe média alta, fazia telefone com a Telebras, tinha petróleo com a Petrobras para a classe média poder andar de carro para baixo e pra cima. Para comprar televisão colorida, crédito para a classe média. O povo está abandonado e não sei o quê.

Na visão do economista, o resultado desse modelo foi que a democracia começou a empurrar para o outro lado, o da dívida social. Mas essa política, dizia ele, teve consequências, porque o Estado não conseguia atender a todas as demandas sociais.

Se meu regime é politicamente fechado, se faz o que o chefão quer. Se você tem um regime politicamente aberto, que é uma democracia, ela tem legítimas aspirações sociais, as decisões são descentralizadas. Não é mais um cara falando "Vamos fazer petróleo, vamos fazer telefonia". Agora é um povo todo falando "Queremos saúde, queremos educação, queremos resgate da dívida social".

Essas aspirações de uma democracia emergente, na opinião de Guedes, constituem o grande enigma que devorou a classe política brasileira nos últimos trinta anos.

Como você pega um Estado que é centralizado e começa a puxar esse cobertor para a área social? Área social precisa de descentralização de recursos. Uma coisa é fazer uma usina nuclear: você precisa juntar o dinheiro todo lá em Brasília e desenhar a Nuclebras. Outra coisa é falar "O povo precisa de saneamento". Aí é tirar o dinheiro de Brasília, ir pra cada cidadezinha brasileira e cuidar do esgoto em cada cidadezinha. Então você tem que descentralizar os recursos e o poder político.

A classe política, na sua visão, não soube equacionar isso: "O que aconteceu? Quando redemocratizou e começou a estender o dinheiro para estados e municípios, começou a colocar os pobres nos orçamentos públicos. Então, quando começou a puxar esse cobertor para área social, nós fomos pra hiperinflação, porque não tinha dinheiro para tudo".

Guedes fazia duras críticas aos políticos que quiseram manter um Estado inchado, ao mesmo tempo que queriam melhorar as condições sociais da população. "O Estado brasileiro virou uma fábrica de privilégios. Aposentadorias altas para o funcionário público, salário alto, estabilidade no emprego, crédito subsidiado, bolsa empresário. Como você vai ajudar os pobres sem desmontar os privilégios antigos?". Essa política, em seu ponto de vista, levara o Brasil devagarzinho para uma hiperinflação. As críticas se estendiam a seus colegas: "Os economistas diziam que isso era puramente inercial e congelavam preços. Na verdade, os gastos públicos primeiro sobem porque os militares queriam fazer a estrutura e depois continuaram subindo porque os civis queiram resgatar direito social. Então os gastos públicos só sobem".

Eram essas ideias que ele tentava discutir nas conversas que tinha na casa de Paulo Marinho com o presidenciável e o pessoal da campanha. Bolsonaro, conforme contaria um dos presentes a essas reuniões, não tinha muita paciência para ouvi-las. O discurso do economista era o mesmo desde o início da redemocratização — um discurso que, após assumir o Ministério da Economia, não se encaixaria com a prática do governo. Entre outros descalabros fiscais, o governo aprovou um orçamento secreto para ser distribuído a parlamentares com o intuito de conseguir o apoio do Centrão para seus projetos. Em junho de 2022, numa manobra eleitoreira, o Executivo conseguiu o apoio do Congresso, inclusive da oposição, para levar a cabo a PEC Eleitoral, como ficou conhecido o projeto. Entre outros benefícios, o Auxílio Brasil foi ampliado e o vale-gás foi dobrado, e instituiu-se ainda o programa PIX Caminhoneiro, direcionado a caminhoneiros autônomos afetados pela alta dos combustíveis. Muitos economistas consideram a PEC um desastre para as contas públicas, além de um desrespeito à Constituição, que proíbe aumento de gastos em ano eleitoral.

Embora fosse um fervoroso defensor da austeridade fiscal no início do governo, Guedes admitiu:

> O gasto público só cresce. Esse é o principal fenômeno que caracteriza os últimos quarenta anos no Brasil. Aí você começa a lidar com o sintoma. Tem um fenômeno lá fora que é o dragão inflacionado passeando, os homens estão em volta de uma fogueira e veem aquela sombra de um dragão na caverna, que é só um sintoma; o fenômeno de verdade está lá e eles estão olhando aqui. O que os economistas brasileiros viram? O fenômeno de verdade é este: uma disputa por recursos, jogando dinheiro para a área social sem tirar o privilégio do outro lado, porque a esquerda que entrou estava amedrontada, estava acabando de sair de uma ditadura.

Em conversas com interlocutores, ele partia para o ataque ao PSDB e ao PT, dizendo que, em nome da ética, o país foi ficando cada vez mais à esquerda, mas depois, com o impeachment de Dilma, voltou para o MDB. "Sabe o que é isso? O país está andando em círculos. Você não consegue enfrentar os sindicatos, não consegue privatizar. Não saem do lugar. Aí chega um cara feito Bolsonaro e diz: 'Não é por aí não, porra!'. Chega um cara feito eu e diz: 'É isso, tem que abrir'. Aí os caras dizem 'Opa! Quem sabe tem uma saída para o outro lado'".

Para Guedes, o ciclo do PSDB e do PT estava esgotado. Para ele, o Brasil antes, um "prisioneiro da esquerda", fora libertado com Bolsonaro — e, obviamente, com ele no comando da Economia. Na sua visão, o país quis romper com o modelo antigo: " Vou dar uma ruptura nisso aqui e agora vai ser uma política de centro direita. 'Ele apoia militar.' Foda-se. 'Ele ameaça o Congresso'. Foda-se. Precisa de um cara como ele para sacudir esse coreto. 'Ele não fala em governabilidade.' Foda-se, não queremos governabilidade à base da corrupção", afirmava Guedes, respondendo às próprias perguntas. Era esse o tipo de conversa que ele tinha com o mercado e os empresários.

Após as eleições, Paulos Guedes abraçaria também a visão conservadora nos costumes de Bolsonaro — e até se divertiria com ela. Numa entrevista feita no escritório do Ministério da Economia, no Rio, ele contou sobre uma conversa que tivera no começo de 2019 com o presidente: "A Globo enche a nossa casa de merda. A mulher mais bonita é casada com um traficante. Só tem veado na Globo. Para eles serem aceitos, querem desenhar um mundo que não é verdade. E quando eu boto uma merda na frente deles uma vez, que é a tal da *golden shower* — gays urinando uns nos outros — eles vêm gritar 'Olha o que o Bolsonaro tá mostrando, que coisa horrorosa'". Guedes contou que Bolsonaro fazia troça com a reação da esquerda: "Eles botam merda na casa da gente todo dia, eu boto uma vez, eles gritam. Sou obrigado a tolerá-los, por que eles não vão me tolerar?".

Para Guedes, essa virada dos conservadores foi o "troco" nas pautas de costumes:

> Durante trinta anos as famílias tiveram que ficar quietinhas, aguentando os excessos comportamentais. Não bastava para os gays fazerem sexo. Eles queriam fazer na frente de todo mundo. Então, as famílias votaram no Bolsonaro mesmo. É uma putaria. Tudo é permitido. Matar não tem problema. Invadir terra não tem problema. Então, isso é uma revolta conservadora. Contra os liberais? Não. Contra os excessos. Por isso eu digo que quem votou em Bolsonaro foram os conservadores nos costumes e os liberais na economia. O liberal não se importa com essa coisa de gay ficar se agarrando no restaurante. E se não gostar, ele não volta mais. O liberal lida com isso fácil, mas não o conservador. Então foi uma aliança de conservadores nos costumes e liberais na economia.

Se Paulo Guedes era a cara do liberalismo, Olavo de Carvalho era a do conservadorismo. As duas pontas se uniram para eleger Bolsonaro. Após a vitória do ex-capitão, integrantes do governo Trump começaram a ver em Olavo de Carvalho um importante interlocutor para saber o que se passava no Brasil. O escritor conseguiu emplacar dois ministros no governo: o da Educação, Ricardo Vélez, defensor da Escola sem Partido, e o das Relações Exteriores, Ernesto Araújo. Dois dias depois da indicação de Araújo, Carvalho publicou no Facebook: "Não trabalho para a direita brasileira. Eu a inventei, porra".

Mas antes mesmo do resultado das eleições, Olavo de Carvalho já impressionava parte da direita americana — inclusive Steve Bannon, que fora apresentado a ele por Gerald Brant. O cineasta Josias Teófilo se lembra de estar na casa do escritor, na Virgínia, quando Bannon foi visitá-lo pela primeira vez. "O Bannon queria ouvi-lo, ao contrário dos brasileiros que chegavam lá na casa dele e só queriam falar. O Bannon queria muito saber a opinião de Olavo sobre o tradicionalismo de René Guénon. Eles tinham ideias muito parecidas", afirmou. Teófilo também contou que Bannon estava a par da reação negativa da esquerda ao seu documentário sobre Olavo, e lhe disse que coisas parecidas aconteciam nos Estados Unidos.

Após a vitória de Bolsonaro, Bannon convidou Olavo de Carvalho para um jantar em sua casa, em Washington. Teófilo fotografou o "encontro histórico", ao qual ele e a esposa de Carvalho, Roxane Andrade de Souza, além de Eduardo Bolsonaro, estavam presentes. Bannon fez perguntas sobre o "liberal" Paulo Guedes. Antes do início da refeição, Bannon pediu a Carvalho que conduzisse a oração do pai-nosso.

Dias depois, Olavo de Carvalho foi convidado a fazer uma visita ao Departamento de Estado americano. Novamente foi acompanhado de Roxane e Teófilo. Na entrada, no setor da América Latina, os seguranças comentaram com Teófilo que haviam assistido ao seu documentário. A impressão que tiveram naquele encontro, como avaliaria o cineasta, foi de que a eleição de Bolsonaro se transformara em uma grande esperança para os americanos, porque as relações entre os dois países não passavam por um bom momento. Muitos governantes americanos achavam as relações diplomáticas com o Brasil um tanto hostis, desde a época dos militares. Para ilustrar esse mal-estar, o pessoal do Departamento de Estado que recebeu Olavo, Teófilo e Roxane contou que, no passado, foi cogitada a fundação de um instituto para cuidar das relações Brasil-Estados Unidos, mas que a ideia fora rejeitada pelos militares por temer ingerência norte-americana na Amazônia. Olavo de Carvalho, depois de horas de conversa, saiu de lá com a impressão de que estava nascendo uma era de ouro entre os dois países. Ficou encantado com a recepção e entendeu que a principal preocupação dos americanos era a expansão dos negócios chineses no Brasil.

Logo depois, o escritor abriria uma cruzada contra os deputados brasileiros de direita que foram visitar o país asiático, passando a atacar em suas redes os parlamentares do PSL que haviam ido à China a convite de empresários locais. Além de ser apresentados à tecnologia 5G de celulares, o objetivo da visita incluía ver de perto um projeto de reconhecimento facial em locais públicos que poderia ser exportado para o Brasil. Olavo partiu para ataque, chamando os parlamentares de comunistas e acusando-os de querer vender o Brasil para a China.

Poucos meses depois de tomar posse, Paulo Guedes comentou com um interlocutor que o Brasil era um país triste, sem perspectiva. E vangloriou-se: "Estou seguro de que vamos fazer alguma coisa. Estão reclamando que a economia não cresceu. Eu falo: 'A economia está parada há trinta anos, me dá uma chance agora de fazê-la crescer'".

Com um ano e três meses de gestão no Ministério da Economia, o Brasil e o mundo entraram em lockdown por causa da pandemia do coronavírus. Paulo Guedes custou a perceber a gravidade da situação e insistiu que as pessoas continuassem trabalhando, reforçando a tese de Bolsonaro, apesar dos riscos para a população. Custou também a entender que era necessária uma ajuda de custo aos desempregados pela pandemia. Só liberou dinheiro para socorrer os desamparados depois da pressão dos governadores e do Congresso, revelando enorme insensibilidade social. Seu projeto de privatização, após quatro anos de governo, não se aproxima nem da metade do prometido durante a campanha de Bolsonaro. O saldo de sua gestão, até 2022, era o seguinte: a inflação disparou, as reformas empacaram, os gastos públicos aumentaram e a economia estagnou. Os empresários ainda não tiveram a chance de ver Paulo Guedes fazê-la crescer.

8. O que a imprensa não viu

Jair Bolsonaro colocou o revólver sobre a mesa de centro da sala de estar do seu QG, no anexo da casa de Paulo Marinho, e perguntou em tom de deboche para os seus interlocutores: "Vai ser pelotão de fuzilamento ou não vai? Quero ver vocês me prepararem aí, porra!". Depois soltou uma gargalhada.

Era 3 de agosto de 2018, uma sexta-feira. Naquela noite, às dez horas, ele participaria da sabatina com nove jornalistas da GloboNews. Desde o final de julho, a emissora vinha entrevistando os candidatos à presidência. Muitas vezes incisivos, os jornalistas intimidavam alguns entrevistados, e Bolsonaro sabia que a situação dele seria mais complicada. Além de ter uma relação ruim com a imprensa, havia entre os entrevistadores dois profissionais que tinham sido presos e torturados pela ditadura militar: Míriam Leitão, que comandava o programa, e o jornalista e ex-deputado Fernando Gabeira.

Horas antes do debate, acomodada ao lado de Bolsonaro nos sofás da sala, estava a turma que o prepararia para o "pelotão de fuzilamento": Gustavo Bebianno, Paulo e André Marinho, Julian Lemos, Paulo Guedes e Flávio Bolsonaro. "Havia uma expectativa imensa em relação àquele momento", lembraria André Marinho, que considerou aquele um dos dias mais tensos da campanha. "Todo mundo dizia que ele não teria estofo para enfrentar os jornalistas. Que seria massacrado."

"Mas a verdade", diria depois André Marinho, que acompanhou a campanha de Bolsonaro desde o início e teve grande convivência com o candidato, "é que ele é um sujeito que lê muitas notícias, está sempre muito antenado, independentemente dos veículos que ele demoniza, que ele sataniza." O seu estado de ânimo, inclusive, muda bastante em função de qualquer notícia referente a ele. "É pura ilusão essa fachada de que ele não lê os jornais que o criticam", contou. "Ele pode até falar 'Globolixo', 'Foice de São Paulo', 'imprensa porca', 'esses patifes', porque falam mal dele. Mas ele não deixa de ler."

Guedes deu algumas sugestões de como ele deveria se posicionar sobre economia, mas Bolsonaro pareceu não entender. Depois, olhou André Marinho de cima a baixo quando o rapaz o alertou para que tomasse cuidado para não cair em contradição e fazer a defesa de algum argumento petista. "Boa, garoto, parabéns aí, garoto." Em seguida, se atracou nos croquetes com mostarda à sua frente, comendo compulsivamente, para controlar o nervosismo. Enquanto mastigava, pegou uma folha de papel em branco e uma caneta Bic e começou a fazer anotações em letras maiúsculas das perguntas que o grupo lhe fazia, para se preparar psicologicamente para o desafio que teria pela frente.

O Land Rover do candidato o esperava na garagem. Por volta das nove da noite, o grupo deixou a casa de Marinho, localizada a poucos minutos do estúdio da GloboNews, no Jardim Botânico. "Vamos atrasar uns cinco minutos pra deixar os caras lá com o cu na mão, porra", divertiu-se Bolsonaro. O presidenciável já mostrava disposição para criar tensão no pessoal da Globo. Alegando problemas de agenda, ele fizera a emissora trocar a data de sua sabatina (que seria no dia anterior, uma quinta-feira) com a de Geraldo Alckmin, do PSDB. O tucano topou a mudança, sem imaginar que, às 22h15, durante o programa, Bolsonaro iniciaria seu próprio programa de entrevistas pela internet, batizado por ele de "O Brasil entrevista". A live, transmitida pelo Facebook e pelo YouTube, quebrou a audiência do tucano.

O carro era dirigido pelo ex-policial Fabrício Queiroz, e Flávio estava sentado a seu lado. No banco traseiro iam Bolsonaro — vestido com um terno preto, camisa branca e sapato preto —, André Marinho e Paulo Marinho. Durante o percurso, o ex-capitão perguntou para o filho: "Flávio, o que é que tu lembra de pacto federativo aí?". O Zero Um respondeu que era "aquela coisa de guerra fiscal dos estados". André, que estava sentado no meio, espiou a tela do celular de Bolsonaro, do qual ele não desgrudava, e viu que ele lia uma mensagem quilométrica de Janaina Paschoal, até ali ainda cotada para ser a vice na chapa dele. "Puta que pariu, essa Janaina é chata pra caralho", reclamou Bolsonaro.

Quando o carro parou em frente à entrada da emissora, Bolsonaro ainda encarava o aparelho. Ao se dar conta de que haviam chegado, tirou o revólver que trazia no bolso do paletó e o jogou no colo de André. "Garoto, coloca aí no bolso, porra." O rapaz deixou o revólver no carro. Quando Bolsonaro abriu a porta, havia um enxame de jornalistas, fotógrafos e cinegrafistas à espera.

O presidenciável era aguardado na entrada do estúdio por Ali Kamel, o diretor de jornalismo da Globo, e alguns executivos. Para surpresa da direção da emissora, as pessoas da técnica — maquiadores, operadores de câmera, seguranças, garçons etc. — correram para saudar o candidato e fazer fotos ao lado dele. Alguém da organização sugeriu que continuassem as fotos depois do debate. Bolsonaro brincou: "Se eu estiver vivo até lá".

Ao ser apresentado a Ali Kamel, Bolsonaro o cumprimentou com frieza, evitando olhar nos olhos do jornalista, como costuma fazer quando não quer contato com o interlocutor. Ignorando a desconsideração, Kamel colocou a mão no ombro do candidato e o guiou até o estúdio. Bolsonaro lhe perguntou: "Onde tem um lugar aí para eu tirar água do joelho antes de passar o pó na cara?". No estúdio, foi cumprimentado por seus entrevistadores. Os organizadores da campanha foram levados para outra sala, onde havia um catering e uma televisão para que pudessem acompanhar a entrevista. Bolsonaro foi até eles, comeu uns sanduíches e umas uvas e voltou para o estúdio.

Embora os jornalistas tentassem imprensá-lo, na avaliação do pessoal da campanha Bolsonaro estava se saindo razoavelmente bem, ainda que sem brilho. Valeu-se de quase todos os cacoetes costumeiros, que seriam compilados por André Marinho nas suas lives de humor: "No que depender de mim"; "em especial"; "porventura"; "afinal de contas"; "por ocasião"; "corrente ano"; "olha só"; "até porque"; "no tocante a"; "tá o.k.?"; "qüestão"; "eu costumo dizer"; "outrossim"; "pode ter certeza"; "acreditado junto ao meu governo"; "nosso querido Brasil"; "desde há muito"; "para comigo"; "cê pode ver"; "tá na cara"; "sem problema nenhum"; "ponto-final"; "isso nós não vamos permitir".

Foi então que o jornalista Roberto D'Avila fez a pergunta fatal para a Globo, e pela qual Bolsonaro mais esperava. "Deputado, contra todas as evidências,

[...] o senhor nega que houve ditadura no Brasil. Como é que nós podemos imaginar que o senhor, se presidente da República, não vai fazer atos 'ditatoriais', já que considera que não houve ditadura?", perguntou, de forma suave, mas com certa malícia. Bolsonaro levantou um pouco a cabeça e revirou os olhos, como se pensasse na resposta. "Olha, quem sempre quis o controle social da mídia foi o PT, não fui eu." E, aparentando tranquilidade, dirigiu-se a D'Avila: "Veja, uma das marcas da ditadura é ter uma imprensa única. A TV Globo nasceu em 65, a *Veja* nasceu em 68". Com um sorriso sarcástico no canto da boca, completou: "Agora me permite uma coisa aqui, por favor. [...] O editorial de capa do jornal *O Globo* de 7 de outubro de 1984. Abre aspas, senhor Roberto Marinho, abre aspas". E começou a recitar de cabeça, quase declamando, com indisfarçável prazer, o trecho do editorial assinado pelo dono do jornal, Roberto Marinho, em 1984: "'Participamos da Revolução de 1964, identificados com os anseios nacionais de preservação das instituições democráticas, ameaçadas pela radicalização ideológica, distúrbios sociais, greves e corrupção generalizada', fecha aspas". Continuou, quase em êxtase: "O sr. Roberto Marinho. O senhor acha que ele foi um democrata ou um ditador?".

Roberto D'Avila, constrangido, tentou se livrar da pergunta. Bolsonaro insistiu, quase sorrindo. "Me responda, por favor." D'Avila desconversou e perguntou: "Houve ditadura no Brasil ou não houve?". Bolsonaro respondeu sem se deixar intimidar. "Houve períodos de exceção", e começou a desfiar uma tese negacionista, como se a proibição do funcionamento do Parlamento não fosse a maior prova de um regime de exceção. "O que é um Congresso fechado? [...] Não tinha nenhum cabo na porta [...] e o Congresso não produzia leis." D'Avila retrucou: "E os milhares de exilados, centenas de cassados, o Supremo...?", mas foi interrompido por Míriam Leitão, que insistiu: "Candidato, o importante é saber o seguinte... E o futuro?".

"O futuro?", perguntou ele.

"Essa é a essência da pergunta de Roberto D'Avila que eu gostaria que o senhor respondesse. Num governo seu, que risco há de se repetirem esses atos do passado, que o senhor acha que não são ditatoriais?"

"Sra. Míriam", respondeu, com indisfarçado desprezo pela entrevistadora, "zero. Zero. Eram momentos diferentes. Era outra época. Havia uma Guerra Fria."

Na sala ao lado, o pessoal da campanha percebeu imediatamente que os jornalistas haviam caído numa cilada. Um dos que acompanhava a entrevista disse ter visto, naquele instante, uma expressão nos olhos de Bolsonaro que lhes era familiar. Um olhar de regozijo de quem pensa "peguei vocês, essa é a brecha perfeita".

O assunto do editorial havia sido discutido na casa de Paulo Marinho, durante o treinamento do candidato para a sabatina. Bolsonaro foi para a entrevista preparado para dar a resposta que deu, repassando, de cabeça, o editorial de apoio d'*O Globo* ao golpe. André Marinho contaria depois como se dera a conversa. "Ele mencionou, na preparação para a sabatina, que tentaria citar aquele editorial do jornal em defesa da ditadura", disse. "Mas a gente não sabia que seria com tons épicos, fincando a estaca no coração daquela bancada que era hostil a ele."

A história poderia ter acabado ali, com a admissão da empresa de que seu fundador de fato louvara o golpe — ainda que mais tarde, em um novo editorial intitulado "Apoio editorial a golpe de 64 foi um erro", publicado em 31 de agosto de 2013, quase cinco décadas depois, o jornal tivesse admitido o equívoco. Mas não. A entrevista já havia terminado, e, ao contrário do que costumava acontecer, nenhum dos jornalistas se levantou. Bolsonaro parecia não entender o que se passava. Relaxado, brincou com Fernando Gabeira, que tinha sido seu colega na Câmara, afirmando que, embora ele fosse de esquerda, eles se respeitavam. E disse, aos risos: "Vou te dar um abraço hétero".

A jornalista Míriam Leitão pediu silêncio e anunciou que tinha algo a falar. O que veio em seguida foi uma das situações mais constrangedoras da imprensa brasileira. Com um ponto no ouvido, ela começou a ler uma nota redigida às pressas pela direção da TV, justificando o editorial do jornal e a sua retratação em 2013. Sem estar preparada para a encenação, gaguejou algumas vezes. Da forma como a nota fora redigida, a impressão que se tinha era que estava sendo soprada pelo próprio Roberto Marinho, morto em 2003. A cena, vexatória, tirou o foco do desempenho mediano do candidato e aumentou muito sua popularidade. Os comentários nas redes eram irônicos. "Para encerrar a entrevista, Míriam Leitão psicografa a resposta de Roberto Marinho", disse alguém no Twitter. Outra pessoa provocou: "Míriam Leitão se cagando ao vivo e tendo que justificar o apoio de Roberto Marinho aos militares".

Quando o grupo da campanha foi ao encontro de Bolsonaro, ele estava reluzente, recordou André Marinho.

Ele sabia que tinha mandado muito bem. O discurso final dele foi muito preciso, embora tenha jogado tudo no lixo após assumir o governo. Mas ele falou: "A gente não pode ter esse Brasil do nós contra eles, pretos contra brancos, pobres contra ricos, sulistas contra nordestinos". E se valeu também do seu humor autodepreciativo para brincar com a própria canela, fina e branca, que ele dizia ser a razão pela qual era chamado de "Mito" — vinha de "Palmito", seu apelido na adolescência.

A grande celebração se deu depois, no carro, na volta para casa. Candidato e equipe deixaram a Globo às gargalhadas.

Não seria o único episódio em que Bolsonaro deixaria os jornalistas da Globo em situação constrangedora. O fato é que a imprensa talvez não estivesse preparada para lidar com um candidato alheio às regras de decoro entre jornalistas e entrevistados. "Ele é um iconoclasta. Ele tem prazer de ser do contra. Ele se retroalimenta do caos, quebrando as normas, convenções e liturgias. Acho que ele tem prazer nisso. Em ver a reação de reprovação dos outros", observaria André Marinho tempos depois. "Ele usa isso como forma de afirmar a fachada de autenticidade que tenta erguer para se preservar. Como se ele fosse o tiozão do churrasco, turrão. No convívio pessoal, é um sujeito paranoico, que tem síndrome de perseguição. Certamente tem uns demônios do passado que o assombram."

Marinho continuou com sua interpretação, resultante de quase um ano de convivência com o candidato: "Como mecanismo de defesa, ele tenta fazer piada a todo momento. Principalmente piada homofóbica. As pessoas riem, mas depois de certo tempo perde a graça, e ele não tem semancol", contaria, relembrando um episódio em especial. Certo dia, na casa de seu pai, André Marinho estava usando um chinelo com o logo dourado de um hotel, e Bolsonaro passou o dia incomodado com aquilo. "Ele ficou me olhando torto. Parecia que aquilo estava asfixiando ele. Até que me chamou e disse: 'Puta que pariu, garoto. Que sandália de baitola. Tira isso daí."

Bolsonaro voltaria a desestabilizar os jornalistas na sabatina do *Jornal Nacional*, em 28 de agosto, conduzida por William Bonner e Renata Vasconcellos. Ele passara o dia tenso, na expectativa do debate. Até Carlos Bolsonaro, que nunca aparecia no quartel-general do pai, estava lá com Hélio Lopes, vulgo Hélio Negão, candidato a deputado federal naquela eleição e que nunca abriu a boca para emitir uma palavra sequer. Paulo Guedes tentou preparar o candidato para responder a perguntas sobre economia. Ele não prestou atenção. Bolsonaro tinha um único interesse: falar do "kit gay". Passou o dia segurando o exemplar de um livro de educação sexual que tinha sido comprado em 2011 pelo Ministério da Cultura e distribuído em algumas poucas bibliotecas escolares da rede pública.

Em uma das páginas, o ensinamento se dava de maneira interativa: o leitor poderia colocar o dedo indicador no local onde ficaria o pênis de um menino, aproximando-o da vagina de uma menina. "Bolsonaro não queria falar de outro assunto. Parecia que aquele livro era a bala de prata com que ele desmontaria os dois entrevistadores", contaria André Marinho, que presenciou a preparação da apresentação do livro para o telespectador. "Ele dizia que ia expor o livro para provar como a Globo também estava sexualizando as crianças ao mostrar cenas de sexo nas novelas", disse. Numa entrevista para um canal aberto, o candidato sabia que esse era o tipo de assunto que mais interessaria ao público. No entanto, o livro jamais fizera parte do programa Escola sem Homofobia, que não fora uma iniciativa governamental, mas passara a ser associada aos governos do PT sob o apelido de "kit gay".

Como Bolsonaro estava muito nervoso, o pessoal da campanha se reuniu em volta dele e fez uma oração antes de ele seguir para a sabatina. Lá, o candidato repetiu o que fizera na GloboNews. Quando Bonner o impediu de mostrar o livro, ele respondeu: "Mas tem nas bibliotecas das escolas públicas. É livro escolar, é para crianças!". O presidenciável fez um carnaval com a história, embora soubesse que o livro não fazia parte do portfólio do Ministério da Educação nem havia chegado às salas de aula. Dessa vez, embora não tivesse se saído bem no debate, ele novamente chamou a atenção para o que queria. O público gostou de vê-lo desafiando as normas, questionando ideias antes incontestáveis. "O brasileiro médio lavou a alma ao vê-lo desafiando o William Bonner, coisa que nenhum outro candidato fez", disse Marinho, ao comentar a boa repercussão da entrevista nas redes do candidato.

Bolsonaro não precisava se sair bem no debate. Ele precisava de um momento memorável para viralizar.

Ele percebeu que tinha um campo muito fértil para explorar. As pessoas o louvaram nas redes sociais por ele ter 'enfrentado' a Globo, atacado as instituições. Ele percebeu que quanto mais batia, mais aumentava o apoio a ele. Ele é um sujeito que prospera na confusão, na discordância. Então, quando o cerco está se fechando, ele logo apela para uma declaração tresloucada para desviar a atenção. Isso tem método. E a imprensa custou muito a perceber. Acabou fazendo o jogo dele.

Menos de um mês antes, Bolsonaro havia feito o mesmo número no programa *Roda Viva*, na TV Cultura. Ali, os jornalistas já tinham insistido nas perguntas sobre seu apoio à ditadura (que ele negara ter existido) e à tortura. Ele citou o seu álibi preferido para defender o golpe militar de 1964: o editorial do jornal *O Globo* justificando o apoio à tomada de poder pelos militares. Ele também já tinha cutucado a imprensa afirmando que tanto a Globo quanto a revista *Veja* tinham sido criadas em 1965 e 1968, respectivamente, o que denotaria que havia liberdade de imprensa (a censura mais violenta aos meios de comunicação ocorreria a partir do ato institucional nº 5, o AI-5, editado em dezembro de 1968, que fechou o Congresso e colocou censores nas redações, mas Bolsonaro não tocou no tema).

Apesar do roteiro repetido, os jornalistas da Globo e da GloboNews cairiam na mesma armadilha de tentar imprensar Bolsonaro tocando no tema ditadura. A verdade é que os jornalistas não compreenderam que quanto mais eles tentavam pressioná-lo sobre esse tema, melhor ele se saía, dizendo tudo o que seu público, já doutrinado pelas redes, queria ouvir: que a esquerda iria implantar o comunismo no Brasil; que os militares trouxeram ordem ao país; que acabaram com a corrupção. Com isso, era apoiado pelos internautas lavajatistas, defensores de Moro, o "herói que acabou com a corrupção", e por aqueles que queriam a ordem e a volta dos militares ao poder. Também agradou aos liberais ao defender a privatização de estatais.

No *Roda Viva*, Bolsonaro já demonstrara ficar completamente à vontade para falar de seu apoio ao regime militar, ao contrário de qualquer outro candidato, que se ofenderia se o seu apreço à democracia fosse questionado. Assim como Bolsonaro, porém, parte da sociedade também defendia os militares. O que a imprensa não viu naquele segundo semestre de 2018 é que muitos brasileiros se identificavam com o pensamento despótico — associado à ordem — e eivado de ódio do candidato contra a esquerda e os valores humanos. Em rede nacional, ele os autorizara, pela primeira vez desde a redemocratização, a verbalizar essas ideias.

Ao contestar Bolsonaro, classificando suas ideias como autoritárias e incivilizadas, os jornalistas indiretamente atacavam seus apoiadores, e estes, em resposta, abraçaram a missão de desqualificar a imprensa. Desde o *Roda Viva*, os jornalistas insistiam em discutir temas que nada tinham a ver com as propostas de campanha, entrando no jogo do candidato. No programa da TV Cultura, uma das perguntas foi sobre a Lei da Anistia, de 1979, que perdoou, indistintamente, presos políticos e militares.

Havia uma discussão, naquele momento, se a lei deveria ou não ser revista para punir os militares. Bolsonaro driblou a pergunta, consciente de que a maior parte dos telespectadores e internautas era completamente indiferente àquela lei, promulgada quase quarenta anos antes. "Para que mudar a lei e criar tumulto? [...] Esquece isso daí. É daqui pra frente. O povo está sofrendo, com 14 milhões de desempregados [...]. É daqui pra frente." Os entrevistadores perderam, então, a oportunidade de rebater e perguntar o que ele tinha em mente para diminuir o desemprego, a inflação, a violência, por exemplo. Não foi feita nenhuma pergunta sobre seu programa de governo. Essa, provavelmente, seria a via para desmontá-lo. Como admitiria, tempos depois, seu marqueteiro, Marcos Carvalho, Bolsonaro não tinha nenhuma proposta consistente.

Ao levarem o debate para áreas em que Bolsonaro sempre tinha argumentos, ainda que chocantes para uma parcela expressiva da sociedade, e os defendia sem constrangimento, os jornalistas ajudavam-no a ganhar ainda mais apoio dos conservadores.

Ao mencionar a briga dele com Maria do Rosário, Bolsonaro respondeu que era ele, e não a deputada, quem estava defendendo as mulheres de serem estupradas. Ao perguntarem sobre a resistência dele em apoiar as cotas para negros, insinuando que, por causa disso, ele fosse racista, negou. Disse que achava justo que os brancos mais pobres, e não só os negros, tivessem o acesso facilitado à universidade. Dessa forma, falou direto ao coração da classe média baixa branca que sentia que seus filhos eram prejudicados pelo sistema de cotas. Além disso, o baralho ideológico parecia estar se bagunçando mesmo entre as classes mais baixas. De acordo com uma pesquisa da Fundação Perseu Abramo, do PT, feita um ano antes da ida de Bolsonaro ao *Roda Viva*, boa parte dos moradores da periferia de São Paulo com renda familiar mensal de até cinco salários mínimos desaprovava as cotas. A isso, e procurando entender a "direitização" da periferia paulistana, a pesquisa do instituto Perseu Abramo dá o nome de "sobrevalorização do mérito".

Os jornalistas, na entrevista do *Roda Viva*, perguntaram ainda o que aconteceria no seu governo caso Bolsonaro se "divorciasse" de Paulo Guedes, em vez de o questionarem sobre suas propostas econômicas. A saída foi fácil. Ele respondeu que jamais brigaria com Guedes. No lugar de perguntarem sobre qual seria sua política de imigração para os venezuelanos que entravam em massa no Brasil, perguntaram se ele sabia que Jesus era refugiado. Ele riu. E respondeu não ser contra a imigração, mas sim a favor de um controle maior sobre quem estava entrando.

Ao lembrarem que, no seu processo por indisciplina, nos anos 1980 — que acabou tendo por desfecho sua ida para a reserva —, um superior dele, coronel Carlos Alfredo Pellegrino, teria dito que ele tinha problema com os subordinados, Bolsonaro respondeu: "Nunca tive, se tivesse tido, não teria sido o vereador mais votado entre os sargentos e soldados". Quando o advogado, militante dos direitos humanos e ex-ministro da Justiça de FHC, José Gregori, lhe mandou uma pergunta virtual, pedindo que confirmasse se teria dito que a ditadura poderia ter matado a ele e a Fernando Henrique Cardoso, respondeu, desrespeitosamente e crispado de ódio: "Quanto ao Fernando Henrique, sim. Quanto ao seu nome, você não merecia essa atenção toda, não". Gregori, um dos advogados mais respeitados do país, jamais foi preso político, e sim defensor dos perseguidos pelo regime defendido por Bolsonaro.

Num último gesto de provocação, quando o apresentador lhe perguntou sobre seu livro de cabeceira, respondeu: *A verdade sufocada*. O apresentador, ingenuamente, perguntou quem era o autor. E Bolsonaro, quase sorrindo, respondeu: "Carlos Alberto Brilhante Ustra". O coronel foi acusado por presos políticos de ter sido um dos mais atrozes torturadores do regime militar e, posteriormente, condenado pela Justiça.

O debate no *Roda Viva* conquistou o primeiro lugar mundial no Twitter naquele dia, como anunciou o apresentador, acrescentando: "Boa parte graças aos seus seguidores". Nenhuma pergunta foi feita sobre a atuação dele nas redes sociais. Bolsonaro saiu da emissora com a certeza de que tinha abatido os jornalistas — com o que concordariam seus seguidores nas redes sociais e também muitos comunicadores e analistas.

As táticas agressivas de Bolsonaro haviam começado a ser colocadas em prática na TV aberta brasileira anos antes, nos programas de auditório a que incansavelmente compareceu à revelia do jornalismo tradicional. Entre 2010 e 2018, segundo levantamento do Instituto de Estudos Sociais e Políticos da Universidade Estadual do Rio de Janeiro, Bolsonaro foi por 33 vezes o principal convidado ao vivo em programas populares de entretenimento como *SuperPop*, *CQC*, *Pânico na Band*, *Agora é Tarde* e *Casos de Família*. No caso do *Super-Pop*, de Luciana Gimenez, na RedeTV!, segundo análise do instituto, Bolsonaro "praticamente se tornou membro do time de comentaristas do programa". Compareceu onze vezes.

O IESP destaca, ainda, um quadro de humor chamado "Mitadas do Bolsonabo", que entre março e dezembro de 2017 teve 34 episódios exibidos no *Pânico na Band*. Bolsonaro não aparecia, mas era interpretado pelo humorista Márvio Lúcio, o Carioca, que replicava os modos grosseiros do então deputado enquanto interagia com a população no meio da rua. Entre frases machistas e comentários vulgares e preconceituosos, as pessoas riam. No oitavo episódio do quadro, uma mulher pergunta ao personagem Bolsonabo: "Se você fosse eleito, colocaria uma mulher no seu ministério?". Ao que ele responde: "Claro que colocaria. Quem você acha que vai limpar aquela parada lá?". Outros atores ao lado do humorista pulam e gritam "Mito!", e os gritos são ecoados pelo auditório improvisado no meio da rua. No nono episódio, outra mulher pergunta: "Quero ser Miss São Paulo, será que eu consigo?". Bolsonabo debocha: "Você só pode estar de sacanagem com a minha cara. Você é a mistura de bruxa com a perna peluda da Maria do Rosário". Seguem os gritos de "Mito!". Depois, uma nova participante questiona: "Se os militares chegassem ao poder, você acha que deveria colocar tanques nas ruas?". A resposta: "Claro que deveria colocar, inclusive para você lavar roupa". O ator termina as frases sempre gritando à procura do apoio dos presentes, que se divertem.

Durante os anos em que participou de programas de entretenimento, Bolsonaro foi furando o bloqueio da mídia e dando projeção a ideias suas que negavam o politicamente correto. Encontrou simpatia em parte da população, que passou a enxergá-lo como espontâneo, verdadeiro, transparente. Os comentários preconceituosos eram vistos apenas como piadas, daquelas feitas entre amigos muito íntimos, e os ataques agressivos contra jornalistas ou opositores eram tidos como corajosos.

Em um artigo para *The New York Magazine*, reproduzido no Brasil pela revista *piauí*, em junho de 2016,[1] o jornalista e escritor inglês Andrew Sullivan observou a atração que Donald Trump exercia sobre seus seguidores. "O que é notável nos apoiadores de Trump", escreveu,

> é precisamente o que se esperaria de membros de um movimento de massas: a lealdade a toda prova. Trump é seu líder, ainda que tenham dificuldades em explicar por quê. Ele é durão, ele é verdadeiro, dizem — e eles estão prontos a defendê-lo, sobretudo quando é atacado por todos aqueles que passaram a desprezar. [...] Foda-se o politicamente correto. Como disse um de seus partidários, quando um repórter lhe perguntou se apoiava Trump: 'Claro que sim! Com ele não tem conversa fiada. O que ele tem é colhão. Foda-se todo mundo — para mim o negócio é ter colhão'. É aí que reside o apelo dos tiranos, desde o início dos tempos. Irracionalidade e músculos.

Muitas das suas considerações se aplicam também ao que aconteceu entre os brasileiros e Bolsonaro nos anos anteriores à eleição dele como presidente da República. O deputado caiu nas graças da população conservadora. Pobres e ricos passaram a celebrar o sumo bolsonarista que estava contido, por exemplo, nas respostas atravessadas que ele dava aos repórteres. Nesse sentido, o personagem Bolsonabo ajudou o deputado a penetrar o imaginário da população como fonte de autenticidade e divertimento. Ao mesmo tempo, o Bolsonaro real acabava crescendo em popularidade cada vez que era desrespeitoso com um jornalista, um opositor ou uma instituição. Seus rompantes divertiam a população, e por isso ele fazia sucesso nos programas de entretenimento. O personagem também funcionava como um estímulo para externar o ressentimento contra a elite intelectual, que os bolsonaristas julgavam se considerar "a dona da verdade".

A imprensa, acostumada a um jogo mais civilizado, demorou a perceber que estava diante de um novo fenômeno. Talvez tivesse lidado, no passado, com alguns tipos parecidos e raivosos, como o último general da ditadura, João Batista de Oliveira Figueiredo, e o primeiro presidente eleito democraticamente, Fernando Collor de Mello. Ambos eram agressivos, impetuosos e grosseiros, mas nenhum chegou perto dos modos rudes de Bolsonaro e da desconsideração pelas pessoas e instituições. Ainda em seu artigo para a *New York Magazine*,

Sullivan cita um ensaio do filósofo americano Eric Hoffer, de 1951, *Fanatismo e movimentos de massa*. O insight de Hoffer foi localizar a origem de todos os verdadeiros movimentos de massa numa sensação coletiva de frustração aguda. "O motor mais poderoso para tal movimento — aquilo que o faz crescer e tomar forma, o que o solidifica e permite que crie raízes — é sempre a evocação do ódio. O ódio, como definiu Hoffer 'é o mais acessível e o mais abrangente de todos os elementos unificadores."

Assim, quando Bolsonaro dizia, ao se referir à Venezuela, "vocês da mídia, em grande parte, são uma esquerda burra, porque não percebem que vão ser as primeiras vítimas dessas ditaduras", ou quando respondia para um jornalista que lhe perguntara se ele criticaria o imigrante se este fosse sueco, "e algum sueco vai querer vir pra esse fim de mundo, idiota?",[2] ninguém o levava a sério. Mas ele sempre agiu assim, chamando os jornalistas de imbecis, destilando o ódio e estimulando parte da população, que se sentia desprezada em seus valores mais caros, a fazer o mesmo.

No começo da campanha, a imprensa tratou Bolsonaro apenas como um histriônico, um radical destemperado, candidato de nicho que não merecia ser levado a sério. Os institutos de pesquisa ajudaram a confundir os jornalistas ao dizer que ele tinha poucas chances, que os mais pobres não votariam nele, que era um candidato da elite antipetista, sem perceber que o antipetismo — por meio de escândalos de corrupção, sobretudo a Lava Jato (exacerbada pela própria imprensa), e mazelas persistentes como a violência e a falta de serviços básicos — já tinha se infiltrado também nas periferias, nas comunidades evangélicas, no campo, entre os pequenos empreendedores com dificuldades para tocar seus negócios. Mas a imprensa, os institutos e a academia acreditavam que a sociedade perceberia que Bolsonaro era alguém que desprezava valores fundamentais da humanidade.

O problema é que, com o Congresso e o Judiciário tidos em baixa conta por suas atitudes descoladas dos dramas sociais pelos quais o país passava, o desprezo de Bolsonaro pelas instituições encontrava reforço. E as pessoas ignoravam que ele fizesse parte de uma dessas instituições havia quase trinta anos. Com governantes sendo pegos com dinheiro nas cuecas e guardanapos na cabeça, o Judiciário e o Legislativo mantendo a autoconcessão de privilégios enquanto o país amargava um desemprego de 14 milhões de pessoas e uma violência que ceifava 63,8 mil vidas por ano, parte da sociedade resolveu acreditar — e votar

— naquele que prometia "acabar com tudo isso aí". Ainda que ele não tivesse respostas para nada.

Acostumada com o statu quo de décadas, a imprensa não percebeu que a sociedade mudara e ficou presa na bolha. Mas, desde 2013, a população não saía mais das ruas. Só que não era a esquerda que as ocupava. Havia o fenômeno Trump, nos Estados Unidos, havia as redes sociais. E, ainda assim, a imprensa custou a acreditar que um candidato tão fora dos padrões pudesse ser eleito.

A primeira prova dessa falta de percepção foi a cobertura política dos jornais e televisões. Entre o final de 2016 e o início de 2017, os jornalistas começaram a dar alguma atenção a Bolsonaro, mas o tratavam como um personagem bizarro, sem chance de vitória. Havia uma lógica bem estabelecida para a cobertura de eleições, e o que Bolsonaro fazia era inédito. Como observou o diretor da sucursal de Brasília de um grande jornal, os meios de comunicação mantiveram as premissas da cobertura política que foram aplicadas desde a democratização: para ganhar a atenção da imprensa, o candidato precisaria ter um partido com capilaridade, visibilidade na grande mídia e tempo de televisão, apoio do Congresso e de grandes empresários.

No início de 2017, as redações achavam que precisavam acompanhar o dia a dia de Bolsonaro, como faziam com os demais candidatos mais conhecidos. Mas quando, em 2018, Bolsonaro continuou falhando em demonstrar acesso às estruturas partidárias tradicionais, a imprensa deixou, mais uma vez, de enxergá-lo como candidato viável.

"Ele teve o mérito de enxergar coisas que ninguém tinha visto. Talvez só o Lula tivesse feito isso. Bolsonaro foi o primeiro cara a passar quatro anos em campanha. A imprensa não observou que as viagens, as recepções nos aeroportos, o movimento radical que ele fomentava, tudo foi ficando muito sólido e ocupou a ausência de uma estrutura política tradicional", observaria o diretor de um jornal de Brasília. Ele atenua a falta de visão da imprensa com a crise política que acometia o país desde 2013.

Um conjunto de acontecimentos dramáticos dividia a atenção dos jornalistas. O Brasil parecia ter saído direto de uma eleição polarizada, em 2014, cujo resultado foi contestado pelo candidato perdedor Aécio Neves, para o impeachment da presidente eleita, em 2016. Eduardo Cunha, ferrenho opositor ao governo Dilma, se elegeu presidente da Câmara dos Deputados em 2015, e a Lava Jato mudou o jogo, matando quase todo mundo na política. "Com essa sucessão de crises, ninguém conseguiu dar a devida atenção para o movimento bolsonarista que estava surgindo", diz o chefe da sucursal.

A imprensa, além de não perceber que Bolsonaro corria por fora, ajudou, ainda que talvez involuntariamente, a reforçar o seu discurso de desmoralização da classe política, que era louvado pela população nas redes sociais. Na cobertura da Lava Jato, boa parte da imprensa comprou todas as versões do Ministério Público, do Judiciário e da Polícia Federal. Com capacidade para fazer escutas e mandar prender, esses órgãos foram ganhando cada vez mais poder, independência e, com isso, arrogância.

Procuradores e juízes passaram a dar declarações abertas contra os investigados, se arvorando de autoridade para destruir reputações. Essa autoridade foi concedida ainda no governo Lula, sob a gestão do advogado Márcio Thomaz Bastos, no Ministério da Justiça, quando os procuradores e policiais federais ganharam mais autonomia para investigar e prender. Os presos, muitas vezes, eram desafetos do governo. Um dos casos mais escandalosos foi a prisão, em 2009, da empresária Eliana Tranchesi, dona da Daslu, uma butique de luxo para ricos e famosos, em São Paulo. Acusada de sonegação fiscal, ela foi detida em casa. De forma cinematográfica, policiais federais desceram em cordas pelo prédio onde ficava a loja para apreender documentos — tudo acompanhado em tempo real pela imprensa, avisada sobre a operação na véspera.

Procuradores, policiais e juízes foram se sentindo mais poderosos para fazer o que quisessem. E a imprensa embarcou no show, já que o espetáculo aumentava a audiência e as vendas em banca. Com a Lava Jato, a situação se agravou. Uma parte da imprensa, que por muito tempo prestara bons serviços de jornalismo investigativo, passou essa tarefa para os procuradores. Quanto mais proximidade o jornalista tivesse com o procurador — a famosa "fonte do Ministério Público" —, mais informações ele obtinha. Muitos jornalistas se acomodaram e abriram mão de investigar e checar as informações. Bastava que um procurador passasse a notícia para que o repórter a publicasse de imediato, confiando no que fora dito. Como houve uma corrida dos veículos para ver quem saía na frente, o tempo de análise e verificação da notícia diminuiu na mesma medida em que aumentou o risco de erro e manipulação. As redações colocaram setoristas nos prédios da Procuradoria-Geral da República e das procuradorias regionais para que os repórteres trouxessem, diariamente, notícias quentes dos investigados — de preferência, exclusivas.

Os procuradores, os juízes e os policiais federais viraram estrelas da mídia. Todos os dias a foto de um deles era estampada nos jornais, ou então seus rostos apareciam 24 horas nas coberturas de televisão. As sessões do Supremo eram transmitidas pelo canal do tribunal, ampliando a superexposição do Judiciário. Ministros que deveriam manter a discrição passaram a se considerar ídolos televisivos, se esforçando para ganhar a admiração do público.

Nesse processo havia um agravante: muitos procuradores passaram a manipular a imprensa deixando vazar partes dos processos que os interessavam. Os meios de comunicação divulgavam esses trechos dos documentos alertando o público de que a investigação estava sob segredo de justiça — e isso parecia dar mais poder ao jornalista, que "conseguira" o furo de um processo que não poderia ter vindo à tona.

Rodrigo Janot, procurador-geral da República entre 2013 e 2017, foi um dos que mais contribuíram para a espetacularização das investigações da Lava Jato, junto com os procuradores de Curitiba e o juiz Sergio Moro. Eugênio Aragão, ex-ministro da Justiça de Dilma Rousseff, é um grande crítico do ex-procurador, e a relação dos dois azedou desde a delação do ex-senador petista Delcídio do Amaral. Procurador da República aposentado, Aragão nunca perdoou o colega pelos vazamentos seletivos, que contribuíram para a derrocada de Dilma.[3]

Um dos vazamentos mais criticados por juristas foi o da conversa entre Lula e Dilma em 2016. Imediatamente, a Esplanada dos Ministérios foi tomada por uma multidão exigindo que Lula não fosse nomeado ministro. O caso ajudou a derrubar a presidente. A imprensa não questionou a irregularidade da gravação.

Outra situação dramática foi o vazamento da delação dos donos da JBS, a maior empresa de processamento de carne do mundo, Wesley e Joesley Batista. Nesse caso, foi o Ministério Público que agiu de forma precipitada, valendo-se também da imprensa. No dia 17 de maio de 2017, a Procuradoria-Geral da República vazou para a redação do jornal *O Globo* um encontro entre Joesley e o então presidente Michel Temer, à noite, no Palácio da Alvorada.

Uma nota divulgada pelo colunista Lauro Jardim, no site do jornal, dizia que, numa conversa gravada por Joesley, sem autorização do presidente, o empresário contava que estava "dando a Eduardo Cunha [PMDB-RJ] e ao operador Lúcio Funaro", que naquele momento estavam presos, "uma mesada" para comprar o seu silêncio sobre corrupção no governo. Em que pese a gravidade do encontro nada republicano, a conversa não se deu nesses termos. O que Joesley diz ao presidente é que estava "amigo" de Cunha, ao que Temer responde: "Tem que manter isso".

Minutos depois de a nota ter sido publicada, toda a imprensa nacional a repercutiu, e o Congresso entrou em polvorosa, pedindo a cassação de Temer, sem que a notícia fosse checada. A precipitação no vazamento resultou em uma ação do presidente da República, que questionou a informação e os procuradores. Ao final, descobriram-se várias falhas no processo. Temer se manteve no posto e os irmãos Batista foram presos. Mas a moral da classe política afundou um pouco mais na lama.

O agravamento do quadro político interno, exacerbado pela forma exaltada com que a imprensa tratava vários dos casos de corrupção investigados pela Lava Jato, se somou à crise financeira e de influência da mídia no mundo todo. Havia uma crise global do modelo de jornalismo praticado até então, e o Brasil não escapou. Equipes começaram a ser reduzidas, muita gente experiente (e mais bem remunerada) saiu, sendo substituída por profissionais cada vez mais jovens e, naturalmente, com menos visão histórica. "Se olharmos para a estrutura da imprensa, as redações não chegaram a 2018 com sequer dez pessoas que presenciaram a eleição de Fernando Collor em 1989. Isso faz muita falta. A gente se convenceu de que a política brasileira era PT contra PSDB, acreditou que o bipartidarismo americano tinha chegado ao Brasil", diz o mesmo chefe de sucursal de Brasília.

Em sua dissertação de mestrado para a Universidade de São Paulo, de 2019 — intitulada *Jornalismo em retração, poder em expansão: Como o encolhimento das redações e o uso crescente de redes sociais por governantes podem degradar o ambiente informativo e prejudicar a democracia —*,[4] o jornalista Ricardo Gandour chamou a atenção para a redução dos jornais brasileiros, em número de páginas e de profissionais.

Dos sessenta veículos estudados, todos ligados à Associação Nacional de Jornais (ANJ) e espalhados por vinte estados, Gandour constatou que 78% reduziram o número de páginas e 83% diminuíram o número de empregados num período de dez anos. Em meio à avalanche de notícias, algumas redações aumentaram a produtividade de equipes menores lançando mão de jornalistas mais jovens. A entrada da mídia digital na equação também aumentou a velocidade das notícias e encurtou o tempo dedicado a aprofundá-las.

Em sua dissertação, Gandour reproduz um trecho do ensaio de Michael Massing, ex-diretor executivo da *Columbia Journalism Review*, intitulado "Digital Journalism: How Good Is It?":

> Em termos de impacto, as redações tradicionais detêm um diferencial esmagador. É difícil pensar numa reportagem on-line sequer que tenha obtido um estrondo comparável ao da reportagem que Jane Mayer publicou na revista *The New Yorker* sobre os irmãos Koch. [...] Até os vazamentos de Wikileaks e Snowden, baseados em informações digitais, saíram pela mídia impressa.

Gandour destaca ainda as ponderações do jornalista americano Dean Starkman em seu livro *The Watchdog that Didn't Bark: The Financial Crisis and the Disappearance of Investigative Journalism* [O cão que não latiu: A crise financeira e o desaparecimento do jornalismo investigativo], de 2014, sobre rejuvenescimento das equipes em um ambiente que passou a aprofundar menos as informações:

> Tem que ser dito que todos esses [jornalistas] recém-chegados não compensam as perdas sofridas pelos grandes jornais metropolitanos como *The Washington Post* e *The Los Angeles Times*, que dispensaram quase mil jornalistas e cortaram severamente a sua cobertura do mundo de negócios. É a diferença entre um jornalismo feito de forma artesanal e outro feito numa escala industrial.

Outro erro, fruto de um movimento das empresas de comunicação para tentar compensar as perdas do jornalismo investigativo, foi a substituição desses profissionais pelos jornalistas de opinião. Para reduzir os custos envolvidos em uma investigação (viagens, entrevistas, diárias e traslados), alocam-se profissionais para opinar sobre os fatos sem fazer uso das ferramentas do jornalismo investigativo. Isso também ajudou a legitimar como profissional a opinião das pessoas nas redes sociais ou em blogs pessoais. As mídias ditas tradicionais entraram no jogo opinativo da internet e retroalimentaram a polarização que florescia no meio digital. Competindo com blogs de opinião, a imprensa tradicional perdeu relevância e capacidade de influenciar a sociedade, já que o público passou a confiar mais nesses novos comunicadores.

Em 2018, sobrou opinião e faltou investigação nas entrevistas com Bolsonaro. O jornalista Felipe Recondo, autor do livro *Tanques e togas: O STF na ditadura militar* e um dos diretores do site JOTA, que acompanha o noticiário jurídico, fez uma análise cortante da cobertura da imprensa durante a campanha eleitoral daquele ano:

> A população brasileira é conservadora, e é direito dela. Não falo que nós, jornalistas, somos arrogantes, mas há uma arrogância elitista e intelectual de acharmos que nossos conceitos mais óbvios são os de todo mundo. Bolsonaro queria aquelas perguntas, vindas da nossa bolha. Se perguntavam sobre a ditadura, ele respondia sobre segurança pública. O brasileiro médio nem lembrava mais da ditadura.

Na sabatina do *Jornal Nacional*, quando William Bonner perguntou ao então deputado Bolsonaro "O senhor defende a ditadura?", o candidato à presidência respondeu: "Eu e o seu patrão".

9. "Manda essa doida de volta pra São Paulo"

Em julho de 2018, Bebianno, no comando do PSL desde o começo do ano, tentava solucionar um problema urgente para Jair Bolsonaro: encontrar um candidato a vice-presidente para integrar sua chapa. Os dois nomes pensados no início da campanha — Magno Malta, pastor evangélico e senador pelo Espírito Santo, e Augusto Heleno, general da reserva — acabaram sendo descartados. No dia 17 de julho, Malta ligou para Bolsonaro recusando o convite, por ter planos de concorrer à reeleição ao Senado. Achara prudente garantir sua vaga no Parlamento, que ele estava seguro de que conquistaria, em vez de amargar uma possível derrota com Bolsonaro, hipótese que considerava bastante plausível.

O plano B, o general Augusto Heleno, nome de preferência de Bolsonaro, também não funcionou. Heleno, ao contrário de Malta, estava animado com o convite. Mas viu seus planos — e os do candidato — se esboroarem depois que seu partido, o PRB, barrou sua candidatura. A direção achava que se Heleno compusesse chapa com o PSL estragaria a estratégia partidária de compor com legendas maiores e com mais chances de impulsionar seus candidatos nos estados. As duas decisões, com a vitória de Bolsonaro em outubro, se mostrariam totalmente equivocadas. Malta não se reelegeu para o Senado e ficou sem cargo político. Já o pequeno PRB — com apetite voraz por cargos — perdeu a chance de ocupar a vice-presidência da República.

Bebianno estava tenso. Num espaço de 24 horas — entre 17 e 18 de julho — os dois postulantes ao cargo estavam fora do jogo. O advogado precisava correr contra o tempo. O prazo do Tribunal Superior Eleitoral para que os partidos indicassem a chapa completa — presidente e vice — se encerraria em 5 de agosto. Naquele 18 de julho, quando Heleno foi descartado, o PSL tinha apenas dezessete dias para encontrar um substituto.

Um nome havia entrado no radar de Bolsonaro e de Bebianno no início do ano: o da advogada e professora de direito penal na USP Janaina Paschoal. Ela era tida como uma boa opção por várias razões. A principal delas era ter sido a autora do pedido de impeachment da presidente Dilma. Com base nesse pedido, feito em conjunto com o também advogado Hélio Bicudo, foi aberto o processo que levou à cassação do mandato da presidente em agosto de 2016.

Foi o renomado advogado paulista Modesto Carvalhosa — um dos grandes nomes do direito societário no país, autor de *Comentários à Lei de Sociedades Anônimas*, um best-seller no gênero — quem sugeriu a Janaina que procurasse Hélio Bicudo para ajudá-la com o processo de impeachment, em virtude de seus antigos vínculos com o PT e da conhecida militância na área dos direitos humanos, o que daria credibilidade e fumos de imparcialidade ao pedido. "Ela tomou a iniciativa sem nenhuma base partidária, grupal. Fez aquilo na casa dela e veio buscar apoio de nomes que poderiam ajudar. É uma pessoa com imaginação, grandiosa, diferente e de coragem", disse ele à revista *piauí*.[1] Essas qualidades, diria ironicamente Carvalhosa na mesma entrevista, são "imperdoáveis". Para uma mulher, então, "é caso de eliminação; é inadmissível".

A avaliação de Carvalhosa à época era de que as críticas a Janaina ocorriam tanto por ela ser mulher como por não pertencer a círculos tradicionais do meio jurídico paulista. Ainda de acordo com a matéria de 2016 da revista *piauí*, o advogado considerava Janaina, advogada nascida em 1974 no Tatuapé, Zona Leste paulistana, filha de uma família de classe média baixa proveniente do Nordeste,

> uma coitada de classe média, batalhadora, que vai buscar criança na escola, dar jantar para as crianças. Uma mulher dessas, sem prestígio, sem nada, professora da faculdade de direito, que se mete a fazer um pedido daqueles. Porque, veja bem, a iniciativa foi dela. Não foi do Hélio, não foi do Miguelzinho [Reali Júnior], não foi de ninguém, foi dela.

Carvalhosa lembrou ainda, na mesma entrevista, a polêmica performance de Janaina num ato a favor do impeachment, na São Francisco, como é chamada a Faculdade de Direito da USP, em que, inflamada e dando socos ao ar, ela bradava que o Brasil não era uma "república da cobra", em referência ao discurso em que o presidente Lula se comparou a uma jararaca. "Advogado é uma raça de gente chata. Ela fez um show, uma coisa extraordinária, um espetáculo. Mostrou uma capacidade teatral muito grande e fora dos padrões das chatices daqueles advogados formalistas", concluiu Carvalhosa.

Na visão de Bolsonaro e de Bebianno, para além da dramaticidade, que combinava com o estilo do capitão, Janaina era um chamariz de votos. Parte da população, chocada com as denúncias de corrupção que a Lava Jato apresentava contra o governo do PT, simpatizava com ela. Outra razão era a vantagem de se ter uma mulher na chapa de um deputado com fama de misógino e que, pelas pesquisas eleitorais, até aquele momento, sofria grande rejeição por parte do eleitorado feminino. Por último, Janaina era conhecida nacionalmente, o que daria mais visibilidade para a chapa, conquistando novos eleitores.

Quando, em janeiro, ficara decidido que Bolsonaro concorreria pelo PSL, Leticia Catel e Victor Metta, que àquela altura tinham assumido o comando do diretório do partido, em São Paulo, iniciaram as conversas com a advogada. Catel e Metta não tinham dúvida de que Janaina angariaria muitos votos para a legenda. Mas ela estava reticente. Embora muito popular junto a uma parcela do público, Janaina saíra esgotada do processo de impeachment, por ter atraído muito ódio dos apoiadores da presidente. Sofreu ameaças e ficou ressabiada com a política.

Ela começou a mudar de ideia ao ser procurada por Luciano Bivar, então presidente licenciado do PSL, que abrira mão de controlar o partido para entregar a legenda temporariamente a Bolsonaro. Nas duas vezes em que esteve com a advogada no escritório dela, na rua Pamplona, no bairro dos Jardins, em São Paulo, ele insistiu: "Janaina, você tem a minha palavra de honra de que nós não vamos divulgar nem que você se filiou. Filie-se para você ter a opção de concorrer, caso, mais tarde, decida-se por isso".

No finalzinho de março, às vésperas do fechamento da janela partidária, Janaina recebeu um telefonema de Leticia Catel, que estava em Brasília. "Janaina, eu estou com uma pessoa aqui que quer falar com você", disse Catel. Era Bolsonaro, que estava em seu gabinete, na Câmara. Na conversa, ele insistiu para que ela se filiasse.

"Deputado, essa vida não é para mim", disse a advogada. Explicou que teria muitas dificuldades de se mudar para a capital federal. Por essa razão, mesmo que se filiasse, ela não concorreria nem à Câmara nem ao Senado. No máximo, ela lhe disse, se candidataria a deputada estadual.

"Janaina, habilite-se. Pode ser em qualquer partido. Se for no nosso, melhor. Mas habilite-se. Depois você pensa com calma no que quer fazer", sugeriu Bolsonaro.

"Mas se eu me filiar ao seu partido, o senhor vai me ouvir?", ela perguntou.

"Janaina, a pergunta não é essa", ele respondeu em tom jocoso. "A pergunta é se *você* vai me ouvir."

Pouco depois dessa conversa, Carla Zambelli, então ativa militante do Revoltados On Line, ligou para a advogada para lhe contar da conversa que tivera com Bolsonaro. De acordo com o relato de Zambelli para Paschoal, o deputado teria aventado a hipótese de Janaina vir a ser sua vice. Carla foi direta: "Janaina, você toparia ser vice de Bolsonaro?", perguntou. "Acho que ele te considera uma boa opção."

"Vocês são loucos", ela respondeu.

Depois desse telefonema, Janaina tomou a decisão de entrar para o PSL. A possibilidade de se tornar vice de Bolsonaro lhe agradara. "Eu achava que se eu conseguisse estar próxima dele, exerceria uma influência positiva", diria mais tarde. "Imaginava que poderia temperá-lo. Torná-lo mais palatável para os eleitores."

Partiu dela, logo após se filiar, a iniciativa de propor a Bolsonaro ser sua parceira de chapa, embora a proposta fosse acompanhada de um plano esdrúxulo. Ela sugeriu montar um gabinete para a vice-presidência em São Paulo, de onde ela despacharia. Ela só iria a Brasília quando Bolsonaro viajasse. O deputado ficou de pensar e o assunto morreu. Mesmo porque, naquela época, os vices de sua preferência ainda eram Magno Malta e o general Augusto Heleno.

Então, após as tentativas fracassadas de emplacar esses nomes, Bebianno concentrou as baterias em Janaina. Ela ficou feliz com o convite, ao contrário de sua família, que reagiu muito mal ao tomar conhecimento da negociação. "Todo mundo me disse que era um absurdo, uma loucura. Que eu não parava de arrumar confusão para a família", contou. "Não viam razão para eu entrar naquela aventura."

Para começar, Janaina não era bolsonarista puro-sangue, embora achasse que o deputado preenchia um vazio no país. E, mesmo não sendo o candidato com que a nova direita sonhava, na sua opinião era o único que defendia as pautas conservadoras que a sociedade demandava. Ela já vinha alertando seus colegas da USP sobre a necessidade de se dar atenção a algumas reivindicações populares rejeitadas pela esquerda, como a segurança pública. "Eu dizia que nós não podíamos fazer a cisão entre a segurança pública e os direitos fundamentais. Havia um equívoco por parte tanto da esquerda quanto da direita. A esquerda entendia que só os culpados ou os presos tinham direitos fundamentais, enquanto a direita via somente as vítimas como detentoras desses direitos", afirmou. "Eu defendia a ideia de que direitos fundamentais são de todos e que segurança pública era um pressuposto para usufruir desses direitos", disse, acrescentando a pergunta professoral que costuma fazer a seus interlocutores ao dar uma opinião ou ao defender um ponto de vista: "Está me acompanhando?".

Ela contou que, quando sustentou esse argumento na universidade, a reação dos seus colegas foi ruim. Para eles, a segurança pública não tinha a ver com direito. "Como não? O pessoal da esquerda é muito pretensioso. Eles achavam que tinham chegado para ficar. Estavam tão tranquilos das posições deles que não queriam ouvir ninguém", afirmou. "E as pessoas passaram a perceber esses chavões, além do comportamento extremamente preconceituoso com os policiais e até com as vítimas. A esquerda vinha sempre com o discurso de que o criminoso era vítima da sociedade", completou, exagerando. Passou a defender a tese de que se a pessoa não tem segurança, não adianta ter saúde ou educação, porque ela vai tomar um tiro antes de chegar ao posto de saúde ou à escola. Saúde e educação sempre foram apresentadas pela esquerda como a saída para conter a criminalidade.

A advogada considerou que Bolsonaro era o único parlamentar disposto a entrar nessa discussão. Seu argumento, contudo, era questionável, já que Bolsonaro nunca encarou a questão da violência pela óptica dos direitos humanos. Na verdade, ao contrário do que Janaina propugnava, ele sempre achou que bandidos deveriam ser eliminados ou jogados para sempre em prisões deploráveis. Mesmo assim, ela o defendeu. "Ele se colocou ao lado das vítimas. O PT sempre tomou o partido dos acusados", atacou. "O PSDB fazia o mesmo, ainda que de maneira disfarçada, porque está sempre em cima do muro." Janaina também se juntou a Bolsonaro na defesa do porte de armas para autoproteção, direito que ela considera fundamental.

Outra razão para apoiar o candidato da ultradireita era a crítica que ele fazia ao que considerava "um exagero nas bandeiras politicamente corretas". Não bastava, segundo ela, pleitear o respeito aos homossexuais, aos transexuais, às mulheres, aos negros em ascensão social. Era necessário que as pessoas pensassem exatamente como todas essas minorias. "O respeito já não era suficiente. Era obrigatório se abraçar às causas", ela afirmava.

> Foi aí que se deu a confusão, porque se você se calasse quando não concordava completamente com essas causas você era considerado homofóbico, transfóbico, machista, misógino, racista. Qualquer brincadeira, qualquer comentário resultava em ataque. As pessoas passaram a viver muito tensas. E os meios de comunicação, os formadores de opinião, ficaram muito submissos a essas pautas. As pessoas se cansaram disso. Se na sala de aula um aluno levantava a mão e falava algo diferente do que dizia a maioria, era massacrado. Não só pelos colegas, como também pelos professores.

Nas aulas de direito penal e religião, ela começou a questionar "o fenômeno do politicamente correto, os discursos de ódio, a repressão à liberdade de opinião". "As pessoas não podiam dizer que eram contra, por exemplo, o casamento de pessoas do mesmo sexo. Por que não? Se eu penso dessa forma, qual é o problema? É um direito meu ser contra", disse. "Só que as pessoas não podiam expressar a sua opinião. Só se fosse para concordar. O resultado é que acabaram ficando com isso sufocado. E tudo que é sufocado se transforma em ressentimento."

Para Janaina, Bolsonaro espelhou, ainda que de forma "rude e grosseira", esse cansaço da população. "Os intelectuais perderam o bonde porque são pedantes. Porque não acreditam em produção de conhecimento fora do mundo deles, daquelas pequenas bolhas. Não estão acostumados a ouvir o diferente", disse, de forma emparelhada com a visão de Olavo de Carvalho, que em seus cursos on-line afirmava que as universidades só faziam repetir o pensamento "globalista" da esquerda.

Por todas essas razões, Janaina estava convencida de que Bolsonaro era a única alternativa a PT, PSDB, PMDB e DEM. Para ela, depois do impeachment, era preciso quebrar essa corrente, senão "os políticos tradicionais fariam tudo de novo". Assim, ela acreditou que, se aceitasse ser a vice da chapa, poderia discutir todas essas ideias, mas de forma racional, "temperando os modos do candidato". Pretendia moldá-lo ao perfil idealizado pela nova direita.

Para defender as ideias de Bolsonaro, Janaina precisava perdoar os excessos autoritários e incivilizados do capitão, que defendia a tortura e o regime ditatorial, demonstrava desprezo pelo meio ambiente, fazia ataques violentos à esquerda, tinha ligações com as milícias cariocas e não escondia a total falta de empatia com as minorias. Foi com atitude semelhante que muitos eleitores foram às urnas naquele ano, filtrando do discurso de Bolsonaro só o que conversava com suas demandas sufocadas e deixando passar batido o completo descomedimento do candidato.

Janaina só não contava com a reação de Olavo de Carvalho e seus seguidores ao seu nome. "Eles passaram a me atacar. Aquele núcleo me criticava demais. Comecei a pensar: 'Meu Deus, vou desagradar minha família para entrar em um ambiente onde eu não sei como vai ser?'" Mesmo assim, aceitou o convite para vice. Estava em seu escritório quando Bolsonaro telefonou:

"Janaina, eu gostaria que você compusesse chapa comigo e gostaria de saber, de zero a dez, quais são as chances de você aceitar."

"Olha deputado, nove. Mas nós temos que nos conhecer, tenho que saber o que o senhor espera de um vice. E saber quais são as suas propostas", ela respondeu.

Perto do dia 20 de julho, a tal conversa aconteceu, no escritório da advogada, em São Paulo, mas com Bebianno e Julian Lemos representando Bolsonaro, que não esteve presente. Bebianno fez uma longa preleção sobre por que apoiava Bolsonaro tão apaixonadamente.

"Confio tanto em Bolsonaro que se ele me pedisse para tirar a roupa e correr pelado pela Paulista eu não ia questionar", afirmou o advogado. Disse que andava desiludido com o país quando conheceu Bolsonaro e resgatou o desejo de ser brasileiro, por isso se ofereceu para ajudar na campanha. Tinha certeza de que Bolsonaro salvaria o Brasil.

Janaina se impressionou com a devoção dele. "Fiquei comovida com aquele carinho, aquele amor. Mas o alertei de que, caso Bolsonaro fosse eleito, ele não poderia mais ficar 24 horas colado nele como estava durante a campanha", ela lembraria. "Ele controlava tudo. Ficava dizendo: 'O capitão precisa comer', 'O capitão precisa dormir', 'O capitão precisa descansar'. Nunca tinha visto uma dedicação assim."

Mas a adoração extremada de Bebianno também a preocupou. Ela se lembra de ter perguntado a ele: "Como você vai controlar o ciúme que tem do Bolsonaro? Ele irá conviver com outras pessoas". Depois, fez uma sugestão: "Talvez seja bom você fazer uma terapia".

Apesar de identificar no comportamento de Bebianno sinais de descontrole emocional, Janaina aceitou participar da convenção do PSL, marcada para 22 de julho, e ser lançada como possível vice do candidato. Para seu desgosto, aquele evento enterraria qualquer possibilidade nesse sentido. O sonho de "temperar" o candidato radical acabou antes mesmo de a cerimônia terminar.

Cerca de 3 mil convencionais do PSL, estridentes como torcedores de futebol em final de campeonato, lotaram o auditório de 2500 metros quadrados no Centro de Convenções SulAmérica — uma construção de gosto duvidoso, pintada de azul-claro —, na Cidade Nova, região central do Rio de Janeiro. Uma comprida mesa retangular fora montada no palco, onde, além de Bolsonaro — a estrela do evento —, estavam acomodados sua esposa, Michelle, os filhos Flávio, Eduardo e Carlos, o economista Paulo Guedes, o senador Magno Malta, o general Heleno e mais uma penca de políticos ligados ao partido. De pé, no palco, com expressão crispada, estavam Bebianno e Julian Lemos, os fiadores da candidatura de Janaina.

No momento em que "a autora do pedido de impeachment de Dilma" foi anunciada, a plateia, que já se entusiasmara a com os discursos de Malta e Heleno, se empolgou ainda mais. Gritos de "É Janaina! É Janaina!" ecoaram pelo imenso auditório. Mas quando ela se aproximou do microfone, com a longa cabeleira solta, trajando vestido e capa rosa-claro, deu-se o anticlímax. No lugar de agradecer a vibração do público, ela fez sinal com as mãos pedindo silêncio. "Shhh, shhh", fez ela, para surpresa dos organizadores. "Eu peço por favor, se possível, que não aplaudam, não gritem. Eu quero conversar com os senhores."

Como uma docente se dirigindo a seus alunos, ela pôs em marcha um discurso aqui e ali interrompido pelo clássico "Vocês estão me acompanhando?". Um dos presentes observaria depois: "Ela parecia querer dar aula para aquele bando de trogloditas bolsominions que só queria urrar". Atrás dela, Bebianno parecia constrangido e trocava olhares aflitos com Bolsonaro, ao centro da mesa. Janaina, no afã de abrandar a fúria do candidato e de seu público, dizia coisas do tipo "Temos que ouvir o outro lado", "Não podemos ser radicais como o PT", tudo o que ninguém ali queria ouvir. O público esperava que ela fosse tocar fogo no auditório, sacudir os cabelos, brandir sua fúria como costumava fazer nas defesas do impeachment. Mas, para desencanto da galera, ela optou por um balde de água fria. Antes mesmo do término da convenção, Janaina já estava com sua sentença de morte assinada. Bolsonaro chamou Bebianno e determinou: "Manda essa doida de volta pra São Paulo. Esquece essa mulher. Não vai ser vice porra nenhuma. Não quero nem conversar com ela mais".

Janaina não se deu conta, na hora, do que havia acontecido. Voltou para São Paulo segura de ter feito um bom trabalho. "Eu não tinha nada escrito, mas aquelas ideias eram muito claras para mim. Aquilo foi saindo. Quis explicar por que estava me unindo a eles, por que achava importante enfrentar o grupo poderoso que estava no poder havia muito tempo. Falei da importância da Lava Jato, mas também quis mostrar que eles precisavam ser um pouco mais ponderados, porque não seria possível governar daquele jeito", contaria, reconhecendo que, por causa do discurso, a rejeição a ela só aumentou.

Coube a Bebianno comunicar a ela que "talvez" não fosse possível tê-la como vice. A técnica do núcleo bolsonarista de eliminação de um aliado seguia um padrão: levantar suspeitas sobre ele. Com Janaina não foi diferente. Ela estava em seu escritório quando recebeu "uma ligação estranha" de Bebianno.

"Janaina, fala a verdade aí, *merrrmã*", rememorou ela, imitando o sotaque carioca de Bebianno. "Veja que o nosso capitão recebeu uma mensagem do Winston Ling dizendo que você é globalista."

Janaina se assustou. *Meu Deus! Onde é que estou me metendo?*, pensou. "Falei para Bebianno: 'Vou ter que me explicar todo dia? Vocês vão acreditar em tudo o que dizem, vão achar que estão sendo traídos?'"

Bebianno insistiu: "Mas e essa coisa de globalismo?".

"Vocês têm que entender a diferença dos conceitos. Uma coisa é uma pessoa globalista, como vocês definem, no sentido de não tomar cuidado com a soberania. Outra é a ideia globalista de direitos internacionais", ela começou. "Está me acompanhando?", perguntou a Bebianno. "É preciso reconhecer que existem instâncias internacionais, existe um direito internacional, que eu gosto de estudar. Então imagino que o amigo chinês do presidente tenha visto uma palestra minha sobre o Tribunal Penal Internacional e está dizendo que sou globalista."

Como a acusação de globalista não colou, o próprio Bolsonaro tratou de pôr fim às esperanças de Janaina. Em 30 de julho, dia do *Roda Viva*, Janaina foi até o hotel onde ele estava reunido com a equipe de campanha, inclusive Heleno, Paulo Guedes e o jornalista Augusto Nunes, da *Veja*, que fazia um treinamento de mídia informal para o candidato, longe dos olhos da imprensa. Ela foi junto com a irmã. Bebianno lhe disse: "Está praticamente definido que é você", ao que ela respondeu: "Como assim? Não estou entendendo. Fui convidada. Quer dizer então que vocês estão repensando?". Bolsonaro interveio. Disse que achava melhor ela não ser sua vice porque temia pela segurança dela. "Janaina, eu estou preocupado porque não tenho condições de garantir a segurança nem da minha família, quanto mais a sua." Ela respondeu que não queria dar trabalho nem problema, e saiu dali com a impressão de que tinha sido dispensada.

Na sexta-feira, dia 3, faltando dois dias para o fim do prazo de apresentação da chapa ao TSE, Janaina enviou uma mensagem a Bolsonaro informando que renunciava ao convite. Naquela noite, Bolsonaro participaria da sabatina na GloboNews.

Na manhã do dia 4, um sábado, Luiz Philippe de Orleans e Bragança, chamado de "príncipe" por pertencer a um dos ramos da família imperial brasileira, chegava à casa de Paulo Marinho, vindo de São Paulo, para conversar com Bolsonaro, a convite de Bebianno. Era a quarta opção para vice.

Luiz Philippe é do ramo de Vassouras da família imperial. Seu tio, Luiz Gastão, monarquista, morto em julho de 2022, pertencia à ala mais conservadora da linhagem, com ligações com o grupo ultraconservador Tradição, Família e Propriedade. O outro ramo é o de Petrópolis. Os dois grupos disputam quem teria direito à sucessão da Coroa, caso o Brasil voltasse a ser uma monarquia. Luiz Philippe tem mestrado em ciência política pela Universidade de Stanford e é autor de *Por que o Brasil é um país atrasado?*, livro que analisa a situação "de decadência política, institucional e econômica do país". Seu nome foi aventado logo que Bolsonaro descartou a possibilidade de Janaina sair como vice, depois da convenção no Rio. Naquele mesmo dia, Bebianno comentou com Bolsonaro que "tinha o príncipe, em São Paulo, que pertencia ao Tradição, Família e Propriedade, que era monarquista, que vinha da monarquia, era bem-apessoado e seria ótimo para atrair o eleitorado feminino". Preocupado com a demora em encontrar um nome, Bolsonaro concordou. "O.k. Chama a porra do príncipe para ser vice", ele teria dito.

Luiz Philippe de Orleans e Bragança atuou no mercado financeiro internacional durante sete anos, de 1993 a 2000, inclusive no JP Morgan, em Londres. De volta a São Paulo, trabalhou numa multinacional, virou empreendedor e não pensava em entrar para a política. Foram os movimentos de rua de 2013 que o encorajaram a "ajudar a tirar o PT do poder". Inicialmente, participou dos grupos de direita, mas achava que era preciso fazer mais. Filiou-se ao Partido Novo, que considerava ter programa próximo à sua visão de mundo: liberal na economia e conservador nos costumes. Mas se decepcionou com o presidente da legenda, João Amoêdo, que, em sua opinião, "tomava decisões muito draconianas". Uma delas foi não permitir que o Novo lançasse candidato à prefeitura de São Paulo, em 2016, além de apoiar um candidato, em suas palavras, de "perfil psolista", o engenheiro Fred Cruz, ex-funcionário da Petrobras, para a prefeitura do Rio. E bateu na candidata à vice de Cruz, a bióloga Giselle Gomes, servidora pública do Instituto Nacional da Propriedade Industrial (INPI): "Uma desqualificada, discursinho totalmente desalinhado com a própria base do Novo". Por escolhas desse tipo, calculava Orleans e Bragança, o Novo teria perdido 30% dos filiados. Outra medida "mais pesada" de Amoêdo foi a proibição dos correligionários de apoiar o movimento Brasil 200, que, segundo o presidente da legenda, era liderado por Flávio Rocha, dono da Riachuelo, que assim como Amoêdo tinha pretensões de concorrer à presidência. "Achei que o João teve um comportamento pequeno neste caso", diria ele a amigos.

Para completar seu mal-estar com a legenda, Bragança passou a achar que o Novo era globalista, porque recebia apoio da Fundação Renova, organização financiada por grandes investidores, como o brasileiro Jorge Paulo Lemann e o húngaro George Soros, para preparar jovens para a política. Convenceu-se de que o cientista político Christian Lohbauer, vice-presidente da legenda, "era um defensor da ONU, mais uma prova do globalismo do partido". Embora dissesse gostar de Lohbauer, achava que ele defendia a influência externa da ONU nos países. Para o "príncipe", assim como para Olavo de Carvalho e seus seguidores, a Organização das Nações Unidas era um organismo "antidemocrático". E pontificava: "Por mais que tenhamos uma democracia deficiente no Brasil, somos mais democráticos do que a ONU, da qual participam cerca de 180 países que são ditadurazinhas, mas que têm direito a voto". Essa opinião vem de um cálculo descolado da realidade segundo o qual apenas vinte países que compõem a organização são democracias.

"A ONU quer influenciar o Brasil. Isso é negativo. A ONU tem as mesmas ideias do PT, que a gente combate, só que é uma organização supranacional", costumava dizer, fugindo à racionalidade. Diante disso, ele resolveu se desligar do Novo e se filiar ao PSL, em 3 de abril de 2018.

Sua análise do PSL, através das reuniões das quais participava, era de que se tratava de um partido que aglutinava uma fervorosa massa anticomunista. Esse fervor ele só via no PT, "só que do lado contrário".

Orleans e Bragança se entusiasmou tanto com o partido que começou a nutrir esperanças de que poderia ser "com toda a humildade, o líder ideológico do PSL". Ele costumava dizer que o líder do partido seria "naturalmente Bolsonaro, e os infantes [como se referia aos filhos do ex-capitão] seriam os ouvidos dele". Ele próprio seria a força balizadora. Suas previsões não se concretizaram: nem ele virou uma liderança no PSL, nem Bolsonaro e seus "infantes" permaneceram no partido por muito mais tempo.

O "príncipe" tinha ideias próximas às de Bolsonaro, sobretudo em relação aos direitos dos presidiários. Defendia mudanças na Constituição para mexer nos "direitos adquiridos". O Brasil, em sua opinião, nunca iria para a frente se não alterasse esse ponto. "Onde é que existe preso com direito adquirido? Por natureza, em qualquer país, ele perde qualquer garantia. Aqui, preso vira classe social. 'Agora tenho direitos'", disse ele, ignorando, por exemplo, que nos Estados Unidos, desde 1980 existe a Lei dos Direitos Civis das Pessoas em Instituições Correcionais, que permite ao Departamento de Justiça federal investigar violações de direitos contra presidiários dentro de instituições geridas por estados e municípios; ou que a Corte Europeia de Direitos Humanos define que prisioneiros em geral continuam a gozar de todos os direitos fundamentais e liberdades garantidas pela anterior Convenção Europeia de Direitos Humanos. "Não existe isso! Porra, tem que tirar isso da Constituição", indignou-se, contrariando a etiqueta monarquista com o linguajar. "Eu fico até meio alterado, porque tem coisas neste país que fogem ao razoável. Você pode ser socialista, pode ser assistencialista, pode ser de esquerda. Agora, perder a razoabilidade, isso é inaceitável. A gente perdeu a razoabilidade com a Constituição. Perdeu completamente o norte do que é certo e errado", disse.

Com o discurso afinado ao do ex-capitão, o "príncipe" parecia ideal para compor a chapa. Ele estava de férias na Argentina quando os rumores sobre seu nome começaram a circular na imprensa, apesar de Janaina ainda estar no páreo.

Mais tarde, ele diria que o discurso da advogada na convenção do partido, no Rio, fora mal calculado. "Ela vinha com a bagagem do meio jurídico, da Ordem dos Advogados do Brasil. A OAB é de esquerda, né? Toda de esquerda. Ela tem aquele traquejo que talvez não seja 100% alinhado com o que a base do Jair queria escutar. E fez um discurso que deixou a base profundamente revoltada", avaliou. "No dia seguinte, o que me informaram foi que o Jair já não queria mais saber dela. Redigiram uma comunicação para dizer que a decisão de não concorrer tinha sido da Janaina, mas era só para dar uma saída honrosa a ela", contou. Mas hoje ele a defende: "Acho que o discurso foi honesto, só que descasado da base do Jair. A base do Jair é anti-PT, é briga, é fazer a direita ganhar, e não 'A gente não pode virar o novo PT', 'Tem que ser contemporizador'. A base não queria escutar isso. E acho que a base estava certa na leitura de quem era o inimigo".

Na sua avaliação pouco modesta, foi nesse momento que "todos os ativistas e o pessoal da base do Jair" começaram a pensar nele. Um amigo telefonou para lhe dizer que seu nome estava praticamente confirmado. Na hora, respondeu: "Não sei como é o negócio, qual o risco disso. Mas, se for pra ajudar, vamos encarar essa, não vou dizer não, vou me disponibilizar", lembrou. Achava que Bolsonaro estava certo ao considerá-lo para a vice-presidência.

> Ele entende a base, responde a ela, cresceu por causa dela. Não é refém da base, mas a respeita. Isso eu não via em outros candidatos. Ele tem o tato agudo de sintonia com a opinião pública, o que os outros não têm. Esse talvez tenha sido um dos poucos momentos da história republicana em que a base, que pedia 'Queremos o *príncipe* de vice', tenha sido ouvida. Embora eu não tivesse amizade com o Jair — inclusive a cúpula dele era minha inimiga, o Bebianno principalmente —, o Jair atendeu a base.

O "príncipe" chegou à casa de Marinho para o encontro com Bolsonaro com meia hora de atraso, o que já deixou o ex-capitão agastado. Vestia um jaquetão com seis botões dourados, levando um dos presentes a comentar que ele parecia "um almirante, de tão elegante". Na casa, Orleans e Bragança pediu para ter uma conversa privada com Bolsonaro, para se conhecerem melhor, já que no dia seguinte ele seria indicado como seu vice. Bebianno e Julian Lemos não permitiram.

Ele não gostou da interferência, e contou a razão: "Na reunião, eles estavam sempre me sondando, 'Ô Luiz, tem alguma coisa que te desabone pra ser vice-presidente?', 'Tem que mostrar lealdade, equilíbrio, lealdade, equilíbrio, lealdade'", debochou. "Como eu iria mostrar lealdade e equilíbrio se estava vendo o Jair pela quarta vez?".

Bebianno e Julian Lemos interrompiam a conversa toda hora, insistindo no tema da lealdade. Numa das interrupções, o "príncipe" se irritou e respondeu para Bebianno: "Desculpe, meu amigo, eu nasci muito bem. Sei o que é lealdade". Bebianno revidou e, na frente de Bolsonaro, avisou: "Vou estar presente em toda reunião que você fizer com o Capitão". O príncipe reagiu: "Você está louco, cara? Eu representava, quando eu viajava, empresas de capital aberto que valiam bilhões, que tinham acionistas. Você acha que vai estar do meu lado me ciceroneando?".

Ainda assim, Orleans e Bragança saiu do quartel-general de Bolsonaro convencido de que, no dia seguinte, seria anunciado como vice na convenção do PSL, em São Paulo. Seu nome chegou a ser registrado na chapa. No final da tarde, contudo, desconfiou de que havia algo errado. No salão de embarque do Aeroporto Santos Dumont, se preparando para voltar para São Paulo, recebeu uma ligação de Julian Lemos que acendeu o sinal de alerta.

"Você foi meio arrogante, não mostrou muita lealdade. Como vou te ajudar assim? Te colocamos lá junto do homem, como a gente te ajuda? Sou favorável ao teu nome, mas tem gente que não quer. Tem gente achando que você não está com essa bola toda, meu irmão", disse Lemos.

O "príncipe" não gostou da ameaça e retrucou: "Vocês não me deixaram conversar com o Jair. Vocês são os culpados de eu não conseguir falar com ele e não estabelecer essa lealdade que vocês tanto me cobram".

O outro respondeu: "Está bom, meu irmão, boa viagem".

Na madrugada de domingo, dia 5, Bebianno acordou com uma ligação de Bolsonaro lhe dando a seguinte informação: "Gustavo, chegou ao meu conhecimento um dossiê desse príncipe com vídeos. Um deles em uma orgia com homens. Outro, ele com uma gangue de rua batendo em mendigo na noite de São Paulo". Bebianno aguardou pelo passo seguinte. Bolsonaro foi incisivo. "Não quero veado na minha chapa. Tira esse veado da minha chapa. Eu tenho um dossiê dele em orgias sexuais. Morreu esse príncipe."

Naquele momento, entrava em ação, novamente, a usual tática bolsonarista de desmoralizar os aliados dos quais Bolsonaro queria se livrar, inventando histórias contra eles. Bebianno ainda estava absorvendo a notícia quando Bolsonaro anunciou: "Eu quero te dizer o seguinte. Nós vamos para São Paulo às sete da manhã e o vice vai ser o Mourão. Acabou. Já escolhi. Tá tudo certo".

Às seis da manhã, o "príncipe" acordou com uma chamada de Bebianno. "Luiz, queria saber desse negócio de você batendo em mendigo. O capitão recebeu um dossiê com fotos de você em orgias e batendo em mendigo."

Orleans e Bragança não podia acreditar no que ouvia. "Só pode ser brincadeira", reagiu indignado. "Não posso acreditar que estou ouvindo isso", disse, e iniciou uma discussão furiosa com o advogado. Sua esposa chorava ao saber das acusações ao marido. Bebianno desligou o telefone. Passados dez minutos, ligou de novo: "Luiz, a gente decidiu que vai ser o Mourão o candidato a vice". E encerrou ali a história.

Leticia Catel estava chegando à convenção quando soube que o "príncipe" tinha sido descartado. Sua amiga pessoal, ela estava segura, desde a véspera, de que ele seria o candidato. Ela se assustou ao saber do dossiê. Na secretaria-geral do PSL em São Paulo, Catel se desentendeu com Bebianno. Estava convencida de que aquilo era uma armação para tirar Orleans e Bragança do jogo. Aguardou ansiosa pela chegada de Bolsonaro. Sentada ao lado dele e de Eduardo, numa sala privada, tentou, sem sucesso, demovê-lo de limar o "príncipe". "Onde está esse dossiê?", ela chegou a perguntar. Disseram que não estava com eles. Na verdade, o tal dossiê nunca apareceu. Para muita gente no partido, o documento nunca existiu. Foi só uma justificava para descartar o monarquista.

O general Hamilton Mourão estava à espera do convite para ser vice desde que Bolsonaro se lançara candidato. Viu outros nomes serem apresentados e dispensados. Apesar de nunca ser citado, tinha esperança de que seu momento chegaria. Era comandante do Comando Militar do Sul quando, no início de 2015, Bolsonaro o procurou para lhe comunicar a decisão de se candidatar à presidência da República. Na conversa, Bolsonaro disse que gostaria de contar com ele.

Em 2017, com sua candidatura já definida, Bolsonaro voltou a procurá-lo, pedindo que se candidatasse à Câmara ou ao Senado. Mourão foi franco: "Não me vejo concorrendo a um cargo no Legislativo. Não é o meu perfil". Então, quando passou para a reserva, em fevereiro de 2018, Bolsonaro lhe disse que poderia precisar dele como vice-presidente, mas que, antes, teria que buscar outras opções para fortalecer a candidatura.

Mourão se animou com a possibilidade e tratou de buscar um partido político para se filiar. Foi apresentado a Levy Fidelix, então presidente do PRTB, pelo general Paulo Assis, seu amigo. "O PRTB era um partido que nunca estivera metido nessas negociações meio diferentes, digamos assim. Eu me filiei e fiquei ali. Falei: 'Olha, Levy, só estou filiado para o caso do Bolsonaro precisar da gente. Aí nós vamos nos coligar com ele para eu ser o seu vice-presidente'", rememorou. "Deixei claro pro Levy que eu não seria candidato a mais nada. 'Não adianta querer me botar de candidato a governador, senador, deputado que eu não vou.'"

Eram seis e meia da manhã quando Bolsonaro o chamou pelo celular. Mourão estava dormindo em sua casa, em Brasília. Chegara à uma e meia da manhã de uma festa com ex-oficiais do Comando do Sul. "Ele me acordou dizendo que eu seria o seu vice e que tinha que estar em São Paulo às onze." Aquilo o surpreendeu, porque na noite anterior o ex-capitão ligara às oito e meia dizendo que o "príncipe" fora o escolhido. O general, que estava na reunião com os oficiais, engoliu a decepção e respondeu: "Tranquilo, cara, beleza. Vamos lá. Segue o baile aí e vamos ganhar esse negócio".

A escolha do "príncipe" o espantara porque, na terça-feira, dia 31, Bolsonaro havia lhe dito que era quase certo que ele seria o seu vice. Bolsonaro chegou a ir a São Paulo comunicar a sua decisão a Levy Fidelix. "A coisa se deu assim", contaria Mourão, detalhando a confusão daquela última semana. "Estava mais ou menos apalavrado com o Levy que eu seria o vice da chapa. Aí, no sábado, dia 4, Bolsonaro me ligou dizendo que seria o 'príncipe', e no outro dia às seis e meia ele me diz que mudou de ideia e que eu era o escolhido."

A explicação que Mourão tinha para aceitar apenas o posto de vice era o fato de que seu título eleitoral era de Brasília — portanto, ele só poderia sair candidato pelo Distrito Federal. Mas, nesse caso, havia um impedimento. Um companheiro de Arma, o general Paulo Chagas, já era candidato a governador pelo Distrito Federal, e ele não queria atrapalhar.

Mourão garantiu que, antes da primeira conversa com Bolsonaro, não tinha nenhum interesse pela política. Ao passar para a reserva, sua ideia era ser presidente do Clube Militar, posto para o qual acabou eleito. O Clube tem como característica, explicou ele, apoiar os candidatos do meio militar. "Esse era o meu papel. Não tinha planos de me transformar em político. Quis o destino que isso ocorresse, então foi dessa forma."

Quando Bolsonaro o procurou em 2015 e anunciou que tentaria a presidência, sua determinação o impressionou. "Desde a primeira vez que conversamos, ele estava convicto de que poderia ser o próximo presidente do Brasil", contou.

E, no universo político que nós vivíamos, com a Lava Jato correndo, a classe política atarantada, sem qualquer liderança, porque as principais lideranças tinham sido abatidas por estarem metidas na corrupção, eu vi claramente que ele tinha uma perspectiva muito boa. Ele atraiu para si o desejo da população de mudar a forma de se governar o país.

Em sua opinião, havia um esgotamento da esquerda:

Analisando o espectro do país, o núcleo central da população não é de esquerda. O eleitor votou no Partido dos Trabalhadores porque, naquele momento, o partido atendia aos seus anseios. Mas isso foi até a eleição da Dilma, em 2014, que já foi uma eleição meio complicada. Daí para a frente, o PT perdeu sua capa, foi desnudado. Mostrou que era um partido igual a todos os outros, ou pior, por ter se metido num mar de corrupção, ter sido incompetente e ter feito uma gestão temerária no governo. Isso aí mudou a cabeça do núcleo central da população. Esse núcleo central disse: "Bom, então nós temos que procurar outra forma de governar o país".

E continuou: "Não porque o pessoal seja de direita ou de esquerda. No espectro nacional, temos 30% que são de direita, 30% que são de esquerda. Mas existe aquele núcleo duro central que irá para um lado ou para o outro dependendo do momento".

Para ele,

o PSDB teve sua parcela de poder no governo Fernando Henrique, mas, de lá pra cá, não apresentou capacidade, foi batido em todas as eleições e o principal expoente deles, o Aécio Neves, atolou-se até o joelho nesse pacote da corrupção. A legenda perdeu a sua capacidade. Ficou naquela briga de quem seria o candidato. Acabou colocando o coitado do Alckmin, que não tinha densidade, não tinha capacidade de mobilizar esse núcleo que mudou de visão.

Bolsonaro, para Mourão, ganhava espaço "exatamente pelo discurso da moralidade, dos costumes, pelo discurso 'zero corrupção', austeridade. Tanto que uma parcela desse grupo mais extremado pedia intervenção militar. Olha o ponto a que chegou a coisa. Nós estávamos submetidos a um modelo fracassado". Mas, para o general, o Exército não tinha intenção de intervir na vida política nacional. Além disso, ele não aceitava a tese de que ele e Bolsonaro representassem os militares no poder. "Nós fomos eleitos como dois cidadãos. Mas o que ocorre é o seguinte: os valores professados pelas Forças Armadas são os que esse núcleo duro da população brasileira estava buscando e não achava. Nos governos anteriores tinha o deboche, o cinismo, a corrupção desenfreada, uma total ineficiência, gestão caótica e dinheiro desperdiçado."

Ao se dirigir ao grande público, no entanto, o discurso do general não era tão democrático assim. Antes de ser escolhido como vice, ele se meteu em algumas polêmicas. Defendeu, em palestras e entrevistas, o coronel Carlos Alberto Brilhante Ustra, acusado de tortura durante a ditadura. Ustra era seu amigo e, segundo Mourão, "um defensor dos direitos humanos de seus subordinados e um herói que liderou pelo exemplo". O general chegou a chorar no discurso de cerimônia em que passou para a reserva ao se referir ao coronel, comprovadamente torturador, de acordo com a Justiça de São Paulo. Também sugerira que o Judiciário não era capaz de garantir o funcionamento das instituições e mencionou a necessidade de uma possível "intervenção militar no Brasil".

Ao ser indicado como vice, amaciou as palavras e adotou um discurso mais moderado, adequado à era da internet e não mais ao furor da Guerra Fria, dos anos 1960 e 1970. Segundo ele, Bolsonaro encontrara uma forma nova de se comunicar com a população. "Qual é a forma moderna de comunicação? É o celular, é a internet. Desse jeito você atinge milhares de pessoas. Qual era a visão dos políticos antigos sobre campanha eleitoral? Tempo de TV. Tinha briga para fazer alianças que trouxessem tempo na televisão, quando a gente sabe nitidamente que a imensa maioria da população, quando começa aquela propaganda, desliga o aparelho", afirmou. "Quantas pessoas tu junta num comício para ouvir o que você está falando? Duas, três mil pessoas? Ao passo que só aqui", e mostrou o celular, durante uma conversa em 2018, "tu atinge diariamente milhões de pessoas. Bolsonaro soube lidar com isso aí."

Às 12h45 do dia 5 de agosto de 2018, a convenção do PSL consagrou a chapa Bolsonaro-Mourão para concorrer à Presidência e a vice. Bolsonaro, mais tarde, diria gargalhando para o núcleo mais próximo da campanha: "O Congresso vai pensar duas vezes antes de querer me 'impichar'. Porque, se isso acontecer, eles terão que colocar um general na presidência".

10. A campanha virtual

Quando Jair Bolsonaro chegou ao Hospital Albert Einstein na manhã do dia 7 de setembro de 2018 para se recuperar da facada que levara na véspera, ele não corria mais risco de vida. Seu quadro, no entanto, requeria cuidados. Antonio Macedo, um dos maiores nomes da cirurgia digestiva no país, que fora buscá-lo na Santa Casa de Misericórdia da cidade mineira, acabaria tendo de fazer uma nova operação no candidato devido a uma aderência em uma das alças do intestino, a qual transcorreria sem maiores complicações. No mais, restava aguardar pela recuperação e pela alta.

A portaria do Einstein já estava lotada de jornalistas e curiosos em busca de notícias. Na porta do hospital, havia até um boneco de ar gigante de Bolsonaro trazido por apoiadores de Juiz de Fora, que tinham gastado 30 mil reais na sua confecção. O boneco deveria ter sido inflado durante a passagem do candidato pela cidade mineira, mas, com o atentado, não pôde ser exposto, então o levaram para São Paulo.

Bolsonaro chegou numa UTI hospitalar móvel acompanhado do Zero Dois. Embora com olheiras profundas, palidez cadavérica, cabelos ensebados e uma ponta de dor, tinha disposição para fazer brincadeiras. Estava otimista. No quarto da UTI, ele repetiu para os mais íntimos o comentário que fizera na Santa Casa de Misericórdia: "Agora a eleição está ganha".

De fato, desde a tarde do dia 6 de setembro, o comando da campanha logo perceberia que as chances de Bolsonaro chegar ao segundo turno tinham aumentado. Ele praticamente se transformara no único assunto da internet. Não havia outro interesse senão o atentado. As redes sociais fervilhavam, e o candidato era tratado como mártir.

A imprensa tradicional foi obrigada a se curvar aos fatos e à curiosidade do público. Na edição daquela noite do *Jornal Nacional*, a apresentadora Renata Vasconcellos anunciou, em tom grave: "Um atentado à faca contra o candidato à presidência pelo PSL, Jair Bolsonaro, manchou de sangue a campanha eleitoral, indignou o país e provocou reações imediatas de repúdio e de defesa da democracia". O jornal dedicou quase todos os blocos à cobertura do tema. O mesmo aconteceria com os demais telejornais e outros meios. Os candidatos rivais sumiram do noticiário. A eles restou apenas prestar solidariedade a Bolsonaro. Muitos chegaram a suspender suas campanhas temporariamente. O quadro continuaria assim pelas semanas seguintes.

Alguns dias antes, por volta das onze da noite de 31 de agosto, uma sexta-feira, os ministros do TSE haviam decidido, por seis votos a um, pela rejeição do registro da candidatura de Lula à presidência. Na sessão, a maioria dos ministros também proibiu Lula de fazer campanha como candidato. Estava correndo o prazo de dez dias para que o PT substituísse Lula na chapa quando Bolsonaro foi esfaqueado, roubando o protagonismo que, naquele momento, era para ser de Haddad.

A jornalista Rebeca Ribeiro, que trabalhava na AM4 com o marqueteiro Marcos Carvalho na campanha bolsonarista, contaria depois que, mesmo antes da facada, no momento em que Lula saiu do jogo, a migração de votos do ex-presidente para Bolsonaro foi um efeito visto de imediato em vídeos que a equipe recebia. Muitos desses vídeos vinham do Nordeste. "Diziam 'se não é para votar no Lula, voto no Bolsonaro'", lembraria Rebeca. "Depois que o Lula sai do páreo, Fernando Haddad, que estava na raspa, começa a crescer. Mas Bolsonaro cresce junto com ele."

A equipe da campanha tirou proveito da situação, dado que Bolsonaro saíra do ostracismo a que a imprensa o condenara para ocupar o noticiário dia e noite. Os organizadores distribuíam imagens e gravações dele no hospital e levantavam temas para chamar mais atenção para o candidato, como a suspeita de que o crime teria sido encomendado pela esquerda — hipótese logo descartada pela Polícia Federal, mas que ajudava a aumentar a rejeição das redes ao PT.

"O atentado colocou Bolsonaro no centro do noticiário nacional", diria o marqueteiro Marcos Carvalho. "Já achávamos que ele poderia ir para o segundo turno, mas depois do atentado não restou dúvida", contou. "Quando nos demos conta disso, a ficha caiu: sairíamos de uma campanha de oito segundos na TV para uma de 35 minutos, que era o tempo de propaganda eleitoral que ele teria no segundo turno. A questão era como fazer isso com um candidato fora de combate, que teria dificuldades, inclusive, de gravar peças de campanha."

Mesmo fora de perigo, Bolsonaro continuava hospitalizado e sem previsão de alta. A campanha apostava no corpo a corpo com os eleitores, principalmente nas recepções nos aeroportos, que era o melhor meio de comunicação com a população. As aparições do candidato atraíam muitos votos e davam imensa visibilidade a Bolsonaro nas redes sociais, além de passar a impressão de que ele arrastava multidões por onde passava. Com a facada, essa estratégia estava fora de cogitação. Não apenas porque o candidato estava debilitado, mas também por causa da bolsa de colostomia que passara a portar e que restringia seus movimentos.

Também não poderia participar de debates — o que de certa forma era um alívio para os organizadores da campanha, já que Bolsonaro teria de enfrentar concorrentes mais preparados do que ele. Além de ainda não ter projeto de governo, havia o risco de ele perder o controle e passar a ideia de ser destemperado. Na única experiência que tivera de debate com os outros candidatos na RedeTV!, em 17 de agosto, Bolsonaro não se saíra bem. Foi imprensado por Marina Silva, que questionou sua falta de preocupação com a desigualdade dos salários entre homens e mulheres. Ela o colocou numa situação ainda mais constrangedora ao responder ao discurso de ódio dele, que pregava a posse de armas para defesa pessoal, criticando-o por ter estimulado uma criança de oito anos a fazer o gesto de arma com a mão durante um comício. Ele insistiu no tema posse de arma. Marina fez um gesto de interrompê-lo, ao que ele reagiu de forma agressiva. "Você não pode me interromper." Quando ela retomou a palavra, desmontou-o outra vez. Disse que ele achava que tudo podia ser resolvido no grito. "Nós somos mães. A coisa que uma mãe mais quer é ver o filho educado para ser um cidadão de bem. E você fica ensinando para os nossos jovens que [eles] têm que resolver as coisas na base do grito." Bolsonaro ficou sem ação.

O debate teve efeito negativo para ele, e a campanha sentiu o golpe. No dia seguinte, Marcos Carvalho mandou por WhatsApp uma análise do desempenho do candidato a Bebianno. O título do texto era "Erramos", e avaliava o resultado fazendo previsões:

Não temos uma pesquisa própria, mas o Bolsonaro não ganha no segundo turno seguindo esse rumo. Na minha opinião, desse jeito, hoje, ele nem passa do primeiro… ele tá dançando a dança. Eu achava que não seria eleito, se seguisse aquela fórmula do Trump: chutar o balde com a imprensa e seguir original no discurso dele. […] Hoje, na minha opinião ele tinha que inflar o público dele — e só. Ser cada vez mais ele, mais original. Ele nunca vai ser uma boa imitação de ninguém, e estamos tratando ele como um candidato normal. Ele é o candidato da negação ao statu quo! O candidato do Brasil raiz — e não adianta ficar falando em "espantar o comunismo", poucos se lembram do que é isso hoje, e, desses, ninguém tem, verdadeiramente, medo da volta do comunismo; nosso trabalho é outro, [é] juntar o PT-PSDB, que no fundo parecem uma coisa só — a esquerda que "dominou" o Brasil nos últimos vinte anos! […] Ele tá tentando falar com os indecisos. Não tá dando certo. Ele tem que falar para o público dele, porque ele é uma espécie orgânica, cresce de dentro pra fora. É nas células que ele se multiplica e vai tomando conta do corpo todo. Não é tentando conversar com um público específico. É "estressando" e falando o que ele sempre falou! Cada candidato só fala o que quer nos debates, não importa a pergunta. O Jair tá tentando responder pergunta — não vai conseguir.

E continuou:

Espero estar sendo compreendido, mas a ponderação que sugiro é: o que fez Jair Bolsonaro, um deputado do "baixo clero", ser lançado pelo povo como o candidato? […] Quem foi realmente chamado foi o Jair: o brasileiro médio que o lançou candidato! Isso nunca aconteceu no Brasil e começou a acontecer no mundo! Tem candidato que foi chamado pelo Temer, tem candidato que foi chamado pelo ex-presidente Lula, tem candidato que foi lançado porque o Aécio [se] afundou em escândalos — e tem a Marina, que ninguém chama mas ela sempre aparece quando é campanha presidencial. O único candidato que tá lá porque o povo escolheu é o Jairzão.

220

Carvalho sugeriu, então, qual deveria ser a estratégia dali em diante:

Vamos incluir o monitoramento de guerrilha, quero ver o que meu tio tá falando! Ninguém vai votar seguindo imprensa, não. Não está dando certo, é isso! Ele não tem disciplina. Não tem um repertório amplo. Tem oratória limitada. Então vamos deixar o homem ser quem ele é! Ele já era "bom" para muitos antes de chegarmos. A única chance que ele tem é sendo ele mesmo. Ele é "bom" do jeitinho que ele é. Repito, se ele não ganhar sendo ele mesmo, ele não vai ganhar de jeito nenhum.

Em seguida, propôs que Bebianno instruísse Bolsonaro a falar exatamente o que lhe viesse à cabeça. E concluiu: "Fala coisas bonitas, tira da boca esse discurso pronto que já tá decorado... Fala com seu coração de um homem simples que fala com um brasileiro infelizmente subalfabetizado. Fala com o brasileiro, Jairzão! Faça. Volta pra o eixo da vitória. O eixo da aposta alta. Perde o medo e bota pra ferver. E para de monitorar a imprensa".

Em suma, Carvalho achava que Bolsonaro não deveria tentar se explicar, como fez com Marina, e sim falar o que ele pensava, sem filtros, sem se preocupar em expor suas ideias como se essas fossem propostas de governo. A opinião de Marcos Carvalho para os debates futuros com os outros candidatos não seria aplicada. Dezenove dias mais tarde, Bolsonaro seria esfaqueado e ficaria fora dos debates. A campanha teria que ser feita em estúdio, sem contato de Bolsonaro com a população, nem para fazer imagens.

Até então, a pequena equipe de propaganda do candidato, comandada por Marcos Carvalho, dava conta do recado, produzindo os vídeos na academia de ginástica da casa de Paulo Marinho. A comunicação era basicamente para as redes sociais, já que em oito segundos era impossível fazer algo muito vistoso. Foi de Bolsonaro a ideia — ainda antes da facada, quando se discutiam saídas para a propaganda de TV — de fazer vídeos utilizando apenas as imagens do candidato nas recepções nos aeroportos.

"Foi uma grande sacada dele. Com as imagens nos aeroportos era possível, naqueles míseros segundos, transmitir a vitalidade do capitão e a intensidade do apoio a ele. O vídeo terminava com 'Brasil acima de tudo e Deus acima de todos', que tocava fundo o eleitorado conservador", contou Carvalho.

A campanha pretendia explorar também algumas jogadas espontâneas de Bolsonaro, para ajudar na confecção dos vídeos para a TV. Uma dessas produções aproveitou um recurso do ex-capitão em debates e sabatinas, que passou a repercutir na imprensa: escrever na mão os tópicos de que precisava se lembrar. Ele chegou a fazer uma provocação com isso na sabatina da GloboNews. Os jornalistas especularam que seria uma cola. Era uma pegadinha: na verdade, ele havia escrito "Deus, família e Brasil".

Em um dos vídeos produzidos para propaganda eleitoral, era lançada uma pergunta: "O que você quer para o Brasil?". A resposta vinha escrita à caneta em mãos que se abriam, cada uma contendo um desejo sucinto: "+ segurança"; "Deus, família, Bolsonaro presidente"; "saúde, educação, Bolsonaro presidente".

A situação, no entanto, mudara. Com a perspectiva indiscutível da ida de Bolsonaro para o segundo turno, alguns produtores procuraram Bebianno para assumir a campanha visual. Um deles foi o diretor de TV Elias Abrão, irmão da apresentadora Sonia Abrão. Para o projeto Bolsonaro, Elias Abrão se juntara aos donos da RedeTV!, Amilcare Dallevo e Marcelo de Carvalho. Coube a Fabio Wajngarten, advogado e empresário do setor de pesquisa de mercado, além de ligado a executivos do setor de comunicação, fazer a ponte entre a turma da RedeTV!, Carlos Bolsonaro e Bebianno, que gostaram da ideia.

Ao saber da decisão da entrega da parte visual da campanha para Abrão, Marcos Carvalho se encrespou. Procurou Bebianno para reclamar. "Porra, Bebianno, eu fui ao estúdio desses caras. É uma bosta. O trabalho deles é ruim. Eles fazem um programa de quinta. Se a gente for com eles para a propaganda de TV, vamos passar vergonha", protestou.

Bebianno não gostou da interferência de Carvalho, e, pela primeira vez na campanha, os dois se atritaram. "Já tá decidido. Serão eles. Eu tô mandando, porra!", respondeu Bebianno quase aos berros.

Carvalho obedeceu, contrariado. "Tá o.k., Bebianno. Você decide. Vou pedir para eles fazerem o piloto. Mas estou te avisando que vai ficar uma merda", disse. "Além disso", argumentou, "o capitão, quando tiver alta, vai querer voltar para o Rio, para a casa dele. Como é que vamos ficar fazendo gravação aqui em São Paulo?"

Quando Bebianno assistiu ao piloto, não gostou do que viu. Achou o trabalho pouco atraente e de baixa qualidade. Ficou decidido então que o eixo da campanha continuaria no Rio. Para isso, seria preciso aumentar a estrutura na casa de Paulo Marinho. Bebianno mandou que Carvalho se virasse. O marqueteiro contratou, então, a empresa Studio Eletrônico, de Campinas, para fazer a parte visual. Toda a equipe se mudou para o Rio, inclusive o dono do estúdio. Eram trinta pessoas trabalhando na casa de Marinho. Foi quando o marqueteiro resolveu acelerar a arrecadação de recursos para o candidato, incrementando as plataformas que, de alguma forma, conduziam apoiadores ao portal de doações.

O aplicativo MitoNaSelfie, por exemplo, permitia aos eleitores simular uma foto ao lado do capitão enquanto ele estava impossibilitado de sair às ruas. "Como todo bom patriota, você não quer só publicar textos e imagens sobre Bolsonaro em suas redes sociais, quer também uma selfie lado a lado com ele, né não?", dizia o texto de divulgação do aplicativo em uma página de direita pernambucana no Facebook. Então, o seguidor poderia escolher uma foto de Bolsonaro disponibilizada no aplicativo e colar uma foto sua ao lado, dando a impressão de que estavam juntos na cena.

Outra plataforma, chamada Fiscais do Jair, convocava voluntários para ficarem nos locais de votação até o horário em que é permitido fotografar os boletins de urna, sempre uma hora depois de encerrada a votação. Depois, deveriam enviar os registros dos boletins dentro da plataforma. Em três dias, inscreveram-se 40 mil voluntários. Com essas iniciativas, a campanha intensificava o trabalho de chamar os apoiadores do ex-capitão a fazer mais do que "apenas" votar. A contribuição financeira à campanha, com quaisquer pequenos valores que pudessem dar, era o caminho natural desse chamamento.

Essa aceleração foi primordial para que a campanha atingisse a impressionante marca de 25 mil doadores, arrecadando 4,4 milhões de reais — uma das maiores arrecadações em plataforma digital do mundo. Isso explica por que a procura espontânea de apoiadores para colaborar com a campanha aumentou depois da facada. Eles entendiam que Bolsonaro, estando fora de combate, precisava do seu exército mais do que nunca.

O ex-capitão ficaria no Einstein até 29 de setembro, às vésperas do primeiro turno, marcado para domingo, 7 de outubro. Nesse período, a campanha na TV se limitou aos vídeos tradicionais. Já a comunicação nas redes se intensificou. André Marinho foi colocado em ação para emular a fala e os gestos do candidato em alguns vídeos, distribuídos nos grupos de direita. Bolsonaro gostava tanto da imitação que certa vez lhe disse: "Garoto, qualquer dia vou começar a cobrar direitos autorais".

Enquanto estava no hospital, o quarto do candidato se transformou em comitê de campanha. As visitas eram muitas. Políticos, intuindo a vitória, tentavam se aproximar de Bolsonaro. Bebianno se postou como um cão de guarda, controlando quem podia ou não subir. Um dos visitantes mais assíduos era o senador Magno Malta, que postava vídeos nas redes sociais e chegou a abandonar a sua própria campanha.

Outro que faria plantão por lá era o pastor Silas Malafaia. A facada havia provocado um armistício entre ele e Bolsonaro. A dupla se desentendera em 2017, após Malafaia ter sido indiciado na Operação Timóteo. O bispo foi investigado pela Polícia Federal por lavagem de dinheiro em um esquema de corrupção em cobranças de royalties de exploração mineral. Bolsonaro foi à tribuna da Câmara defendê-lo, mas Malafaia achou a defesa "pouco efusiva" e cortou relações com o então deputado. Ficou tão aborrecido que, nas articulações da pré-campanha para o pleito de 2018, anunciou apoio ao tucano João Doria e atacou os "rompantes autoritários" do ex-amigo militar.

"Não existe direita radical", diria Malafaia certa vez em uma live nas redes sociais. "Você que está enganada, minha filha. Sabe qual é a direita radical? É aquela que prega que quer fechar o Congresso Nacional", disse. Foi necessária a intervenção de Magno Malta para que os dois fizessem as pazes. Ajudou também na reconciliação o fato de Doria não ter conseguido se viabilizar como candidato.

Na ocasião do atentado, os dois já estavam de bem. Em 7 de setembro, o bispo gravou um vídeo de um minuto ao lado de um abatido Bolsonaro, deitado na cama de UTI do Einstein, explicando como "Deus é especialista em transformar causa em bênção". Bolsonaro pegou carona na fala e agradeceu a Deus por ter sobrevivido. O vídeo acaba com o bispo afirmando que "há um projeto para a nossa nação, porque o Brasil é do Senhor Jesus".

Já a advogada Janaina Paschoal, sem autorização para subir ao quarto, ficou de prontidão no hall. Ela tinha medo de que Bolsonaro fosse abandonado pelos correligionários em campanha. Para mostrar sua solidariedade, ela esperou pela chegada do candidato ao hospital. Vestida de negro, fazia orações na portaria, dizendo aos jornalistas que era preciso que o pessoal da campanha se unisse ainda mais para garantir a vitória do então deputado. Insinuava que muitos aliados, em vez de apoiá-lo, cuidavam apenas dos seus próprios interesses eleitorais. Ao longo dos dias, ela tentou estar com Bolsonaro. Não conseguiu. Diria, depois, que fora barrada por Bebianno. "Ele mandou eu ir até lá e depois não me deixou subir. Ele se apossou de Bolsonaro", reclamaria.

Em São Paulo, era preciso também ciceronear Michelle Bolsonaro para que ela não ficasse o tempo todo presa no quarto. Coube a André Marinho levá-la, algumas vezes, a restaurantes e passeios pela cidade, como a pizzaria Camelo. Essa movimentação era feita sempre na companhia de Fabrício Queiroz, ainda lotado no gabinete de Flávio Bolsonaro. Outro que não descolava do grupo era o sargento Max Guilherme Machado de Moura, lotado no Batalhão de Operações Policiais Especiais, Bope, unidade de elite da PM do Rio de Janeiro. Moura ficaria tão próximo do candidato e de sua família que, após a eleição, Bolsonaro o nomearia chefe da sua segurança pessoal. Mais tarde, seria promovido ao posto de assessor especial, sendo um dos articuladores da área de comunicação do Planalto, com poder de interferir na Secretaria de Comunicação Social (Secom).

A vida corria leve no Einstein. Os conhecidos e políticos gravavam vídeos ao lado de Bolsonaro, alimentando as redes. André Marinho era sempre requisitado para fazer suas imitações do capitão. Queiroz, por exemplo, lhe pedia a todo instante que gravasse áudios para seus amigos, ora para um sargento de Nova Iguaçu, na Baixada Fluminense, ora para um policial em Rio das Pedras, Zona Oeste do Rio. André divertia a turma do "capitão", principalmente os seguranças, com as imitações não só de Bolsonaro como dos outros candidatos. Em uma de suas interpretações, ele simulou um diálogo imaginário entre Donald Trump e Bolsonaro. A imitação era tão perfeita que chegou a 1 milhão de visualizações. Por causa disso, André acabaria sendo contratado pela rádio Jovem Pan.

Mas não era só Michelle que demandava atenção dos organizadores da campanha. O general Hamilton Mourão fora escalado para substituir Bolsonaro em alguns eventos para manter a campanha viva. O candidato a vice, contudo, acabaria causando mais preocupação do que alívio à equipe, e sua presença como substituto do titular mais atrapalhou do que ajudou.

No dia 27 de setembro, a dez dias do primeiro turno, Mourão, em uma palestra na Câmara de Dirigentes Lojistas de Uruguaiana, no Rio Grande do Sul, num rompante liberal de que nem mesmo Paulo Guedes seria capaz, fez pesadas críticas ao pagamento do 13º salário. Em sua palestra, talvez na tentativa de agradar os empresários, ele afirmou que o benefício era uma "jabuticaba" brasileira, que "o único lugar [do mundo] onde a pessoa entra em férias e ganha mais é aqui no Brasil", e defendeu a suspensão do benefício. "[Vamos fazer] a implementação séria da reforma trabalhista. [...] Temos algumas jabuticabas que a gente sabe que são uma mochila nas costas de todo empresário. [...] É sempre aquela visão dita social, mas com o chapéu dos outros. Não é com o chapéu do governo."[1] A confusão estava armada. A imprensa repercutiu, os trabalhadores chiaram, e Bolsonaro correu o risco de perder alguns pontos de apoio.

Percebendo o estrago, Bolsonaro tratou de desmentir Mourão no mesmo dia, e de forma ferina. Era preciso apagar o incêndio com urgência, e ele rebateu o vice da seguinte maneira: "O 13º salário do trabalhador está previsto no artigo 7 da Constituição em capítulo das cláusulas pétreas [...]. Criticá-lo, além de uma ofensa a quem trabalha, confessa desconhecer a Constituição".

Não era a primeira vez que Mourão causava problemas para a campanha. Um dia após ter sido escolhido vice na chapa de Bolsonaro, o general da reserva estreou no papel dando uma declaração de cunho racista durante um evento na Câmara de Indústria, Comércio e Serviços de Caxias do Sul, no Rio Grande do Sul. Na ocasião, discorreu sobre o "nosso cadinho cultural", no qual a "herança do privilégio é ibérica. Temos uma certa herança da indolência, que veio da cultura indígena [...], e a malandragem oriunda do africano". Já no dia seguinte ao atentado contra Bolsonaro em Juiz de Fora, o candidato a vice disse à Globo-News que, na "situação hipotética" de "anarquia generalizada", pode haver um "autogolpe" do presidente com ajuda das Forças Armadas.[2] Felizmente, afirmou em seguida que não acreditava que isso fosse acontecer. Em 17 de setembro, afirmaria que família "onde não há pai nem avô, [só] mãe e avó, [...] torna-se realmente uma fábrica de elementos desajustados que tendem a ingressar em narcoquadrilhas".

A fala sobre o 13º salário seria a gota d'água numa relação já desgastada, porque mexia com um direito muito caro aos trabalhadores brasileiros. Diante das declarações desastradas de Mourão, Janaina Paschoal, a vice descartada e então candidata a deputada estadual em São Paulo, foi ao Twitter reclamar com o capitão, cobrando que ele tomasse as rédeas da campanha. "O povo gosta do senhor, tenho falado com muita gente... O senhor tem o dever de enquadrar todo mundo e tomar as rédeas da campanha! Se estiver em condições de ir ao debate, tem que ir! Gases não podem parar um chefe de Estado! Que brincadeira é essa?", escreveu, referindo-se ao desconforto gástrico do candidato, por causa das cirurgias. Em outra publicação na mesma rede, exortou: "Pelo amor de Deus, tome as rédeas da campanha, ou vamos entregar o Brasil de bandeja para o PT! Eu avisei lá atrás e reitero agora!".

Mas foi apenas dois dias depois do primeiro turno que Bolsonaro decidiu afastar Mourão da campanha. Em 6 de outubro, numa entrevista informal no aeroporto de Brasília, o general da reserva, que é descendente de indígenas, falou a jornalistas, apontando para o neto que o esperava: "Olhem o meu neto, é um cara bonito. Viram ali? Branqueamento da raça". Na reta final da corrida pelo Planalto, Bolsonaro não queria mais Mourão causando constrangimentos. O próprio ex-capitão estava sendo controlado por Bebianno para não escorregar nas falas. Ordenou, então, que o vice se casasse com a namorada e sumisse em lua de mel. Mourão foi passar quinze dias em Penedo, no estado do Rio, e só voltou às vésperas do segundo turno.

No dia 29 de setembro, Bolsonaro teve alta do Einstein, embora continuasse fora de combate. A volta à sua casa, no Rio de Janeiro, naquele mesmo dia, coincidiu com a tomada das ruas de uma centena de cidades brasileiras pelo movimento EleNão, iniciado um mês antes, dentro de uma comunidade do Facebook. Intitulado Mulheres Unidas Contra Bolsonaro — MUCB, o grupo tinha sido criado em 30 de agosto de 2018 e atingiu a marca de 2 milhões de seguidoras em algumas semanas. Havia também páginas específicas do MUCB para cada região do país. A campanha bolsonarista reagia: "Em resposta ao grupo de mulheres no Facebook contra Bolsonaro, nós imediatamente nos articulamos com as mulheres que apoiavam o Jair. Criamos, então, o grupo, o EleSim, que cresceu da mesma maneira, fazendo frente ao seu antagonista", contaria Rebeca Ribeiro, da AM4.

Mas o movimento contra Bolsonaro se avolumava. Antes de o EleNão tomar as ruas, o apoio a Haddad já ganhava força nas redes sociais. O novo candidato do PT chegou a ultrapassar Bolsonaro em pesquisas de intenção de voto para o segundo turno, como a do Datafolha de 28 de setembro, que mostrou Haddad vencendo Bolsonaro por 45% a 39%.

Quando o EleNão, de acordo com levantamento feito pelo portal G1, tomou as ruas de 114 cidades, a discussão política também dominou as redes. O comunicador Bruno Monteiro, que integrava a campanha digital do PT na

Bahia, percebia a empolgação pró-Haddad crescer na internet — não só na Bahia, mas por todo o Brasil. "Perto do meio-dia, a gente pensou: 'Poxa, o negócio realmente vai virar, está resolvendo a eleição.'"

Então, ele lembraria tempos depois, algo surpreendente aconteceu.

Não sei precisar a hora. Acho que era por volta de umas seis, sete horas da noite. Eu abro o relatório de monitoramento e vejo que a coisa está mais negativa do que positiva para o nosso lado. Até o começo da tarde, nossas redes estavam 90% a nosso favor. A convocação tinha sido um sucesso, o movimento teve muita adesão, os artistas estavam se mobilizando. Era uma onda crescente. Aí, quando eu olho um relatório no final da tarde, o monitoramento apontava mais negativo do que positivo.

Como explicou Monteiro, o apoio a Bolsonaro e a rejeição ao EleNão não paravam de crescer.

A gente não conseguia entender o que estava acontecendo. Ficamos buscando razões para aquela virada. Tinha havido alguma briga? Algo que justificasse aquela mudança de comportamento? Aí eu comecei a acompanhar o monitoramento, em intervalos menores. E foram crescendo as menções negativas ao EleNão. Crescendo, crescendo. Ninguém estava entendendo nada. Aí, acho que foi na madrugada ou no domingo de manhã que nós entendemos, ao ter acesso a materiais que estavam circulando no WhatsApp. O que aconteceu é que eles já tinham pronto um material que começaram a jogar nas redes. Eram cenas que não tinham nada a ver com o EleNão. Pegaram cenas de mulheres nuas nas ruas, mulheres se beijando, cenas de defesa do aborto e começaram a soltar aquilo enquanto as manifestações aconteciam. Isso foi criando uma reação negativa nas redes. O problema é que tudo aconteceu quando as pessoas defensoras do EleNão estavam nas ruas, fazendo a mobilização. Estavam postando, mas não havia um movimento articulado daquelas postagens. Ou seja, as pessoas estavam nas ruas enquanto as máquinas bolsonaristas estavam fazendo postagens em série e disparando nos grupos de WhatsApp.

A reação articulada ao EleNão começou na tarde do dia 29, em Botucatu. Acontecia na cidade uma manifestação organizada pelo empresário e produtor rural Jorge Izar, do Revoltados On Line, e mais outros bolsonaristas locais. Uma multidão lotava as ruas em volta do enorme caminhão de som. O general Hamilton Mourão, representando Bolsonaro, e Levy Fidelix, fundador e presidente do PRTB, o partido do vice, eram os convidados de honra. Quando Izar, um dos maiores articuladores das redes bolsonaristas entre empresários e ruralistas, tomou conhecimento do EleNão, chamou Lívia Fidelix, a filha do político, e disse: "Lívia, sobe no caminhão e convoca a mulherada para um EleSim". Ao tomarem conhecimento do que estava acontecendo, as apoiadoras de Bolsonaro ligadas à Igreja católica se encresparam e, na mesma hora, começaram a espalhar o EleSim pelas redes. Em poucas horas, o movimento ganhou o Brasil, tirando a força do EleNão.

Depois, revelou Monteiro, eles souberam que esses disparos eram feitos por grupos conservadores ligados a igrejas, que estavam postando cenas que não eram da manifestação. "Aquilo fez o caldo entornar. Quando a gente se deu conta, quase 90% das menções eram contrárias ao EleNão. A coisa explodiu."

Ao entender o que tinha acontecido, os organizadores do movimento iniciaram uma disputa de narrativa. "Já no domingo, também acionamos as pessoas para fazer a defesa do movimento. Mas o balanço do fim de semana foi muito ruim para nós. Foi 60% contra e 40% a favor do EleNão. Realmente o impacto do trabalho que eles fizeram foi muito grande", lamentou Monteiro.

Posteriormente, um artigo publicado na *Revista do Grupo de Estudos Linguísticos do Nordeste* faria uma reflexão sobre o que acontecera naquele final de semana de 29 de setembro. O artigo, intitulado "O movimento #ELENÃO e seu apagamento discursivo sob a contranarrativa do #ELESIM",[3] chegou a algumas conclusões significativas.

A primeira delas foi que "os grupos e apoiadores da ideologia bolsonarista se levantaram contra a participação das figuras públicas que aderiram à campanha, deslegitimando suas vivências e, por conseguinte, seus discursos". A segunda, que a "estratégia dos apoiadores de Jair Bolsonaro de enfatizar a correlação do feminismo com o movimento não foi [...] fortuita, mas [teve] o intuito de ativar, na memória do coletivo, pautas que o movimento feminista defende e que são vistas, ainda, com rejeição [na] sociedade brasileira conservadora, como [...] a legalização do aborto [e] as liberdades sexuais".

Seguindo essa estratégia, diz o artigo, não demorou muito para que a dicotomia mulheres de direita versus mulheres de esquerda fosse implantada no centro das discussões, instigando a rivalidade e buscando minar a ideia de que o movimento representaria a opinião pública de todas as mulheres. Posicionamentos conservadores, misóginos e sexistas foram legitimados por falas do presidenciável. O principal alvo dos ataques eram as artistas que haviam aderido à campanha, pois, reconhecendo nelas o poder de influenciar a opinião pública, estas passaram a ter suas falas deslegitimadas pelos simpatizantes do candidato do PSL.

Rebeca Ribeiro, que acompanhou todo esse processo, faria posteriormente o seguinte balanço: "Essa eleição foi muito diferente. Havia muitos atores. A eleição foi superdescentralizada. Se eu for resumir a participação da nossa agência, eu acho que foi muito para furar uma bolha. Para Bolsonaro ir além da bolha dele, que ele não percebeu que tinha".

No caso do combate ao EleNão, ela relatou que houve estratégia e resultado. O marketing da campanha acreditava que era preciso estereotipar certo perfil de quem defendia a causa, de modo a repelir eleitores de perfil conservador. Os vídeos mostravam mulheres tatuadas, com roupas extravagantes, cabelos coloridos, piercings, tudo o que os conservadores viam como revolução dos costumes, desleixo e anarquia.

Na opinião de Rebeca, a esquerda não concebia que pudesse haver tantas mulheres que apoiassem sem reservas um candidato desbragadamente misógino, e assim não percebia que a estratégia de confrontá-lo pelas opiniões regressivas pudesse estar atingindo um efeito contrário ao previsto.

Essa falta de percepção da esquerda, segundo ela, desaguaria na acusação de que o apoio a Bolsonaro era falso, ou seja, fake news disseminadas pela direita. O pessoal progressista, avaliaria Rebeca Ribeiro, não enxergava que existia uma enorme resistência à esquerda de parte da população conservadora. "As pessoas diziam: 'Não tem nenhum grupo que apoia o Jair, não'. Mas tinha. Tinha muita mulher pedindo para participar, muita mulher ativa no grupo." E prosseguiu: "O legal daquela campanha é que você só precisava de um fósforo. A pólvora estava toda ali. Já havia mulheres engajadas em pequenos grupos de mulheres bolsonaristas. Aí se jogou uma polvorazinha e elas se uniram em grupos maiores. E aconteceu o que aconteceu".

A equipe de Marcos Carvalho teria ainda nova empreitada bem-sucedida, transformando outro movimento negativo em propaganda positiva para Bolsonaro nas redes sociais. A hashtag #MarketeirosDoJair, no Twitter, reverteu a repercussão negativa da matéria da jornalista Patrícia Campos Mello, da *Folha de S.Paulo*, sobre o disparo de mensagens em massa via WhatsApp patrocinado por empresários para apoiar Bolsonaro, em descumprimento da lei eleitoral. O movimento era um deboche contra os opositores, que, na visão dos fiéis seguidores do ex-capitão, não conseguiam aceitar que o candidato do PSL tivesse um exército tão empenhado trabalhando de graça. "Eu sou marketeiro do Jair", começaram, espontaneamente, a gritar nas redes, e a campanha não demorou a transformar o tuíte viral em uma ação oficial do partido.

Como nas redes, a movimentação na casa de Bolsonaro, na Barra da Tijuca, após a sua volta para o Rio, era grande. Amigos e políticos mais próximos não saíam de perto dele, querendo mostrar solidariedade ao líder. O apoio na internet aumentara tanto que a campanha chegou a acreditar na vitória já no primeiro turno — os organizadores inclusive prepararam um evento no Hotel Windsor, ao lado do condomínio de Bolsonaro, para comemorar o resultado.

No dia da votação, 7 de outubro, a festa da vitória estava pronta. Tudo fora cronometrado. O candidato sairia de sua casa assim que não houvesse mais dúvida de que ganhara a eleição, o que se daria, de acordo com a expectativa dos organizadores, antes mesmo da apuração final de todas as urnas.

Por volta das seis horas da tarde, um grupo animado de apoiadores da campanha se juntara por acaso no bar do hotel, contíguo ao lobby, para aguardar o início da contagem dos votos. Uma hora depois, quando os primeiros números começaram a ser divulgados pela GloboNews, vindos principalmente dos estados do Sul do país, o entusiasmo tomou conta do ambiente. Com base nas urnas apuradas, Bolsonaro aparecia com mais de 49% dos votos válidos, contra 26% de Fernando Haddad, o que apontava para a vitória em primeiro turno. Aplausos e gritos de "Já ganhou!" ecoavam pelo lobby do hotel.

Uma nova onda de entusiasmo se deu quando os resultados indicaram a derrota da ex-presidente Dilma Rousseff para o Senado, em Minas Gerais. Em coro, os apoiadores vibraram: "Tchau, querida". Confirmada a derrota do petista Lindbergh Farias na disputa pelo Senado no estado do Rio, nova comemoração. "Tchau, lindinho!", gritaram em coro.

Àquela altura, se formara um enorme engarrafamento ao longo da avenida na frente do hotel. Centenas de carros buzinavam, antecipando o que acreditavam ser uma vitória de Bolsonaro.

Foi quando os resultados do Nordeste começaram a aparecer, diminuindo a vantagem em relação a Fernando Haddad. À medida que a proporção de votos válidos para Bolsonaro caía, o entusiasmo dava lugar ao nervosismo. Cerca de quarenta pessoas acompanhavam a apuração no bar do hotel. "Não é possível. Está caindo", gritou uma apoiadora angustiada. "Isso porque a apuração do Rio está atrasada", berrou outro, tentando manter acesa a esperança do grupo. Um empresário carioca, encostado em uma coluna do bar, esfregava as mãos no rosto, com expressão tensa. "Não é possível. Eu não vou aguentar um segundo turno. Vou arrebentar de ansiedade", disse para a mulher ao lado dele. O apoiador contou que ajudara na campanha, fazendo santinhos para o candidato. "É uma campanha pobre. Se a gente não ajudar, não sai nada", disse.

Por volta das oito e meia, já ficara claro que haveria segundo turno. O grupo, que pouco antes pulava e gritava de animação, silenciou. Falando baixo, com os olhos fixos na tela, procurava as razões para a queda no percentual de votos de Bolsonaro. Do lado de fora do hotel, as buzinas começaram a cessar.[4] O capitão e seus seguidores logo diriam que a mudança repentina no percentual de votos válidos, decorrente da apuração das urnas do Nordeste, era evidência clara de que a eleição havia sido fraudada. A informação foi devidamente descartada pela Justiça Eleitoral.

Na sala de imprensa do hotel, às nove horas, jornalistas brasileiros e estrangeiros aguardavam a chegada de Bolsonaro. Haddad, cercado de correligionários, já tinha feito um pronunciamento e comemorava sua ida para o segundo turno. Os assessores do ex-capitão do Exército entravam e saíam da sala com informações inconclusivas sobre a sua vinda para a coletiva. Um deles chegou a informar que o candidato estava a caminho, mas que tinha dificuldades para chegar por causa do engarrafamento. "Ele não pode vir a pé, embora seja muito perto, por causa do seu estado de saúde", disse. A desconfiança dos jornalistas de que o deputado não apareceria só aumentava. Perto das nove e meia, alguém avisou que ele falava ao vivo nas redes sociais e admitia o segundo turno.

Às dez da noite, o pessoal de apoio começou a retirar as placas com os nomes de Bolsonaro e de sua equipe colocadas sobre a mesa. Em lugar de dezesseis, deixaram apenas seis lugares marcados. Os jornalistas estrangeiros perguntavam para os colegas brasileiros, sacudindo a cabeça: "Ele não virá? Mas pode isso? É isso mesmo?". Outros diziam: "Vai ser difícil fazer a cobertura caso ele chegue à presidência".

Pouco depois, os seis representantes escolhidos sentaram-se à mesa para falar em nome de Bolsonaro. Apareceram o deputado Onyx Lorenzoni, então do DEM, que apoiava a campanha desde o início e era apontado como futuro ministro da Casa Civil; o ruralista Nabhan Garcia, citado como ministro da Agricultura — o que não chegaria a se concretizar —; o presidente do partido, Gustavo Bebianno, o empresário Paulo Marinho, o sargento do Exército Hélio Lopes, vulgo Hélio Negão, e Marcelo Álvaro Antônio.

Eles se acomodaram, e Bebianno foi o primeiro a falar. Disse que Bolsonaro não viera por questões de saúde. "Ele teve um dia muito exaustivo", explicou. Depois, o presidente do PSL insinuou que o resultado não tinha sido justo, citando supostas irregularidades nas urnas eletrônicas. Reclamou também das "minorias que não respeitam as maiorias" e condenou as novelas da Rede Globo que "faltam com respeito à família brasileira".

O deputado Onyx Lorenzoni procurou mostrar confiança na eleição no segundo turno. Disse que a bancada ruralista garantiria apoio a Bolsonaro no Congresso, afora os 52 deputados que haviam sido eleitos pelo PSL. Afirmou ainda que a vitória de Bolsonaro no segundo turno era "inexorável". Na saída, numa nova conversa com os jornalistas, complementou: para ele, ainda que a cúpula dos partidos mais ao centro, como o PSDB, apoiasse Haddad, o eleitor do partido não iria acompanhar seus caciques. "Vocês acham que eleitor de Alckmin vai votar no Haddad?", questionou. Ele também se disse convencido de que os eleitores de Ciro Gomes não iriam em massa para a candidatura petista.

Mais tarde, em um jantar com jornalistas em um restaurante ao lado do hotel, Nabhan Garcia disse ter acompanhado a contagem dos votos ao lado de Bolsonaro. Segundo ele, o ex-capitão "passou o dia tranquilo," e seus aliados estavam muito mais ansiosos do que o candidato. Quando as chances de vitória no primeiro turno começaram a ficar distantes, foi Bolsonaro, segundo Garcia, quem procurou acalmar os ânimos. "Ele estava muito cauteloso. Embora nós, em volta dele, estivéssemos confiantes de que ele poderia ganhar." Disse que ele enfrentou bem o resultado. "Ele levou uma facada. Esteve à beira da morte. Essas situações-limite mudam a vida de todo mundo. Hoje ele está muito mais emotivo, mas também muito menos ansioso. Parece aceitar as coisas com mais serenidade", avaliou.

Garcia contou que Bolsonaro assistira à apuração ao lado de correligionários próximos, como ele, Lorenzoni, Paulo Marinho, Bebianno, Paulo Guedes e seu vice, general Mourão. Perguntado como estava a relação do candidato com Mourão, após as entrevistas desastradas que ele concedera dias antes da eleição, respondeu: "Tranquila. O ambiente estava ótimo. Descontraído. Rimos muito".

Quando chegaram, contou o ruralista, um segurança do presidenciável chamado capitão Carneiro pediu a todos que deixassem seus celulares sobre o móvel da sala, para não haver risco de vazamento de imagens. As mulheres foram para outro ambiente e os homens ficaram juntos, conversando. Perguntado sobre quais assuntos, desconversou: "Bobagens, brincadeiras", disse, sem especificar o teor das conversas. E completou: "Assunto de homem".[5]

Confirmada a derrota, era preciso tocar a campanha. Uma das armas da artilharia petista era bater no tema da eliminação do 13º salário, levantado por Mourão. Embora desmentido por Bolsonaro, muitos brasileiros ficaram com uma ponta de desconfiança. Foi de Paulo Marinho a ideia de desmontar a trapalhada do vice. "Gustavo, o que você acha da ideia, para neutralizar os efeitos dessa fala do Mourão, de lançar o 13º salário para o Bolsa Família?", sugeriu.

O advogado gostou da ideia e a levou a Bolsonaro. A reação do capitão foi péssima. "Essa ideia é uma merda." Constrangido e chateado com o pito de Bolsonaro, Bebianno se voltou contra Marinho. "Não te falei que essa ideia era ruim?", afirmou, embora jamais tivesse dito isso para o empresário.

Apesar da reação de Bolsonaro, Bebianno decidiu discutir a ideia com Paulo Guedes. Perguntou ao economista se ele poderia calcular qual seria o custo de se incluir o pagamento do 13º no Bolsa Família. Surpreendentemente, Guedes disse que a ideia era viável e autorizou que a levassem adiante: "Excelente ideia, toca o pau". No dia seguinte, 10 de outubro, Bolsonaro gravaria um vídeo, já na casa de Marinho, lançando a proposta: "No tocante ao 13º, irmãos do Nordeste, olhando nos seus olhos, o Bolsa Família terá 13º".

Essa história seria contada posteriormente por Bebianno, em um vídeo em que ele, Paulo e André Marinho e Marcos Carvalho rememoram a campanha na casa do Jardim Botânico, que o empresário desocupou pouco depois do pleito. A ideia era transformar o registro em documentário. Na gravação, Bebianno conta também como foi a sua reação após o resultado do primeiro turno. Segundo seu relato para os Marinho e para Carvalho, sua decisão foi imediata: "Para. A gente não vai gastar um minuto do nosso tempo falando bem de Jair Bolsonaro. Esquece. A gente só vai bater no PT", ordenou. Em seguida, entra uma gravação de Bolsonaro, sentado em uma poltrona, em que afirma: "A volta do 'kit gay'. Haddad presidente da República, nem pensar". Era a guerra sugerida por Bebianno.

Em outro momento do vídeo, Bebianno revela uma conversa particular que teve com Bolsonaro pouco antes da eleição do segundo turno. A cena tem ares de drama. Bebianno é filmado sentado em um sofá da sala de cinema da casa de Marinho, com apenas um foco de luz sobre ele. Começa, então, sua narrativa. Os dois, segundo Bebianno, estavam sentados sozinhos na sala de televisão. Bolsonaro então lhe disse: "Gustavo, você está isso aqui [aproximando o indicador do polegar para demonstrar a curta distância] para se tornar o próximo ministro da Justiça". O advogado continua a história: "Botei uma mão em cada joelho dele e disse: 'Capitão, só tem uma coisa que eu lhe peço. Eu não faço questão de nada. Nunca lhe pedi nada. Mas tem uma coisa que eu quero lhe dizer'". Com semblante grave, Bebianno prossegue: "'A única coisa para a qual eu não estou preparado é para ser deixado pelo caminho.' [...] E ele deu a palavra de honra que isso não aconteceria, que ele [...] jamais deixaria um soldado pelo caminho".

Depois que Bolsonaro se elegeu, Bebianno foi um dos primeiros soldados a ser largado, só, ferido de morte, no campo de batalha.

Os problemas para as gravações da campanha do segundo turno eram muitos. O primeiro deles era a dificuldade de Bolsonaro de ler o teleprompter. O candidato errava, gaguejava, tropeçava nas palavras, o que obrigava a equipe a refazer várias vezes as filmagens. Nesses momentos, Bolsonaro ficava muito tenso, paralisado. Era Bebianno quem o tirava do local de gravação para acalmá-lo. O segundo era que, em função da facada, Bolsonaro ficava muito cansado e precisava tirar um cochilo durante a tarde. Mesmo com tantos obstáculos, ele fez duas gravações que a equipe achou memoráveis.

Na primeira, falava da filha, chorando ao relembrar a história da concepção de Laura. Contou que era vasectomizado quando se casou com Michelle e que, como ela queria filhos, Bolsonaro desfez a vasectomia, então tiveram uma menina. A questão é que, antes da campanha, durante sua apresentação no Clube Hebraica, no Rio, Bolsonaro dera uma declaração que pegara mal entre as mulheres. Disse que tinha tido quatro filhos homens, três do primeiro casamento — Zero Um, Zero Dois e Zero Três — e Renan, o Zero Quatro, filho de Ana

Cristina Valle. Depois, referindo-se, à filha, completou: "Dei uma fraquejada e veio uma mulher".[6]

Para desfazer essa imagem negativa, na peça em questão o candidato fala exclusivamente da menina e da alegria de ter tido uma filha — que, segundo ele, era o seu xodó. Emocionado, pede a ela que lhe dê um beijo e sorri ao final. O vídeo fez um sucesso estrondoso nas redes.

Na outra gravação, Bolsonaro aparecia ao lado de Paulo Guedes. Contrariando tudo o que faria no governo depois que assumisse, o presidenciável diz: "O Brasil tem tudo para ser uma grande nação. Qual é o seu maior problema? O nosso maior problema é o político. São as indicações políticas. É o toma lá dá cá. E as consequências desse tipo de política é a ineficiência do Estado e a corrupção". Ao rever essa gravação, anos depois, Paulo Marinho comentaria com alguns amigos: "Tem alguma coisa aqui que ele tenha cumprido?".

Embora tenha cedido sua casa para que Bolsonaro gravasse os vídeos e até sua cozinheira para Michelle Bolsonaro — que acabaria por ficar com a profissional, para desgosto de Marinho, que se sentiu traído com a atitude da futura primeira-dama, já que a funcionária trabalhava para sua família havia quase vinte anos —, o empresário nunca teve uma relação próxima com o candidato. Sempre houve certa distância entre o ex-capitão e o pessoal da campanha. "Ele só se sentia à vontade com os policiais que faziam sua segurança", contaria Marinho no mesmo vídeo que gravou com Bebianno e Marcos Carvalho.

Apesar da aparente desconfiança, Paulo Marinho resolveu presentear Bolsonaro com três blazers da marca Ralph Lauren. Bolsonaro os experimentou e ficou encantado com as peças. Não se conteve: "Porra, o cara está me dando um casaco de grife desse aqui. Não é um não, são três". Olhou, então, para André. "Pelo visto o teu pai quer me comer", disse, entre gargalhadas.

Durante aquele dia de filmagem, Bolsonaro parecia visivelmente incomodado. Tinha dificuldade para memorizar o texto em que seu guru econômico buscava lhe explicar o conceito de reserva cambial. "O Paulo Guedes estava tentando incluir aquilo na fala do capitão para tentar afetar um conhecimento sobre economia que ele não detinha", contaria André Marinho. No meio da filmagem, ele desistiu. "Deixa pra depois essa porra aí. Tu cuida disso aí, Paulo Guedes", disse ao economista.

Com as pesquisas indicando uma possível vitória de Bolsonaro, candidatos de outros partidos começaram a se bandear para o seu lado. Um dos casos que mais chamaram a atenção foi o de João Doria, do PSDB, que concorria ao governo do estado de São Paulo. Após a derrota de Geraldo Alckmin no primeiro turno, Doria se sentiu à vontade para voar rumo ao ninho bolsonarista, e quis tanto se aproveitar do sucesso do ex-capitão que até apelidou sua própria campanha de "BolsoDoria".

Para dar mais credibilidade ao seu apoio ao candidato junto ao eleitorado paulista, Doria tentou ser recebido pelo presidenciável. Num gesto precipitado, voou para o Rio na companhia de Joice Hasselmann, uma aguerrida bolsonarista que concorria a deputada federal pelo PSL — e depois romperia estrondosamente com o ex-capitão —, na tentativa de ser recebido por ele. Não deu certo, e Doria amargou um dos maiores constrangimentos da campanha. Tomou um chá de cadeira na entrada do condomínio de Bolsonaro, que não o recebeu.

Como é de seu estilo, Doria não desistiu da empreitada. Seguiu para a casa de Paulo Marinho e ficou à espera de que algo acontecesse. Com isso, ganhou um elogio de Paulo Guedes. "Eu gosto do Doria", disse ele à porta da casa de Marinho. Dias depois, o próprio Bolsonaro gravou um vídeo para a campanha do tucano confessando sua preferência por ele em relação ao candidato "comunista do PSB, Márcio França".

Outro que embarcou na onda de Bolsonaro, embora não tão ostensivamente quanto o colega paulista, foi o também tucano Eduardo Leite, candidato a governador pelo Rio Grande do Sul. No segundo turno, Leite declarou apoio a Bolsonaro para conquistar os votos dos gaúchos — o Rio Grande do Sul era um dos estados que apoiava Bolsonaro com mais fervor. Ao declarar seu voto ao ex-capitão, disse: "Neste segundo turno, para evitar a volta do PT, eu vou dar o meu voto ao candidato Bolsonaro. É um gesto democrático acompanhando a decisão coletiva dos partidos da minha coligação". Seus adversários nunca perdoaram que ele tenha usado as palavras "gesto democrático".

As alianças oportunistas, como quase todas que Bolsonaro fez durante as eleições, se esfacelariam logo no início de sua gestão. Para governar, o candidato acabaria recorrendo à ajuda do Centrão, o grupo de políticos fisiológicos que atuam na base do toma lá dá cá — justamente tudo que Bolsonaro disse que não faria no vídeo de 2018 gravado para a campanha.

Numa dessas filmagens, que seria utilizada depois no documentário que

Bebianno, Paulo Marinho e Marcos Carvalho pretendiam fazer, há uma cena que chama atenção. Bebianno olha para o jardim da casa que por um ano serviu de quartel-general de Bolsonaro e diz: "Em muitos momentos eu tive a certeza de que ele tinha certeza de que seria eleito. Em outros momentos eu tive a certeza de que ele não queria ser eleito. E no fim ele teve medo de não ser eleito. Muito medo".

11. O agronegócio: "Estamos apanhando do PT há quinze anos"

Em agosto de 2018, a deputada Tereza Cristina, então do DEM do Mato Grosso do Sul, voou para o seu estado para iniciar a campanha de reeleição à Câmara. Seu partido havia fechado uma aliança com o PSDB em torno da candidatura de Geraldo Alckmin, que deixara o governo do estado de São Paulo para concorrer à presidência da República. Deputada respeitada em sua terra natal, Tereza Cristina estava satisfeita com a coligação com os tucanos. Além de gostar pessoalmente de Alckmin, o considerava a melhor opção para o país. Na sua visão, era um sujeito ponderado, portanto uma alternativa à polarização dramática entre a direita bolsonarista e a esquerda lulista; tinha larga experiência em gestão; fizera um bom governo em São Paulo; não estava envolvido em escândalos de corrupção; tinha um perfil conservador; era um bom negociador e ótimo no trato. Assim, ela julgava que ele não teria dificuldades para ganhar corações, mentes e votos do pessoal do agronegócio, o eleitorado dela.

Tereza Cristina Corrêa da Costa Dias vem de uma linhagem de políticos mato-grossenses (é bisneta de Pedro Celestino Corrêa da Costa e neta de Fernando Corrêa da Costa, ex-governadores do então estado do Mato Grosso, posteriormente desmembrado para a criação do Mato Grosso do Sul) e tem excelente relação com a agroindústria. Viveu até os cinco anos na fazenda de gado da família e mudou-se ainda pequena para Campo Grande. Depois, morou uns tempos com os tios em Nova York. Quando voltou ao Brasil, cursou o ensino médio em Brasília e se formou engenheira agrônoma pela Universidade Federal de Viçosa, seguindo os mesmos passos do pai, Fernando Augusto. Trabalhou em São Paulo, em empresas do setor pecuário e alimentício, e voltou para Campo Grande em 1998, passando logo em seguida a atuar na Federação da Agricultura e Pecuária do Mato Grosso do Sul.

Tereza Cristina mais tarde seria chamada para ocupar as secretarias de Agricultura, de Produção, de Indústria, de Comércio e de Turismo no governo de André Puccinelli, do então PMDB, entre 2007 e 2014. Candidatou-se a deputada federal em 2014 e venceu na primeira tentativa. Naquele ano, sua campanha foi a que mais recebeu contribuições privadas no estado. Eleita, sua atuação junto aos seus pares no setor lhe garantiu a presidência da Frente Parlamentar da Agropecuária, popularmente conhecida como bancada do boi, com cerca de 240 parlamentares de vários partidos. Portanto, ao decidir conquistar de novo uma vaga na Câmara em 2018, Tereza Cristina tinha razões para acreditar que tanto ela como o candidato à presidência coligado ao DEM teriam o apoio do setor rural no seu estado.

Mas foi justamente nos primeiros contatos com os ruralistas que ela se deu conta de que sua candidatura estava ameaçada. "Não sou uma deputada que tem voto popular. O que tenho é apoio do segmento agropecuário. E no meu setor, quando eu falava em Alckmin, algumas pessoas, por educação, não diziam nada, eu não sentia entusiasmo", ela contaria tempos depois. Já entre os menos diplomáticos, a reação ao nome era negativa. Eram duros, diretos: "Você está apoiando o Alckmin? Ele vai ser mais do mesmo, não vai mudar nada. A gente está apanhando do PT há quinze anos, com invasão de terra pelo MST, com o problema indígena, com a insegurança jurídica e com a violência, que ninguém resolve. No Alckmin a gente não vota. E nem em você, se continuar a apoiá-lo".

Foi só aí que ela percebeu o tamanho da adesão a Bolsonaro no setor rural. "A gente fica em Brasília e só conversa com as lideranças. Não percebe como as coisas estão se movendo no subterrâneo do país", diria ela. "A gente não tinha ideia da proporção que o nome dele tinha ganhado junto ao agronegócio."

Temendo por sua eleição e a de seus companheiros de bancada, Tereza Cristina foi pragmática. Marcou uma conversa, em meados de agosto, com o amigo e deputado Marcos Montes, do PSD de Minas Gerais, também da bancada do boi, candidato a vice-governador na chapa de Antonio Anastasia, uma das estrelas do tucanato, e o alertou: "Se o Anastasia não apoiar Bolsonaro, nós vamos perder".

Montes concordou com ela, e decidiram ouvir a bancada. Parlamentares do DEM, do PSDB e do PSD, entre outros, também custaram a entender que o setor estava fechado com o ex-capitão. Achavam que Alckmin era o sujeito do agrado dos eleitores deles. Mas o país tinha se radicalizado e, agora, para a maioria dos produtores, o ex-governador paulista era carta fora do baralho. Na reunião com os colegas da Frente, Tereza Cristina deu a ordem de abandonar o barco: "Pessoal, nós temos que achar uma saída honrosa para deixar a aliança com o Alckmin".

Tereza Cristina então alertou os colegas que a bancada havia se afastado dos eleitores e parado de entender o que eles queriam e como pensavam. "Somos líderes sem liderados, porque nossos liderados estão indo para o lado oposto." Todos concordaram. Depois disso, ela procurou Onyx Lorenzoni — também do DEM, mas fechado com Bolsonaro — para lhe dizer que a bancada do boi estava tendendo a apoiar o ex-capitão. Onyx vibrou.

O apoio definitivo viria no dia 6 de setembro de 2018, data da facada. As pesquisas feitas após o atentado apontavam Bolsonaro na frente e Alckmin na rabeira. Diante dessa situação, os parlamentares da Frente, comandados por Tereza Cristina, abandonaram sem remorsos a candidatura do ex-governador de São Paulo e abraçaram a campanha bolsonarista.

A forma de desembarque estava sendo decidida cautelosamente nos bastidores, dada a delicadeza do tema, mas o desfecho se deu de forma estridente. No dia 26 de setembro, num evento de campanha em Patrocínio, Minas Gerais, o deputado Marcos Montes defendeu o apoio a Bolsonaro, argumentando que o tucano não avançava nas pesquisas: "O professor Anastasia e eu temos o nosso candidato à presidência da República, que acho um candidato extremamente competente, que é Geraldo Alckmin", começou, com habilidade mineira, seu discurso.

> Lamentavelmente, a sociedade brasileira começa a enxergar que não é o seu momento. Começa a ver que seus números não avançam. E, com isso, acende-se um sinal amarelo, indo para o sinal vermelho. E nós temos que ter responsabilidade entre nós. Nós — disse isso ontem, e vou dizer de novo —, a partir do momento em que eu achar, e que o professor Anastasia também achar, que o candidato

Alckmin não vai realmente ao segundo turno, nós precisamos dar a mão ao candidato Jair Bolsonaro. Com responsabilidade, porque aí não cabem os nossos interesses pessoais.

O vídeo da fala vazou e viralizou nas redes sociais. Àquela altura, a bancada e Jair Bolsonaro já estavam de mãos dadas. O anúncio surpreendeu os tucanos e Anastasia, que escolheu não deixar a campanha do correligionário. A decisão da bancada do boi, contudo, foi uma facada nas costas dos tucanos.

No dia 2 de outubro, cinco dias antes do primeiro turno, a Frente Parlamentar da Agropecuária declarou publicamente apoio a Bolsonaro. A situação desses parlamentares junto ao eleitorado mudou da água para o vinho, e Tereza Cristina recuperou a admiração de sua base. Anos depois, ela reconheceria ter perdido muitos votos por não ter apoiado Bolsonaro desde o começo.

No dia 10 de outubro, sob o comando da deputada, um grupo de vinte parlamentares visitou o candidato convalescente na casa dele, para reforçar o apoio no segundo turno. Tereza Cristina gravou um vídeo do momento em que entregava a Bolsonaro uma lista com o nome dos deputados da bancada que o apoiavam, e depois, na porta do condomínio, disse numa entrevista que os deputados do agro pensavam no bem do Brasil: "Não tem contrapartida nenhuma. Nós queremos o bem do Brasil. Não queremos o PT. Nós somos em torno de 240 deputados e senadores que estarão na sua base no Congresso".[1] O gesto afetava pouco os produtores, dado que, apesar da demora da bancada em se posicionar, eles já estavam fechados com o ex-capitão havia muito tempo — um apoio que começara anos antes, sem que as elites urbanas e os políticos se dessem conta.

Embora não tivesse vínculos com o setor rural, Bolsonaro deixava os produtores eufóricos sempre que fazia suas declarações raivosas contra o MST. Sem constrangimento, dizia coisas como: "Cartão de visita para marginal do MST é cartucho 762". Mas, apesar da postura hostil com os integrantes do movimento social, que considerava bandidos, Bolsonaro parecia não se importar com o que acontecia no Rio de Janeiro. Ele era próximo de policiais acusados de ligação com as milícias no estado, que têm, entre suas atividades, a grilagem de terra urbana — e, aqui, obviamente, sem a justificativa social da reforma agrária.

O fato é que Bolsonaro captou a insegurança — ou o anseio de exercer poder irrefreado em suas propriedades — do setor rural, que alegava a existência de violência no campo como justificativa para se armar. O discurso do candidato, em defesa da posse de arma — ou seja, do estabelecimento de um "faroeste caboclo" —, casava perfeitamente com as pautas do setor, que pregava a defesa da propriedade a qualquer custo.

Sua plataforma, que não trazia nenhuma proposta para a solução do problema que não o emprego da violência, agradava o pessoal do campo desacreditado da capacidade do governo de dirimir os conflitos. Ficou fácil para Bolsonaro explorar aquele nicho. Durante três anos — de 2015 a 2018 —, ele viajou pelo interior do país, praticamente sozinho, pregando seu discurso violento aos ruralistas. Fez um sucesso estrondoso. Ao saber que o então deputado aportaria em seu estado, os produtores locais corriam para recepcioná-lo nos aeroportos. Nesses encontros, convidavam Bolsonaro para conhecer o campo e ouvir suas reclamações, que eram muitas.

Eles se diziam ameaçados por todos os lados: pelo MST, pela questão indígena, pelos ambientalistas, pelos fiscais do Ibama, pelo governo. Na questão indígena, a queixa maior era em relação à retomada de terras por indígenas que comprovavam a posse da área. Os proprietários acusavam os antropólogos de fornecer laudos falsos aos indígenas para comprovar que tinham direito originário às terras.

Os produtores rurais argumentavam não realizar ou ordenar invasões de terras indígenas, atribuindo-as a atos de grileiros criminosos, não de fazendeiros que agiam na legalidade, mas que estavam todos sendo colocados no mesmo saco. Com isso, se queixavam, o homem do campo passara a ocupar o lugar de bandido no imaginário da imprensa e da população urbana, o que os revoltava. "O pessoal da cidade não tem ideia da vida no campo. Esses produtores trabalham de sol a sol, produzem alimentos consumidos na cidade, geram riqueza. Mas são sempre tratados como devastadores, como criminosos", costumava argumentar Tereza Cristina, então à frente do Ministério da Agricultura, em defesa do produtor. A agricultura hoje é muito moderna, explicava. "Não existe mais essa do boia-fria em cultura de cana em São Paulo, pondo fogo na mata", assegurava. "Hoje há um controle enorme de queimadas, e os trabalhadores rurais andam em trator com computador e ar-condicionado. É isso que o povo da cidade desconhece." Ela costumava dizer também que, se há invasão de terra de indígenas, não é feita por produtor rural sério, e sim por criminosos.

Bolsonaro fazia reuniões nas casas dos produtores, ouvia suas reclamações e se comprometia a ajudar na base da bala. Ele também assegurava que, se eleito, limitaria a ação dos fiscais, ainda que muitas propriedades estivessem realmente ilegais, e se comprometia a ajudar na aceleração da implantação do marco temporal. O discurso, que se aproximava mais do de um ativista radical do que do de um candidato a presidente, soava como música sertaneja aos ouvidos dos donos de terra.

"Os produtores gostavam do discurso de Bolsonaro porque o pessoal do campo é conservador", explicaria Tereza Cristina. "Eles são muito ligados à sua terra. Cultuam valores como família, religião, ordem, talvez por ficarem fechados em suas propriedades." Bolsonaro, para eles, encarnava esses valores. "Alckmin até poderia ter sido empurrado goela abaixo dessa gente por falta de alternativa. Mas aí surgiu Bolsonaro", diria ela aos seus correligionários.

No livro *Caubóis da floresta: O crescimento da pecuária e a cultura de gado na Amazônia brasileira* (2015),[2] cuja tradução em português saiu em 2021, o antropólogo americano Jeffrey Hoelle procurou entender a ação dos pecuaristas na Amazônia. O livro dá uma boa visão do que aconteceu, principalmente no Acre, seu foco de estudo. "A pecuária ganha uma dimensão específica na Amazônia, onde o estabelecimento de pastagens exige o corte da floresta", diz. "A floresta e, por extensão, o 'mato' são os competidores. Criar um pasto 'bem limpinho' no meio da mata é visto como uma grande conquista", disse o autor em uma entrevista[3] ao repórter Fabiano Maisonnave, da *Folha de S.Paulo*, em dezembro de 2021. Isso, no imaginário do pecuarista, segundo o antropólogo, mostra a todos "que essa pessoa é muito trabalhadora. Eles estão contribuindo com a missão de desenvolver a Amazônia e ajudar o Brasil a chegar aonde deveria estar no mundo! Há uma série de oposições aqui", continua ele. "Pastagens, pecuaristas e carne como algo bom, o progresso; floresta, indígenas, seringueiros e outros elementos têm um valor negativo, retrógrado."

Entre agosto de 2020 e julho de 2021, informa a matéria, a Amazônia registrou a maior taxa de desmatamento em quinze anos, uma perda de 13 235 quilômetros quadrados, de acordo com o Instituto Nacional de Pesquisas Espaciais (Inpe).

Hoelle, que fez seu trabalho de campo no Acre, terra de Chico Mendes, líder seringalista assassinado nos anos 1990, explica à *Folha* que o desafio na Amazônia é tratar o uso da terra e o desmatamento não apenas como atividades econômicas ou algo que possa ser controlado com tecnologia, repressão e políticas públicas. Precisamos também entender as dimensões sociais e culturais dessas atividades, que têm um papel-chave nesse apelo para derrubar.

Em sua pesquisa, o antropólogo identificou que "o ressentimento com a fiscalização ambiental, que frustrou os impulsos para acúmulo, expansão e autossuficiência, se misturou com outras esferas de descontentamento". Contra esse cenário, Bolsonaro prometeu liberar, "fazer as coisas como antigamente". No Acre, estado em que o voto no PT era tradicional, Bolsonaro se saiu surpreendentemente bem na eleição. O estado deu a ele a maior votação no segundo turno, com 77% dos votos válidos. "Quando visitei o estado no início de 2018, todos falavam sobre o crime e gangues", contou Hoelle. "Não sei como as pessoas votaram no Brasil, [...] mas sei que elas estavam insatisfeitas. Eles queriam melhorias e não havia muitas opções."

Embora o objetivo do livro fosse entender a situação da pecuária no Acre, que reclama da falta de apoio dos governos, Hoelle admite ser complicado apoiar as comunidades rurais na Amazônia. Ele acha, no entanto, que é possível desenvolver a região de forma diferente do que vem sendo feito nas últimas décadas, na base da destruição. Mas não foi com o espírito de conciliar agricultura e meio ambiente que Bolsonaro conquistou o apoio de grande parte do setor agropecuário. Pelo contrário.

Bolsonaro captou a visão de progresso do produtor — transformar a floresta em pasto, por exemplo — e o descontentamento com os governos passados para propor como solução o uso da força para estabelecer a ordem no campo. Ele se aproximou do agronegócio conversando diretamente com os produtores, enquanto os outros candidatos chegavam ao campo amparados pelos políticos de suas coligações. No começo, Bolsonaro não conhecia ninguém.

Seus primeiros contatos com os produtores do Mato Grosso do Sul se deram por intermédio de militares da região. O ex-capitão servira no batalhão do Nioaque, no interior do estado, e começou a ser chamado pelo pessoal do Exército local para falar aos produtores — pequenos, médios e grandes. As demandas que ouvia no Mato Grosso do Sul reverberavam país afora pelas redes sociais de Bolsonaro, que aproveitava a divulgação para prometer ajuda.

Fazendeiros de outros estados, que se sentiam historicamente ignorados pelos políticos, começaram a ver no discurso violento do ex-militar uma esperança. A admiração que conquistou no Mato Grosso do Sul foi tão grande que alguns produtores desenharam com a colheitadeira o nome do candidato em uma plantação de soja.

Luiz Antônio Nabhan Garcia, nascido em Presidente Prudente, oeste do estado de São Paulo, é pecuarista e agricultor, proprietário de fazendas em São Paulo e Mato Grosso do Sul. Ao lado de outros produtores rurais preocupados com a possibilidade de a reforma agrária sair do papel depois da promulgação da Constituição de 1988, ajudou a organizar as bases da futura bancada ruralista, batizada em 1985 de União Democrática Ruralista.

A UDR surgiu como um grupo conservador, de direita, com forte resistência à reforma agrária ou à melhoria dos direitos dos trabalhadores rurais. No polo oposto, com a mesma força, surgia o MST, em defesa da repartição da terra. Foram anos difíceis e violentos, com muitos assassinatos de líderes camponeses. Os sem-terra, como eram chamados, formavam um movimento social aguerrido que, como forma de pressão e para atrair visibilidade à sua causa, muitas vezes agia com violência, chegando a invadir propriedades produtivas, inclusive de pequenos e médios proprietários rurais. Os confrontos se acirraram em razão da omissão dos vários governos da Nova República de enfrentar com seriedade a questão fundiária no Brasil.

O primeiro presidente da UDR foi o médico e fazendeiro Ronaldo Caiado, uma liderança entre seus pares. Eleito deputado por Goiás, defendia no Congresso os interesses do setor. Na Constituinte, os ruralistas com visões diferentes se uniram aprovando uma legislação que estabelecia uma diferença entre propriedade com função social, que não pode ser desapropriada para efeito de reforma agrária, e as terras improdutivas, que poderiam ser usadas para esse fim.

Enquanto a briga no Congresso se dava de forma civilizada, no campo a situação era dramática. Um dos locais onde ocorreram mais confrontos entre ruralistas e trabalhadores foi no Pontal do Paranapanema, no estado de São Paulo, onde o MST tinha grande expressão. Foi aí que Nabhan Garcia começou a atuar. Sua relação com os sem-terra foi sempre muito tensa e violenta, e ele chegou a ser acusado pela Justiça de ter agido com truculência contra os militantes do movimento. Em 2019, o ex-pistoleiro Osnir Sanches contou à Repórter Brasil,[4] mídia digital financiada por agências das Nações Unidas e países europeus, que teria sido pago pela UDR, chefiada por Nabhan Garcia na área, para organizar uma milícia armada. Nabhan nega veementemente. Sanches acabou condenado a catorze anos de prisão por envolvimento no assassinato do líder do MST Sebastião Camargo, executado em fevereiro de 1998. Ficou preso por apenas um mês, graças a um habeas corpus.

Na entrevista, Sanches relatou como funcionava o treinamento dado pelos ruralistas e acusou a UDR de tê-lo abandonado. "Acabou com a minha vida. Estou pagando por uma coisa que não fiz", disse ele, ao Repórter Brasil.

Sem que os governos apresentassem uma solução para o problema fundiário, o MST se tornou um movimento político e suas ações ficaram cada vez mais intensas, principalmente nas regiões Sul, Sudeste e Centro-Oeste, com queixas dos produtores de que os sem-terra invadiam e destruíam fazendas produtivas. Na região Norte, a situação era diferente. Eram os grileiros que invadiam e matavam os pequenos produtores e os expulsavam de suas terras. O quadro era dramático.

Foi nos governos do PSDB e do PT que os confrontos entre produtores e o MST se intensificaram. Em 1997, ocorreram 455 invasões. Em 1999, 502. Em 2002, no final do segundo governo Fernando Henrique, 102. No primeiro ano do governo Lula, foram 222 invasões, saltando para 298 em 2007. Em 2010, caíram para 182. Sob Dilma, o número mais alto foi de 227 invasões. No ano final do governo Temer, contaram-se 43 invasões. E finalmente despencaram para sete no primeiro ano de Bolsonaro.

No começo dos anos 2000, Nabhan Garcia assumiu a presidência da UDR e radicalizou as relações entre fazendeiros e movimentos em defesa da reforma agrária. O relatório da CPI da Terra, de novembro de 2005, incluiu uma recomendação ao Ministério Público Federal para que indiciasse criminalmente o presidente da União Democrática Ruralista (UDR), Luiz Antônio Nabhan Garcia. Segundo o relator da CPI, deputado João Alfredo (PSOL-CE), ele deveria ser indiciado pelo porte ilegal de armas, contrabando e organização de milícias privadas na região do Pontal do Paranapanema, no oeste do estado de São Paulo. A acusação, de acordo com reportagem do jornal *O Estado de S. Paulo*,[5] era baseada num depoimento feito por um fazendeiro da região à Polícia Federal, em 2003, no qual afirmava que Nabhan organizara o grupo de quinze seguranças que apareceu em reportagem do *Jornal Nacional* em julho daquele ano. Eles estavam encapuzados e treinavam tiro com armas de uso restrito. Segundo o fazendeiro, Nabhan teria organizado o grupo e fornecido as armas.

Ao tomar conhecimento do indiciamento, Nabhan acusou o relator de não ter isenção, por continuar agindo como advogado dos sem-terra: "Esse deputado envergonha o Congresso", disse ele ao jornal. Afirmava que a recomendação feita ao Ministério Público era uma retaliação: "Como o MST tem quatro líderes na cadeia, ele quis retaliar. Ele defende uma organização criminosa, que, apesar de invadir, incendiar e furtar, foi poupada no relatório da CPI".

Dizia ainda que seu nome não teria sido sequer citado nas 2 mil páginas do inquérito denominado "Paz no Campo", da Polícia Federal. E enfatizou o direito que os proprietários têm de defender suas terras, mesmo que seja com armas: "Jamais irei condenar qualquer associado da UDR que se arme para defender seu patrimônio, mas não incitarei ninguém a formar milícias, porque não sou inconsequente", declarou Nabhan Garcia ao jornal *O Estado de S. Paulo*.

Além de pedir o indiciamento de Nabhan, o relator da CPI atacava também a entidade que ele presidia, acusando-a de estimular a violência. "O crescimento da UDR coincidiu com o aumento da violência no campo", afirmava o relatório. O texto trazia também 150 sugestões e recomendações que iam do combate ao trabalho escravo e à violência na zona rural ao pedido de reforma urbana e agrária. As recomendações eram direcionadas a governos estaduais, instituições federais e promotores. Algumas propostas repetiam o que estava previsto na Constituição.

À época, a crítica dos fazendeiros era que o relator apenas atacava a UDR, mas defendia as ações do MST. Para o deputado João Alfredo, os sem-terra eram as únicas vítimas da violência: "Os movimentos sociais são acusados da prática de violências, mas, pelo que vimos, quem denuncia e sofre essas violências são os membros desses movimentos", afirmou ele para a reportagem d'*O Estado de S. Paulo*.

Dessa forma, o ódio dos fazendeiros contra a esquerda só aumentava. E eles se diziam vítimas, acusando o governo de não ver os dois lados do problema. A demora da Justiça para decidir as causas, que se arrastavam muitas vezes por décadas, deixava os fazendeiros revoltados. O proprietário que tivesse terra questionada na Justiça por indígenas, sem-terra ou quilombolas não podia tomar financiamento oficial nem regularizar sua situação junto a órgãos públicos, ficando sujeito a ações do Ibama e do Ministério Público. Os produtores reagiam contratando milícias armadas para intimidar os supostos invasores, o que constantemente acabava em tragédia. Todas essas insatisfações caíram na conta do PT.

Foi quando Bolsonaro apareceu com o discurso de proteger o homem do campo. "Bolsonaro, embora não fosse proprietário de terra, entendeu o drama do produtor rural", diria Nabhan Garcia, tempos depois, já instalado na Secretaria Nacional de Assuntos Fundiários, no Ministério da Agricultura do governo Bolsonaro. "Ele defendeu os valores que o produtor rural defendia. Passou a combater a invasão de terra e a defender o direto à posse de arma pelo produtor." Dessa forma, para Nabhan, o produtor se afastou das lideranças políticas do setor e da Frente Parlamentar do Agronegócio e passou a lidar diretamente com Bolsonaro, porque "ele entendia suas necessidades". Quando Bolsonaro falava em combater o MST, a fiscalização "corrupta", os indígenas, os quilombolas, o governo comunista do PT e, ao mesmo tempo, defender a propriedade privada, o produtor aplaudia.

Segundo Nabhan, por causa das invasões e das desapropriações de terra nos governos Fernando Henrique, Lula e Dilma, "a mágoa, a raiva, o rancor do produtor rural contra os políticos desses partidos eram enormes". E mais: "Imagina que o bandido vai lá, toma a tua terra e o Estado dá a tua casa e a tua terra pro bandido. Isso é uma coisa terrível. Imperdoável".

Em 2015, Nabhan Garcia encontrou-se pela primeira vez com Bolsonaro no Congresso. Perguntou se ele ia concorrer para presidente. "Olha, a situação está tão difícil que um de nós aí tem que se colocar à disposição", respondeu Bolsonaro em tom de brincadeira. Depois, sem brincar, fez seu discurso usual de defesa dos valores conservadores e contra a esquerda. "Ninguém aguenta mais ver os valores da família e da propriedade sendo esculhambados", disse ao fundador da UDR. E informou que estava viajando pelo Brasil para "conhecer de perto as necessidades dos brasileiros".

Em três anos, viajou por quase todas as regiões do Brasil, algumas vezes na companhia de Nabhan. "Bolsonaro chegava a algum município para encontrar mil produtores, e chegando lá tinha 20 mil, 50 mil pessoas esperando por ele", conta o ruralista. Nabhan se lembra de um congresso de produtores rurais em Gramado, no Rio Grande do Sul, aonde levou o candidato certa vez. A vontade de ver o então deputado era tão grande que todos os hotéis, na cidade e nos municípios vizinhos, lotaram.

Mas foi em 2016 que a relação de Bolsonaro com os produtores rurais se estreitou. "Começou aquela história de 'Mito'. Era uma loucura." Os produtores rurais, segundo Nabhan, perguntavam como podiam ajudar. Bolsonaro dizia: "Gastem garganta e saliva me divulgando", afirma Nabhan. Numa reunião em 2018 na casa de Fabio Wajngarten, onde se encontraram sessenta grandes empresários e fazendeiros, Bolsonaro teria sido saudado com a mesma efusividade.

Nas viagens, bastava um aviso nas redes para que os produtores se juntassem e fossem saudar Bolsonaro. Nabhan afirma que a imprensa não divulgava esses eventos porque não queria Bolsonaro governando. "Ele viajava por aquele interior de São Paulo e arrastava multidões. Presidente Prudente, Araçatuba, Ribeirão Preto, Glicério, e a imprensa fechava os olhos", disse. "Porque ele ia romper com tudo que era errado. O erro da imprensa foi defender aquelas pessoas que iam contra os valores da família. Que eram a favor dos direitos humanos para os réus e não para as vítimas", continuou, valendo-se do argumento equivocado dos que atacam os direitos humanos.

Quando fala de seu passado no Pontal do Paranapanema, Nabhan continua acusando a esquerda de estimular a invasão de terra na região. E afirma que o então líder do MST, José Rainha, queria copiar Che Guevara — na sua visão, "um carniceiro, um bandido igual a Fidel Castro".

Não é difícil compreender por que Bolsonaro conquistou o agronegócio. Mas as lideranças políticas custaram a perceber como o campo havia se radicalizado. Os produtores rurais, em sua maioria, abraçaram o discurso violento de Bolsonaro, e seu objetivo político passou a ser derrotar qualquer candidato minimamente mais tolerante do que o ultradireitista. Como se Bolsonaro fosse a única garantia de sobrevivência do pessoal do agronegócio, de seus valores e suas propriedades.

No começo de 2011, o empresário e produtor rural paulistano Jorge Izar começou a mandar mensagens para alguns amigos criticando o governo do PT. Sua bronca com o partido era antiga. Militar reformado, nunca se conformou de ver a esquerda no poder. Quando fez parte da diretoria da Fiesp, a Federação das Indústrias do Estado de São Paulo, comandada por Paulo Skaf, entrou em choque com a diretoria por achar que a entidade não era crítica o suficiente ao governo petista. Em 2011, Skaf ofereceu um jantar para o ex-presidente Lula. Izar se encrespou e rompeu com a federação. À época, ele tinha um mailing com 1500 contatos. Espalhou na rede toda a sua fúria. Na mensagem, ele se valia do jeito do caipira falar, para desancar Lula e Skaf. Um dos trechos dizia: "Lula falou pra caramba e nóis fiquemo com a impressão que o Brasil foi descoberto em 2003, que a democracia começou em 2004, coi di loco memo, chamou tudo nóis de companheiro e todo mundo apraudiu cum gosto, pió seria se chamasse nóis de cumparsa".

O e-mail fez um sucesso tremendo entre produtores rurais e empresários, conferindo grande popularidade a Izar. Muitos queriam que ele se candidatasse, mas ele não quis. No governo Dilma, continuou no ataque. Juntou-se ao grupo Vem pra Rua, migrando depois para o Revoltados On Line, para pedir o impeachment da então presidente. Participou de um acampamento na frente do Congresso em favor do impedimento. Lembraria aquela época com um prazer quase adolescente. Contou que, certo dia, os acampados fizeram churrasco em sete churrasqueiras. A fumaça era tanta que invadiu o plenário da Câmara. Foi necessário que Eduardo Bolsonaro fosse até eles para pedir que parassem de assar tanta carne pois estavam sufocando os deputados. Ele se divertiu demais com a situação.

Izar foi apresentado a Bolsonaro por Leticia Catel e Eduardo Bolsonaro durante uma manifestação anticorrupção na avenida Paulista, em 2015. Encantou-se com o candidato e passou a divulgá-lo por e-mail, acionando mais uma vez sua famosa lista de contatos. Mas foi em 2016, quando o WhatsApp já havia se consolidado como a plataforma digital de comunicação mais popular dos brasileiros, que Izar ampliou sua campanha e se transformou em um dos maiores articuladores das redes sociais agro em apoio a Bolsonaro. Inicialmente, sua influência se restringia ao estado de São Paulo. Depois, espraiou-se Brasil afora. Vice-presidente da UDR, que Nabhan Garcia presidia, Izar virou peça-chave na campanha do candidato junto aos ruralistas.

Em 2017, criou um grupo de WhatsApp chamado Bolsonaro 2018 Brasil, com a foto do candidato no perfil. Foi uma explosão. Como o aplicativo restringia a 250 o número máximo de integrantes por grupo e mais pessoas queriam participar, ele foi aumentando o número de grupos. O sucesso foi tanto que, além dos grupos de São Paulo, ele passou a abrir grupos em outros estados. Assim surgiram os grupos do Amazonas, do Pará, do Ceará, de Pernambuco, Mato Grosso, Rio Grande do Sul... Esses, por sua vez, se desmembravam em grupos novos, e várias cidades ganharam uma panelinha virtual para declarar seu apoio ao candidato. Bolsonaro Presidente Prudente, Bolsonaro Araçatuba, Bolsonaro São Paulo, e por aí vai. "Do Oiapoque ao Chuí tinha grupo de apoio a Bolsonaro", diz Izar.

Quando o candidato viajava para esses estados, os produtores rurais da região eram acionados pelo WhatsApp. Izar avisava: "Bolsonaro vai para o seu estado. Pau na máquina".

Ele lembra de um momento especialmente importante para a campanha de Bolsonaro, que teve uma "ótima repercussão" nos seus grupos. Tratava-se de uma foto que Bolsonaro lhe enviou acompanhada da frase: "Direitos Humanos, o esterco da vagabundagem". A mensagem viralizou nos grupos de ruralistas. "Nós nos comunicávamos muito com Bolsonaro. Elegê-lo presidente virou minha missão", diria anos depois.

Izar guardava imenso rancor dos governos petistas. Dizia que era extorquido nas obras que fazia para as empresas que prestavam serviço para a Petrobras, às quais ele atendia com sua empresa de avaliação de solo. Ele arremessa seu ódio mortal quando fala da esquerda, que, para ele, inclui do PT ao PSDB. Acha que, por causa da corrupção, "os esquerdistas tinham que morrer com a boca cheia de formiga, porque essa gente não vale nada". Para ele, a esquerda entra no poder apenas para usurpar, "como Stálin, que usurpou a Rússia e matou 60 milhões de pessoas, e Mao Tsé-tung, [que usurpou] a China".

Quando veio o escândalo das rachadinhas envolvendo Flávio Bolsonaro, ele não se abalou. Disse a seus interlocutores que, comparada com os 80 bilhões de dólares roubados na Petrobras, a rachadinha era nada. "Vamos pegar os petralhas que desviaram cinquenta vezes mais. O Flávio é ladrão de galinha, café pequeno", ele defendeu, refletindo o pensamento da maioria do setor.

A relação dos grandes produtores rurais com os governos sempre foi boa, pelo menos até o fim da ditadura militar. Desde o Descobrimento, ruralistas estiveram no poder no Brasil. Mesmo na Nova República eles mantiveram privilégios. Foi somente após as invasões de terra que se viram ameaçados em sua paz. Nesse bolo, havia também os médios e pequenos proprietários, que começaram a se sentir desprotegidos, sem apoio dos governos.

Mas então o agronegócio brasileiro passou por um grande processo de modernização. Com o aumento dos preços das commodities agrícolas no mercado internacional, os produtores rurais começaram a virar homens de negócios. Uma parte do setor cresceu e se internacionalizou de tal maneira que acabou se descolando da parcela mais tradicional.

Por essa razão, o agro brasileiro não pode mais ser visto como um grupo monolítico. O setor se divide hoje entre os produtores rurais — o sojicultor, o pecuarista e os agricultores de todos os tamanhos — e a agroindústria — papel e celulose, açúcar e álcool, algodão. "Se perguntar a cinquenta produtores rurais por que eles apoiam Bolsonaro, 45 vão dizer: 'Finalmente alguém colocou a mão na cabeça do MST e falou: *Chega!*'", analisa um produtor ligado ao agronegócio. "Eu conheço gente que pediu reintegração de posse. Quando, depois de oito anos conseguiu, já tinha mais de mil famílias morando na terra, e o governo não ressarciu", contou. "Esse tipo de problema afastou o ruralista dos outros candidatos e o levou a se radicalizar. O proprietário rural brasileiro simplesmente tem horror ao PT. É um ódio mortal."

Os empresários do agronegócio avaliam que foram ações radicais do MST — como a destruição, em 2015, de um centro de pesquisas de eucalipto geneticamente modificado, em São Paulo — que ajudaram a jogar o setor no colo de Bolsonaro, embora não tenha sido o único fator. "Esse pessoal ruralista fechou com Bolsonaro e continuará fechado porque eles procuravam um porto seguro. E as invasões, efetivamente, quase desapareceram no governo dele", diz. Os ruralistas costumam dizer que, com Bolsonaro, a polícia começou a funcionar e os mandados judiciais passaram a ser executados.

A situação muda de figura quando se trata do setor agroindustrial. Os grandes grupos, que apoiaram Bolsonaro em 2018, passaram a ter problemas com ele devido aos sérios ataques que ele faz ao meio ambiente. A reputação internacional do Brasil com Bolsonaro, dizem eles, foi para o buraco. Esses grandes grupos enfrentam boicotes de países europeus e da China aos seus produtos por conta das declarações do presidente contra o meio ambiente, os indígenas, os quilombolas e contra alguns países compradores de produtos brasileiros, como a China.

Foi a transformação do Brasil em um grande produtor de commodities agrícolas que colocou o país e os produtores rurais no radar do mundo. Ao entrar no mercado internacional, o Brasil teve que se adequar a certas regras, principalmente às ligadas à regulação ambiental.

O Acordo de Paris foi um divisor de águas nas relações entre agronegócio e meio ambiente. Trata-se de um compromisso mundial de estabelecer metas de redução de emissão de gases de efeito estufa, em razão da preocupação de cientistas e ambientalistas e de alguns governos com as alterações climáticas. Para que esse acordo entrasse em vigor, era necessário que fosse ratificado pelos países que representam em torno de 55% da emissão de gases de efeito estufa. O acordo foi assinado em dezembro de 2015 e entrou em vigor em 4 de novembro de 2016. Até 2017, 195 países o haviam assinado e 147 o tinham ratificado. O Brasil foi um dos signatários.

Para que fosse implementado aqui, era preciso reduzir o desmatamento. Foi então que uma grande discussão entre governo, políticos, ambientalistas, ruralistas e agronegócio se deu no Congresso. Mas antes mesmo do Acordo de Paris, já havia um debate no governo Lula para redução do desmatamento, tocado, principalmente, pela então ministra do Meio Ambiente, Marina Silva. A ministra e seu grupo, desejando celeridade no combate ao desmatamento, entraram em atrito com o pessoal do agro. As brigas eram constantes, e Lula tomou partido da agricultura. Marina foi demitida e saiu atirando, afirmando que a questão do desmatamento não era prioritária para o governo. Os governistas, por sua vez, acusaram Marina de defender mais os interesses das ONGs do que os do governo.

A briga resultou no racha entre os ambientalistas ligados a Lula e os ligados ao grupo de Marina, nessa época ainda no PT. Essa divisão na esquerda acabou fortalecendo parte do setor rural mais radical e refratário a avanços na área ambiental, que se juntaria ao candidato Bolsonaro em 2018 para defender mudanças nas leis de proteção ambiental.

O Brasil tem uma das legislações ambientais mais avançadas no que se refere a meio ambiente e agricultura. Trata-se do Código Florestal. Depois de muitas idas e vindas, o regulamento foi aprovado em 2012, estabelecendo limites para desmatamento nas propriedades rurais. Apesar de não ter sido completamente do agrado das partes envolvidas — agricultura e meio ambiente —, a relação entre esses grupos antagônicos parecia estar caminhando para a pacificação. Com a agricultura e a pecuária brasileira se modernizando, esperava-se que a convivência entre o agronegócio e o meio ambiente se daria, através do

Código, de forma mais amigável. Afinal, um dependia do outro para que se chegasse ao que havia sido acertado no Acordo de Paris.

O Climate Policy Initiative, um grupo de pesquisa sobre políticas climáticas, cujo escritório no Brasil fica na Pontifícia Universidade Católica do Rio de Janeiro, captava razões para melhoras nas relações entre agro e ecologia. No prédio que abriga a entidade na Gávea, um grupo de pesquisadores vinha se ocupando nos últimos anos em pesquisar a evolução da agricultura brasileira e seu impacto ambiental.

O economista Juliano Assunção, diretor-executivo do instituto, é autor de um alentado estudo sobre o assunto, intitulado "A economia do desmatamento no Brasil: o papel das políticas e a modernização da agricultura". Sua pesquisa ilumina a evolução do setor da década de 1970 até hoje. Conforme o estudo, 60% do território brasileiro — equivalente a 509 milhões de hectares — é constituído de florestas. A pecuária ocupa 27% (234 milhões de hectares) e a agricultura, 9% (79 milhões de hectares). Os 4% restantes são ocupados por cidades, rios, lagoas e áreas de infraestrutura.[6]

Desde a última década, a agricultura vem se instalando na área antes ocupada pela pecuária. Trata-se de um bom indicador, costuma dizer o economista, pois mostra que a expansão tem ocorrido em regiões de pastagens de baixo uso ou mesmo degradadas, e não mais em florestas. "Esse movimento é resultado do aumento da produtividade do setor, que tem conseguido recuperar o solo destruído pelo pasto e reaproveitá-lo para o plantio." A ocupação do solo degradado tem se dado principalmente em prol das culturas de soja, milho, algodão, cana-de-açúcar e papel e celulose — os grandes do agronegócio, voltados para a exportação.

Mas até mesmo a pecuária tem reduzido a área de pastagem e aumentado a produtividade em terrenos menores. Tome-se, por exemplo, o Sudeste. O período de expansão da área de pastagem na região se deu entre 1970 e 1975, ano em que a pecuária ocupava uma área de aproximadamente 45 milhões de hectares e a produção era de menos de uma cabeça de boi por hectare.

Na região Sul, a de maior produtividade, a pecuária reduziu a ocupação do solo de 21 milhões de hectares, em 1970, para cerca de 18 milhões, em 2017. Apesar disso, a produtividade subiu de uma cabeça de boi por hectare para mais de uma e meia. O mesmo fenômeno se repetiu no Nordeste e no cerrado, que também registram redução de área de pastagem e aumento da produtividade. Apenas a região Norte teve aumento, no mesmo período, do uso de solo, passando de 10 milhões de hectares para 30 milhões, principalmente por causa da expansão sobre a Amazônia. Ainda assim, a produtividade passou de menos de uma cabeça por hectare para pouco mais de uma.

Essa evolução no aproveitamento do solo permitiu que o Brasil atingisse, antecipadamente, algumas das metas estipuladas pelo Acordo de Paris — como a integração de 12 milhões de hectares de lavoura, pasto e floresta até 2035. Mas a integração já atinge 17 milhões de hectares no país. Estudos demonstram que quando as taxas de desmatamento começaram a cair, a partir de 2004, isso não trouxe impacto sobre a produção, que começou a aumentar sistematicamente. "Portanto, não há razão para desmatar", disse o economista à *piauí*.[7]

Mas a racionalidade costuma desaparecer quando há interesses criminosos em jogo. "A principal causa do desmatamento é a ocupação ilegal de terras públicas", afirmou Tasso Azevedo, coordenador do Observatório do Clima, uma respeitada coalizão de ONGs e uma autoridade em questão ambiental, em entrevista à *piauí*.[7] A prática consiste em desmatar uma extensa área pertencente ao Estado e titulá-la irregularmente, processo conhecido como grilagem. Depois disso, a terra é vendida para algum produtor rural, em geral pecuarista. "O grileiro queima a floresta, desmata, vende a terra para o produtor, que, por sua vez, se exime de culpa dizendo que já a comprou assim", disse Azevedo. No fim das contas, é o produtor que acaba se beneficiando do trabalho sujo do grileiro.

Durante a discussão do Código Florestal, ainda no governo Lula, houve um desacerto entre os defensores do meio ambiente e os do agronegócio. Mas seria no governo Dilma que as divergências se aprofundariam, com Marina Silva e seu grupo assumindo a liderança nas discussões sobre meio ambiente.

Alguns analistas chamam atenção para o fato de que, ao sair do governo Lula da forma como saiu, Marina foi buscar uma mudança na sua escala de poder político. E acabou, com isso, desestruturando o PT na questão ambiental, pois ela radicalizou na defesa do ambientalismo raiz, dando a impressão de que os petistas não se preocupavam com o assunto. Para muitos especialistas, a radicalização de alguns grupos de esquerda, entre eles o de Marina, enfraqueceu a luta em torno da integração do agro com o meio ambiente. Dividida, a esquerda passou a brigar internamente pelo protagonismo na questão ambiental.

Ambientalistas mais radicais passaram a atacar o agronegócio como um todo, inclusive o menos conservador, que aceitava a ideia de integração entre campo e meio ambiente e poderia ser atraído para o seu lado. Esse teria sido o embrião do apoio massivo do produtor rural a Bolsonaro.

A constatação de que era necessário um Código Florestal se deu no governo Fernando Henrique, quando foi aprovada uma medida provisória que ampliava a reserva legal na Amazônia para 80%. Ou seja, o produtor só poderia usar 20% da sua propriedade para plantio ou agropecuária. Os outros 80% tinham que ser mantidos intactos. No cerrado, esse percentual era de 35%. Quando começa o governo Lula, os representantes da agricultura querem rediscutir as regras afirmando que elas tinham extrapolado os limites da lei. A batalha em torno do tema se estenderia pelos oito anos do petista na presidência, tendo Marina Silva à frente do Ministério do Meio Ambiente de 2003 a 2008.

Um dos motivos que impediam que se chegasse a um acordo em torno do Código eram as discordâncias entre os dois principais grupos que debatiam o tema. O pessoal do meio ambiente era comandado por Marina Silva, que tinha o respeito dos ambientalistas dentro e fora do Brasil. O grupo que representava os interesses dos produtores rurais e que era ligado ao Ministério da Agricultura era comandado por Roberto Rodrigues, cuja fama era defender posições equilibradas entre agricultura e meio ambiente. O problema é que os produtores rurais acusavam Marina de não os ouvir e de nem sequer os receber para discutir o problema. Queixavam-se com Lula de que ela era intransigente e rompia os acordos feitos entre os três ministérios envolvidos, Meio Ambiente, Agricultura e Desenvolvimento Agrário, que tratava da agricultura familiar.

Por causa desses desentendimentos, Marina foi substituída por Carlos Minc, do Partido Verde, que passou a negociar com todos os setores envolvidos na discussão do Código. A discussão mais difícil se deu em torno de datas. Os grupos chegaram a um entendimento de que quem desmatasse ilegalmente a partir de 2008, desrespeitando a área territorial estabelecida no Código ou ocupando irregularmente área de proteção ambiental, sofreria sanções da lei e perderia vários direitos, inclusive a tomada de crédito em instituições oficiais. Minc, no entanto, pressionado pelas ONGs que o apoiavam, como o Greenpeace, que queriam considerar ilegais desmatamentos ocorridos antes de 2008, acabou recuando no acordo. Com isso, aumentou a insatisfação e a desconfiança do Ministério da Agricultura e dos ruralistas em relação aos ambientalistas.

Para os ambientalistas raiz, contudo, era preciso agir rápido contra o desmatamento. Reclamavam que a agropecuária estava destruindo o cerrado e a Amazônia e que era preciso encontrar uma solução ágil para a questão ambiental.

Com a confusão armada, Lula decidiu tirar o problema do Executivo e mandar a discussão para o Congresso. Muitos especialistas em meio ambiente diriam, depois, com desalento, que parte do problema começou com a resistência dos ambientalistas em aceitar uma negociação que fosse a melhor possível para o momento, sendo aperfeiçoada, então, ao longo do tempo.

O problema acabou caindo no colo da presidente eleita, Dilma Rousseff, que passou a sofrer pressões dos grupos ambientalistas ligados a Marina Silva para avançar no Código. As relações entre as duas nunca foram boas. Dilma era vista como pertencente a uma escola desenvolvimentista nacionalista, que polarizava com a escola ambientalista ecológica de Marina. Com a pressão do meio ambiente de um lado, os ruralistas reagiram e passaram a também brigar furiosamente pelo seu ponto de vista.

Em 2011, Izabella Teixeira, que substituíra Carlos Minc no Ministério do Meio Ambiente ainda sob Lula e que fora mantida por Dilma à frente da pasta, foi instruída a resolver o problema. Teixeira, uma das vozes mais respeitadas nos foros internacionais de meio ambiente, que não pertencia aos quadros do PT, iniciou o processo de negociação. Ao chegar ao Congresso, o Código virara o assunto mais comentado pela sociedade brasileira desde a Constituinte. Havia um interesse nacional em torno do tema. "Parece que todo mundo no Brasil tem um pedaço de terra. Onde eu estivesse, alguém queria opinar sobre o Código. Eu chegava no salão para fazer o cabelo e minha cabeleireira vinha me falar da terra de uma prima no Piauí, que precisava de solução", contaria Teixeira.

As negociações não eram fáceis. Uma das coisas que a então ministra mais ouvia dos produtores rurais era que eles não confiavam mais no Ministério do Meio Ambiente e que era impossível levar um acordo a termo com os ambientalistas. Teixeira se comprometeu a mudar a situação. Iniciou-se um longo processo de negociação, que envolveu inclusive a Advocacia-Geral da União para que não houvesse qualquer pendência jurídica a ser questionada. Muitos representantes da bancada ruralista, como as senadoras Kátia Abreu, do PMDB, e Ana Amélia, então no PP, se dispuseram a ajudar, pois entendiam que o agronegócio não precisava mais de desmatamento. Que poderia utilizar as terras degradadas. Também foram chamados para o debate governadores, prefeitos, pequenos produtores, sem-terra, juristas. Estava tudo seguindo bem.

Então, as ONGS ambientalistas publicam uma nota de uma página nos jornais denunciando "os retrocessos" no governo Dilma na área ambiental. Justamente em um ano que tinha havido a menor taxa de desmatamento. "Acho que aquilo foi uma forma de retaliação por causa do projeto", diria Teixeira.

O que o Meio Ambiente, chefiado por Izabella Teixeira, e as outras duas pastas, Agricultura e Desenvolvimento Agrário, queriam era manter as áreas de proteção ambiental, mas não retroagir tanto no tempo, como desejavam os ambientalistas. "Nesse caso, nós íamos colocar quase todos os produtores na ilegalidade. Na situação de criminosos ambientais", ela explica. "Não podíamos esquecer que muitas daquelas pessoas foram para a Amazônia nos anos 1970, estimuladas a ocupar a região pelo governo militar. À época, eram forçadas a desmatar e plantar. Caso contrário, sua propriedade seria considerada improdutiva e elas perderiam suas terras. Portanto, era preciso um equilíbrio na discussão", ela diz.

Muitos produtores, argumentava Teixeira, incluindo os pequenos, haviam desmatado com base no Código Florestal de sua época. Na opinião dela, era preciso separar os bandidos desmatadores dos que tinham desmatado segundo a lei vigente. "Era preciso criar uma convergência, trazer o pessoal do agro para o nosso lado e isolar os radicais", ela relembra.

Quando Izabella Teixeira leu a nota, ela se deu conta de que os ambientalistas não estavam dispostos a fazer acordo. Nem mesmo este tendo sido costurado com a participação de todas as partes envolvidas — o agronegócio, os pequenos produtores, os movimentos sociais e até os próprios ambientalistas — e tendo respeitado as duas diretrizes dadas pela presidente Dilma, de que não haveria desmatamento e que os pobres, os pequenos agricultores, não perderiam suas terras em áreas que os ambientalistas consideravam de preservação. Teixeira pressentiu problemas.

Apesar disso, as conversas prosperavam e chegou-se a um entendimento que parecia atender todas as partes. Então, ocorreu uma situação inusitada. Quando o Código foi levado para votação na Câmara, em 2011, sofreu uma derrota fragorosa: 273 deputados votaram a favor da anistia aos desmatadores. O episódio sacudiu as bases do governo Dilma, já abalado pelas denúncias contra o seu ministro da Casa Civil, Antonio Palocci, de participar de encontros com lobistas numa casa no Lago Sul. Palocci acabou demitido, e a negociação foi então tocada por Gleisi Hoffmann.

Como explicar que a presidente da República, que tinha então 80% de aprovação da sociedade, tivesse sido derrotada? A luz amarela no governo acendeu, já que quem comandou a derrocada do projeto foi justamente o PMDB, partido da base do governo e do vice-presidente Michel Temer. A situação se complicou.

O projeto foi levado ao Senado, onde as negociações recomeçaram. Lá, foi finalmente aprovado. Mas não houve tempo para comemorações. Em 2015, grupos ambientalistas, representando mais de 120 organizações em 27 estados, entraram com quatro ações diretas de inconstitucionalidade no STF contra a lei que revogou o antigo Código Florestal. As ações foram apresentadas pela PGR e pelo PSOL. Pediam a anulação dos dispositivos da nova lei, que anistiara os produtores que desmataram ilegalmente as Áreas de Preservação Permanente e as reservas legais até 2008. Com isso, a aplicação do regulamento foi suspensa.

Quando o STF finalmente permitiu que o Código fosse aplicado, Bolsonaro estava prestes a vencer a presidência da República. "Nós tínhamos colocado o país na convergência política, em que se teria disputas, mas que essa não era a questão central. Os ruralistas me agradeciam por eu ter aberto o diálogo com base em solução. Uma solução que, embora não fosse a ideal individualmente, era a solução possível que faria o país andar", diz Teixeira. "Mas, infelizmente, a radicalização abriu uma polarização que ajudaria depois a unir o agro em torno de Bolsonaro", lamenta.

Logo depois de eleito, Bolsonaro e a base ruralista ligada a ele — principalmente na região Norte — passaram a defender a expansão da fronteira agrícola, apesar da comprovação de que não era necessário desmatar para aumentar a produção. Ele alterou vários pontos do documento, entre eles o que restringia o desmatamento na beira dos rios, dos córregos, lagos e lagoas. Izabella se revolta ao falar do que aconteceu. Acusa o ex-chanceler Ernesto Araújo de ter posto abaixo toda a posição internacional do Brasil em relação ao meio ambiente, adotando um discurso retrógrado dos militares sobre soberania, chegando a defender a saída do Brasil do Acordo de Paris — o que foi barrado pela ministra da Agricultura Tereza Cristina. "Bolsonaro destruiu, junto com Araújo, a visão de multilateralismo construída pelo Itamaraty. Suspendeu a demarcação de terras indígenas como se não fosse uma questão de direito constitucional, e sim uma armação das ONGs. Defendeu exploração de garimpo em terra indígena", ela se indigna. "Além disso, esses novos parlamentares da base ruralista defensora de Bolsonaro não entendem nada e só defendem o desmatamento. Declaram o que querem sem pudor. É isso que estamos fazendo com este país."

O fato é que houve uma degradação na questão ambiental no governo Bolsonaro, principalmente com a atuação bélica do seu primeiro ministro do Meio Ambiente, Ricardo Salles. O desmatamento aumentou e o Brasil passou a ser criticado pela comunidade internacional.

"O bolsonarismo na área ambiental não aconteceu à toa. Embora os ambientalistas estivessem lutando por causas corretas, a construção política foi falha", diz Teixeira. E o Código Florestal é muito ilustrativo. "Não se teve amadurecimento para entender as diferentes situações do país e como é que isso se traduz em interesses políticos."

Outra questão que para muitos especialistas precisa ser analisada é a da invasão de terra, que radicalizou a situação no campo. Roberto Waack, do conselho do frigorífico Marfrig e especialista em questões ambientais, não gosta de responsabilizar o MST. Mas acha que houve um erro de estratégia do movimento. "Não foi a melhor estratégia, porque acabou estigmatizando o processo de reforma agrária como sendo um processo de invasão de terra", avalia. E lembra que muitos assentamentos dos sem-terra são hoje responsáveis pela maior produção de arroz orgânico do país. "O MST tem muito a mostrar. Mas ficou estigmatizado com a questão das invasões", diz. Ele faz a mesma consideração em relação ao movimento ambientalista. "O ataque dos ambientalistas ao desmatamento foi decodificado por aqueles produtores que fazem uso intensivo da terra como estratégia de terror, uma estratégia de dano reputacional do Brasil no mercado internacional, de ameaça. E o Código Florestal é muito avançado, porque todos dão sua colaboração."

A questão, segundo ele, é que a forma como a discussão foi levada pelos ambientalistas criou nos produtores um sentimento de defesa, gerando o argumento absurdo de que a Europa já desmatou e que o Brasil pode desmatar, reforçado pelo governo Bolsonaro. "Eu acho que esse caldeirão, com todos esses elementos, provocou uma radicalização muito grande no setor do agro contra pautas que são também fundamentais para a defesa dos negócios deles, como a proteção e a preservação do meio ambiente."

Para se protegerem do MST e por temerem os efeitos do Código Florestal, que, ao final, seria bom para todos, muitos produtores passaram a se conectar com os sindicatos rurais e com as oligarquias de poder ligadas a Bolsonaro, principalmente na Amazônia. "O cara estava desassistido e aparece um monte de risco na cabeça dele dizendo: 'O Código Florestal vai te cortar o crédito, as empresas não vão mais comprar de você, você vai virar criminoso ambiental, você é um bandido'. Então, com quem ele vai conversar? Com essas oligarquias, que foi o que sobrou para ele. E aí chega o Messias", diz Waack.

Os grandes do setor, entendendo que a radicalização pode atrapalhar suas exportações, trataram de mudar o discurso. Passaram a ajudar os pequenos produtores a regularizar suas terras nos termos do Cadastro Ambiental Rural, o CAR, previsto no Código Florestal. O cadastro é caro, mas é necessário para que se saiba exatamente o tamanho de cada propriedade e até quanto cada produtor pode desmatar. "O peso estava ficando todo com os produtores, que tinham que arcar sozinhos com o custo das áreas a serem preservadas. Agora as traders resolveram ajudar os produtores dividindo as despesas da regularização com eles."

O que se quer é que os produtores passem a não ter medo da pauta ambiental. Não a vejam como ameaça. Talvez seja um começo para se distender as relações no campo, costuma explicar Waack.

Prejudicadas pela imagem de que o Brasil desmata, resultado direto do discurso de Bolsonaro, as grandes exportadoras de produtos agrícolas, as traders, estão agindo. Não necessariamente por terem consciência ambiental, mas por medo de que todas as denúncias de desmatamento e ataque às comunidades indígenas acabem por afetar seus negócios lá fora. Começaram, então, a ter uma relação melhor com os produtores. O mesmo comportamento começa a ser notado entre os grupos de ambientalistas que passaram a se preocupar também com o fator humano, levando em consideração, na discussão do meio ambiente, a situação dos produtores. Tudo isso está sendo discutido com a intermediação da Coalizão Brasil Clima, Florestas e Agricultura, que junta participantes da área ambiental e do agronegócio para encontrar a melhor forma de produzir sem desmatar.

As visões radicais de vários segmentos do setor do agronegócio e do ambientalismo tendem a amornar. As traders resolveram ajudar os produtores em vez de apenas ameaçar de tirá-los da sua cadeia caso haja suspeita de desmatamento. "Muitas vezes o produtor desmata sem saber que cometeu uma ilegalidade. É preciso diferenciar o que erra por desconhecimento do criminoso ambiental", diz Waack. Ele prossegue, finalizando com uma previsão:

O ambientalista que fala que não pode desmatar nada nem caçar javali, os líderes do MST que dizem que tem que invadir, a empresa que diz que vai limar o produtor que suja a sua cadeia, todos estão dizendo agora que é preciso relativizar essas questões e buscar uma solução que atenda a todos, pelo menos em parte. Parece que todos estão se dando conta de que é preciso mudar um comportamento que não deu certo. Se a turma das traders, a dos grandes negócios e a do ambientalismo não tiverem as suas agendas de justiça social associadas ao uso do campo, vai acontecer o que estamos vivendo. Ganhará o candidato que tiver o discurso mais radical. E toda a sociedade pagará o preço.

A ideia da Coalizão é justamente unir forças para que haja uma convivência pacífica dos produtores com os sem-terra, os ambientalistas e os governos. "Só isso impedirá que vença o discurso daqueles que não se preocupam com a produção sem destruição, com os indígenas, com as florestas. Com a vida, em geral", afirma ele.

12. Vitória sem sabor

Por volta das cinco da tarde de domingo, 28 de outubro, Paulo Guedes e o marqueteiro Marcos Carvalho chegaram ao condomínio de Jair Bolsonaro, na Barra da Tijuca, para acompanhar a apuração dos votos do segundo turno das eleições presidenciais. Àquela hora, o trânsito na avenida Lúcio Costa, à beira-mar, onde fica a casa de Bolsonaro, já começara a complicar, porque os seguidores do candidato e a imprensa já se amontoavam no local, levando à interdição de parte da via. A expectativa era grande — tanto dentro como fora da casa.

Os filhos e os amigos mais próximos de Bolsonaro, como o ruralista Nabhan Garcia, o general Augusto Heleno, o astronauta Marcos Pontes, o pastor Magno Malta e o policial Fabrício Queiroz, já estavam lá desde cedo. Assim como parte do núcleo da campanha — Gustavo Bebianno, Onyx Lorenzoni, Paulo e André Marinho e Julian Lemos. As horas pareciam não passar. Bolsonaro tentava disfarçar o nervosismo, falando brevemente com um ou outro. O mesmo não acontecia com alguns apoiadores, que aguardavam o resultado bastante alterados. Era o caso de Lorenzoni.

Passava pouco das sete da noite quando William Bonner anunciou, no *Central das Eleições*, da TV Globo, o resultado do pleito. Com voz grave, mas de forma burocrática, sem esboçar emoção, como se tratasse de um assunto corriqueiro, ele informou: "Às 7h21 deste domingo, chega a informação de que Jair

264

Bolsonaro está eleito presidente da República. Essa é a informação oficial do TSE que nós temos na tela". Jair Bolsonaro venceu o pleito com 55605240 votos, ou 55,54% dos votos válidos. Fernando Haddad teve 44193523 votos, ou 44,46% dos votos válidos.

Bonner então chamou Renata Lo Prete, que, ao lado dele, complementou a informação de forma prosaica: "Bolsonaro é o 38º presidente do Brasil, [depois da] oitava eleição desde a redemocratização". Bonner voltou à tela, mantendo o tom burocrático. "Parabéns ao presidente eleito do Brasil, escolhido democraticamente nas urnas por milhões de brasileiros com uma vantagem muito grande."

A notícia não melhorou os ânimos no ninho bolsonarista. Embora na avenida em frente ao condomínio a festa tivesse começado no instante do anúncio feito pela Globo, com gritos, buzinas e algazarra, o interior da casa continuava em silêncio. A recomendação do candidato era só dar a vitória como certa depois do anúncio da Rede Record. O problema é que a Record atrasou quase dez minutos para anunciar o resultado, então nenhum dos parentes, amigos ou convidados celebrou a vitória anunciada por Bonner. A agonia continuou.

Na frente da televisão, o candidato parecia indiferente. Vestindo blazer azul-marinho e calça bege, ele conversava com uma convidada como se não prestasse atenção ao que estava sendo dito na tela. Em contraste com a indiferença de Bolsonaro, ao seu lado, vestido com uma camisa polo verde-alface, estava Onyx Lorenzoni, cotado para ministro da Casa Civil, que assistia a tudo de boca aberta como se estivesse à beira de um ataque apoplético. Um pouco atrás do presidenciável, de camiseta amarela, estava Flávio Bolsonaro, e do lado direito, também com uma camiseta amarela, mas quase encostado à parede, estava o senador Magno Malta, que perdera a reeleição para o Senado.

No instante em que Janine Borba, da Record, anunciou a vitória — "com 94,44% das urnas apuradas, está eleito Jair Bolsonaro" —, veio o estouro. Mas não do próprio candidato. O presidente eleito apenas sorriu e levantou o braço, enquanto Onyx berrava "Acabooouuu!", sacudindo os braços e pulando feito um torcedor de futebol. Flávio Bolsonaro, mais controlado, abraçou o pai pelas costas, que apenas tocou o seu braço, mantendo o sorriso metálico que dera ao ter a certeza de que seria o próximo ocupante do Palácio do Planalto. Magno Malta tentou abraçá-lo, e Bolsonaro passou o braço em torno do seu ombro, sem efusividade.

Nabhan Garcia se aproximou e lhe deu um abraço entusiasmado. Bolsonaro retribuiu com frieza e o afastou, fazendo o mesmo com Hélio Negão, que, ao contrário do ruralista, o abraçou rápida e comedidamente. Bolsonaro mal cumprimentou Onyx, parecendo incomodado com aquela demonstração exagerada de alegria. Mantendo o sorriso congelado e inexpressivo, o presidente eleito caminhou pela sala cumprimentando os presentes de maneira protocolar. "Valeu, pessoal. Obrigado. Não acabou ainda não. Vai continuar."

Manteve a frieza ao cumprimentar o filho Eduardo, que, por sua vez, parecia mais interessado em filmar o momento com seu celular para postar nas redes. Bolsonaro cumprimentou o astronauta Marcos Pontes e depois o coronel Zucco, eleito deputado estadual do Rio Grande do Sul, único com quem faria uma brincadeira. Sem contato visual, saudou parte da equipe que o ajudara a chegar até ali, como Paulo Marinho, Julian Lemos e Marcos Carvalho. Desvencilhou-se deles como se tivesse pressa em chegar logo a seu destino.

Ao se aproximar de Paulo Guedes, deu a primeira demonstração de simpatia: "Fala, PG!", disse, abraçando o economista com um pouco mais de entusiasmo. Guedes, vestindo camisa azul e um colete de malha azul-marinho, reagiu, sorrindo: "Vambora, vambora". Mas, ao perceber que havia encostado na bolsa de colostomia de Bolsonaro, assustou-se e avisou para que ele tivesse cuidado.

O novo presidente da República se aproximou, então, do general Heleno, o único convidado por quem demonstrou interesse genuíno. Seu primeiro gesto, antes de cumprimentá-lo, foi prestar continência ao general. Em seguida, abraçou-o afetuosamente, e ali permaneceu alisando as costas do amigo militar, dando a impressão de que gostaria de ficar no aconchego daquele abraço, feito criança que se sente segura ao lado de um pai severo mas admirado. O general sussurrou-lhe algo, e Bolsonaro, enternecido, agradeceu.

Diante da frieza do anfitrião, André Marinho decidiu cumprimentar os filhos. Ele contaria, depois, que a pessoa com quem ele mais interagiu naquela noite foi Renan, o Zero Quatro. Mas o diálogo não foi dos melhores. Renan estava em um canto, emburrado, quando André Marinho se aproximou e fez a pergunta: "E aí, irmão? Qual é a emoção? Deve ser uma sensação grandiosa, uma realização familiar sem igual, uma consagração máxima da vida pública". A resposta o surpreendeu. "Caralho, só consigo pensar no número de mulher que vou comer a partir de agora", disse Renan.

Marcos Carvalho daria, mais tarde, a sua impressão daquele momento, após rever o vídeo da comemoração da vitória. "Bolsonaro não parecia feliz. Aquela imagem do momento da vitória chamou minha atenção porque o cara acabou de ser eleito presidente da República, e não vibra. Não explode de alegria. Não dá um grito. Ele comemora de forma tensa. Sorrindo, naturalmente, mas muito, muito contido. Não tinha felicidade na cena. Acho que ele nunca foi feliz como presidente da República", observou o antigo marqueteiro da campanha.

Na avenida Lúcio Costa, a multidão continuava vibrando em ritmo de Copa do Mundo. A grande maioria dos que lotavam o entorno da casa do novo presidente portava bandeiras do Brasil e usava a camiseta verde-amarela da Seleção Brasileira. Outros incrementaram a indumentária com cartolas verde--amarelas, gravatas verdes, coletes, ou ainda camisetas verdes com a cara de Bolsonaro e os dizeres da campanha: "Meu partido é o Brasil". Alguns cartazes lhe prestavam homenagem, enquanto Lula e Dilma eram tratados como criminosos. Bonecos infláveis dos ex-presidentes vestidos de presidiários eram vistos em profusão, assim como cartazes com frases ofensivas à dupla. Havia, inclusive, mais xingamentos ao PT, a Lula e a Dilma do que loas a Bolsonaro. Fogos espocavam naquele domingo frio e chuvoso do Rio de Janeiro.

Um imenso carro de som contratado pelos bolsonaristas estacionou em frente ao condomínio. Do alto do caminhão, apoiadores se revezavam nas homenagens ao ex-capitão. A plateia, embaixo, gritava em cântico: "Dilma, Lula, vão tomar no cu".

Dentro do condomínio, a situação continuava tensa. Como quase tudo na campanha era na base do improviso e da desconfiança, os organizadores não haviam contatado o Itamaraty para que indicassem algum diplomata para ajudar o novo presidente a receber os cumprimentos de líderes mundiais. E, como no grupo mais íntimo praticamente ninguém falava inglês nem mesmo espanhol, ficou combinado, na véspera, que André Marinho, fluente nas duas línguas, faria o papel de intérprete. A maior ansiedade de André era falar com Donald Trump. Ainda durante a campanha do segundo turno, ele havia implorado a Bolsonaro que o levasse na comitiva e o colocasse numa sala com Trump, caso viajasse aos Estados Unidos. "Ainda que fosse para carregar a pasta de alguém", sugerira. André Marinho disse ao ex-capitão que "conhecer Trump era o maior sonho" de sua vida, pela adoração que nutria pelo então presidente americano. Bolsonaro lhe prometera fazer o possível para levá-lo junto.

O sonho de Marinho de se aproximar de seu ídolo maior começou a ruir logo que a vitória do ex-capitão foi confirmada. André serviu de intérprete para Bolsonaro no primeiro telefonema de felicitações, recebido do presidente do México, López Obrador, de um partido de esquerda. Atendeu a mais uma ligação e ficou à espera da chamada do presidente americano. Foi quando o núcleo da campanha se deu conta de que Bolsonaro, seus filhos e alguns amigos mais íntimos se dirigiam, a pé, quase que furtivamente, para a casa de Carlos Bolsonaro, no mesmo condomínio. Sem entender direito o que estava acontecendo, o núcleo da campanha — Bebianno, Marcos Carvalho, Paulo e André Marinho — seguiu atrás. Como havia muita gente na casa do Zero Dois, que não acompanhou a apuração dos votos na casa do pai, esperaram do lado de fora.

Souberam pouco depois que Trump havia ligado. E quem havia feito a tradução para Bolsonaro tinha sido Filipe Martins, o pupilo de Olavo de Carvalho. O assunto podia ter se encerrado ali, com as mágoas e os ressentimentos engolidos. No entanto, no dia seguinte, os jornais noticiariam, erradamente, que quem havia feito a tradução tinha sido André Marinho. Foi o que bastou para que Carlos Bolsonaro fosse para as redes dar pancada no rapaz, chamando-o de mentiroso. "O Carlos foi bater no filho do cara que tinha feito a campanha do pai dele. Que tinha abrigado um monte de gente na casa dele. Alimentado, tratado bem, divulgado o sujeito junto à imprensa, à Igreja católica no Rio. Tudo errado. Aquilo foi de uma deselegância sem fim", diria Marcos Carvalho.

Não era a primeira demonstração de desprezo. No dia da vitória, ao se aproximar do Zero Dois e dizer: "E aí, irmão? Qual a emoção?", André Marinho ouviu de Carlos como resposta um "Nada de mais. Tamo aí. Tudo certo. Vamo que vamo".

Bolsonaro fez o breve discurso da vitória de sua casa, tendo ao lado um livro de Olavo de Carvalho e uma biografia de Winston Churchill, embora em nenhum momento da campanha tivesse citado o estadista britânico. Deu uma rápida entrevista para as televisões e falou para as redes sociais. Foi até a porta de casa acompanhado da esposa, de alguns apoiadores — como Luis Carlos Heinze, do PP do Rio Grande do Sul, e o ator Alexandre Frota, eleito deputado federal por São Paulo na onda bolsonarista — e do núcleo da campanha. O grupo deu as mãos para ouvir a oração de agradecimento de Magno Malta, que dizia: "Os tentáculos da esquerda jamais seriam arrancados sem a mão de Deus.

Começamos isso tudo orando, e nada mais justo que, agora, oremos para agradecer a Deus".[1] Depois da oração, Bolsonaro se recolheu.

Quando os coordenadores da campanha perceberam que não tinham mais utilidade ali para os Bolsonaro, seguiram em conjunto para o Hotel Windsor, para acompanhar a coletiva que Bebianno e Onyx dariam em nome do novo presidente. Antes, o grupo passou em frente ao carro de som. André Marinho subiu e, para delírio da multidão, fez um discurso imitando Bolsonaro.

Na sala de imprensa montada no hotel, o clima não era de confraternização. Alguns convidados de Bolsonaro invadiram o espaço dos jornalistas que aguardavam pela coletiva, para também acompanhá-la de perto. Não haveria problema, se não tivessem resolvido se manifestar. Quando a repórter da *Folha de S.Paulo* fez uma pergunta sobre o novo governo, foi vaiada. O jornal, xingado. A jornalista se manteve firme. O repórter da *Veja* também foi destratado pela claque bolsonarista, para espanto dos correspondentes estrangeiros, chocados com a cena. Bebianno e Onyx respondiam às perguntas com arrogância. A grosseria e a hostilidade imperaram no ambiente. Os jornalistas saíram dali entendendo que o país viveria uma nova era de relacionamento entre imprensa e poder.

Depois de eleito, Bolsonaro, que já tinha uma relação ruim com os jornalistas, continuaria a se comportar como um adolescente revoltado nas redes sociais. Jamais respeitaria a liturgia do cargo. Nenhum outro presidente da República do Brasil tratou a imprensa com tamanha animosidade e desprezo. E isso ficaria evidente nas entrevistas diárias que Bolsonaro passaria a conceder no cercadinho na entrada do Palácio da Alvorada. Sempre acompanhado por uma claque de fanáticos, ele agredia os jornalistas que estavam ali para entrevistá-lo, um desrespeito inaceitável em qualquer democracia do mundo. A fúria com que se dirigia aos repórteres, sempre acompanhada pelas gargalhadas da sua turma, deixou muitos profissionais abatidos por terem de se submeter ao festival de agressões. "Você tem uma cara de homossexual terrível", disse certa vez ao responder a um repórter.

O comportamento dos donos dos veículos de comunicação, que mantinham seus profissionais na linha de frente do cercadinho, sendo submetidos a humilhação constante, também era incompreensível. As entrevistas não produziam nada que pudesse interessar ao país. O amontoado de baixarias ditas por Bolsonaro e ecoadas por apoiadores barulhentos servia apenas para nutrir as raivosas redes sociais do presidente da República, construídas pela equipe de comunicação digital formada pela equipe do "gabinete do ódio".

O clima pouco amigável da festa da vitória continuou. Logo na manhã seguinte à eleição, Luciano Bivar, dono do PSL, pediu seu partido de volta. Bebianno, que presidia a legenda, achou o gesto deselegante, embora aquele fosse o combinado. Bebianno não sabia, mas o seu espaço no futuro governo começava a ser retalhado naquele momento. Bivar, que cedera o partido com apenas um deputado, o recuperaria com 52, a segunda maior bancada da Câmara, além de um fundo eleitoral milionário.

No ninho bolsonarista, a primeira vítima da desconsideração de Bolsonaro foi o vice Hamilton Mourão. Na primeira reunião da equipe de transição, marcada para terça-feira, 30 de outubro, com o núcleo da campanha e Paulo Guedes, para discutirem os planos de governo, Bolsonaro deu ordem expressa a Bebianno para despistar Mourão. Ele devia informar a hora errada do encontro. O presidente não queria que o general ficasse a par de tudo o que seria conversado. Mourão acabou chegando ao encontro duas horas depois do início.

A reunião foi tensa. A ideia era discutir a redução do número de ministérios de trinta para quinze, como havia sido prometido na campanha. Nesse primeiro encontro, no entanto, ficou claro que não era possível, por causa das composições políticas. Chegou-se, então, ao número de vinte e dois. Mas, aí, nova confusão. Paulo Guedes, se sentindo fortalecido, queria juntar ao Ministério da Economia, do qual seria o titular, as pastas da Fazenda, do Planejamento, do Desenvolvimento e Comércio Exterior, uma parte do Ministério do Trabalho, o de Minas e Energia e o da Infraestrutura. Foi uma chiadeira por parte dos presentes, já que ele se transformaria num ministro quase tão poderoso quanto o próprio presidente. Foi Paulo Marinho quem alertou que talvez fosse melhor retirar do guarda-chuva da Economia os ministérios da Infraestrutura e o de Minas e Energia, ao qual, em tese, a Petrobras está subordinada. Para a irritação de Guedes, que se via como um vice-rei, todos acharam aquela a melhor solução. E ele ficou sem as duas pastas.

Depois de Mourão, Bolsonaro deu início ao descarte do núcleo da campanha que o elegera. O primeiro a ser abatido pela máquina bolsonarista foi Marcos Carvalho. Nomeado como um dos 28 integrantes da equipe de transição do governo, não chegou a tomar posse. Foi demitido pelo presidente eleito no dia 7 de novembro, dez dias depois da eleição. Seu pecado foi ter aparecido em uma foto na primeira página do jornal *O Globo*, sendo citado como o futuro responsável pela comunicação digital do governo. A imagem e o cargo calaram fundo no coração de Carlos Bolsonaro, que se achava o responsável pelas redes sociais do pai.

Carvalho saiu de cena silenciosamente. Disse apenas que não postulara o cargo e poderia ficar como assessor especial. Ainda assim, sentiu na pele o veneno do entourage bolsonarista, em especial de Carlos. Passou a ser atacado violentamente nas redes. Um assessor de Jair Bolsonaro divulgou uma nota de conteúdo maldoso confirmando a saída dele. Carvalho foi acusado de "ostentar postos que jamais ocupara, de conselheiro e marqueteiro digital". A nota, inclusive, errava o sobrenome de Marcos, identificado como "Tavares", em vez de "Carvalho".

Carlos Bolsonaro nunca se conformou com o fato de Carvalho ter ficado com o mérito pela estratégia digital bem-sucedida. Na internet, chegou a negar que a campanha do pai tivesse contratado uma equipe de marketing. Assim que o dono da agência AM4 foi dispensado, Carlos postou no Twitter: "Marketeiro [sic] digital?", com emojis às gargalhadas. "Tem uma galera que não se cansa de querer aparecer e usando títulos que não refletem em uma linha de verdade! Todo mundo querendo se dar bem de algum jeito!"

Na prestação de contas do PSL, em 2018, a AM4 consta como prestadora de serviços de internet e de produção de programas de televisão. Carvalho se queixaria tempos depois: "O Zero Dois nunca aceitou dividir o comando das redes sociais do pai, mas o esquema profissional aconteceu de qualquer forma, a despeito dos ciúmes dele". Em relação a Carlos, Bebianno acrescentaria mais tarde, no vídeo que gravou para o futuro documentário sobre a campanha, que "a cabeça do rapazinho é tão curta que ele não via que estava atrapalhando o pai". Carvalho concorda: "O pai escondeu ele durante a campanha, né, Gustavo? Impressionante".

O próximo a ser excluído pelo "capitão" foi Paulo Marinho, dois dias depois da demissão de Marcos Carvalho. Em 9 de novembro, a revista digital *Crusoé*, de perfil de direita, publicaria uma reportagem arrasadora de Filipe Coutinho e do ultradireitista Caio Junqueira contra aquele que cedera a sua casa para funcionar como quartel-general de Bolsonaro. A manchete era implacável: "O candidato a lobista-geral da República".[2] No subtítulo, mais pancada no repentinamente ex-aliado: "Saiba quem é Paulo Marinho, o empresário carioca que já é apontado como possível fonte de problemas para o futuro governo. Ele está sempre perto de onde há poder e dinheiro. Já foi próximo até dos petistas".

Paulo Marinho identificou imediatamente a origem do ataque. Sabia que era o novo alvo do presidente. André Marinho nunca se conformou com a traição ao pai, que atribui a Carlos Bolsonaro e a Fabio Wajngarten, embora não tenha provas de que a matéria tenha sido encomendada por eles. "Aquilo foi uma das coisas mais escrotas que poderiam ser escritas na história. Matéria imprensa marrom, rasteira, jornalismo vendido", critica. A relação dos Marinho com os Bolsonaro gelou, a ponto de eles sequer terem sido convidados para a posse do novo presidente. Mais tarde, Paulo Marinho seria acusado por Bolsonaro de trabalhar nos bastidores para tomar a vaga de Flávio Bolsonaro no Senado, já que era seu suplente. Isso aconteceria no começo do governo, quando uma operação desencadeada pela Polícia Federal, batizada de Furna da Onça, investigou um esquema de apropriação de salários dos funcionários por alguns deputados da Assembleia Legislativa do Rio de Janeiro, conhecido como escândalo das rachadinhas. Flávio Bolsonaro e seu fiel escudeiro Fabrício Queiroz apareceriam no coração do escândalo, criando uma gigantesca crise moral no governo que se iniciava sob o signo da moralidade. O caso seria abafado pela Procuradoria-Geral da República.

O dedicado Gustavo Bebianno se deu conta de que algo muito sério estava sendo urdido contra o núcleo duro da campanha ao se deparar com a turma que ele havia tentado afastar do "capitão" durante a corrida eleitoral — os filhos, Fabrício Queiroz, Waldir Jacaré e outros ex-policiais — no jatinho colocado à disposição do presidente eleito, ainda antes da posse. "O capitão não é mais o mesmo", ele teria dito a Marcos Carvalho, que retrucou: "Sinto muito, Bebianno. Este que está aí é o verdadeiro capitão".

Epílogo

Um novo capítulo da história do Brasil começou a ser escrito nas manifestações de 2013. A esquerda, que por décadas reinara sozinha nas ruas, se surpreendeu ao ter de dividir o espaço com manifestantes de direita. Mas a fratura na sociedade brasileira seria escancarada de fato nas eleições de 2014, quando seria rompida com violência a possibilidade de diálogo. Os partidos PT, PSDB e Rede Sustentabilidade se digladiavam em praça pública. A cisão se agudizaria em 2018, com a polarização entre esquerda e direita. Parte do eleitorado mostrou que estava em busca de um outsider, alguém de fora do statu quo da política institucionalizada.

O economista Eduardo Giannetti faz uma avaliação do que aconteceu no Brasil desde a redemocratização, em 1985, até as eleições de 2018. Sua impressão é que voltamos ao ponto de partida. "A ditadura militar também dividiu o Brasil em dois polos bem definidos: a favor e contra o regime", diz ele. "Nós vencemos a ditadura e o país se redemocratizou." De lá para cá, os grandes grupamentos de oposição ao regime militar, consolidados como partidos políticos, se sucederam no Planalto. Primeiro, o PMDB de Ulysses Guimarães e José Sarney. Depois, o PSDB de Fernando Henrique Cardoso. Finalmente, o PT de Luiz Inácio Lula da Silva e de Dilma Rousseff. "Se alguém tivesse desenhado essa sequência em laboratório, com cada uma das forças de oposição à ditadura sendo testada, dificilmente se chegaria a um quadro tão linear do processo. A única carta fora do baralho nesse enredo foi Fernando Collor, que foi expelido."

A grande massa do eleitorado, segundo Giannetti, se frustrou ao longo desses anos em que PMDB, PSDB e PT governaram, embora cada um desses momentos tenha tido seus méritos. "O PMDB completou a democratização com a Constituinte. O PSDB conseguiu estabilizar a economia e acabar com a inflação. O PT, num momento mágico de Lula, soube unir o equilíbrio macroeconômico com políticas mais ousadas de distribuição de renda. Mas houve também o desencanto, que ficou mais exacerbado com a Lava Jato."

A partir daí, os problemas se agravaram. Dilma se reelegeu e empurrou o Brasil para uma crise econômica que levaria a um quadro de descontentamento mais explícito em 2018. "Ali, vivemos o fim do ciclo que se abriu com o governo da democratização do PMDB e que acabou com a vitória de Jair Bolsonaro. A busca de um candidato fora do establishment se resolveu da maneira mais tenebrosa possível", avalia Giannetti. Mas ele deixa uma esperança no ar. "O que nos une hoje? Estou falando das forças democráticas." Ele pergunta e ele mesmo responde: "Primeiro, a defesa intransigente da democracia. Isso, há alguns anos, parecia desnecessário. Mas agora se tornou imprescindível, pois o risco se agravará muito caso Bolsonaro seja reeleito", prevê. "Segundo, a redução da desigualdade por meio da formação de capacidades humanas. Um compromisso real com o fim da obscena desigualdade brasileira. E não será por transferência de renda. A formação de capacidade é ensino de qualidade. Acho inconcebível, com tudo o que aconteceu neste país — autoritarismo, esquerda, direita, social-democracia, trabalhismo — chegarmos ao século XXI com quase metade dos domicílios sem saneamento e com ensino fundamental vergonhoso." Por último, "preservação e valorização do meio ambiente. Central para nós e para o mundo. Não é transformar patrimônio ambiental em santuário intocável. Mas é fazer pesquisa e tirar valor sem destruir".

Essa terceira perna, o meio ambiente, afirma Giannetti, colocaria o país dentro desse tripé estratégico "de valores fundamentais no campo democrático progressista". E completa: "Se isso não nos unir, não sei o que pode nos unir. Estamos diante de uma ameaça grave. Se a união funcionou para pôr fim à ditadura, com Tancredo Neves, Ulysses Guimarães e Franco Montoro trabalhando juntos, por que agora não podemos fazer um movimento parecido?", questiona. "É preciso desprendimento da classe política. Os líderes precisam deixar as vaidades de lado. Se a gente não aprender com os erros que cometemos esses anos todos, permitindo esse retrocesso sem tamanho, não vai ter jeito."

Giannetti conclui sua análise com um alerta. "Uma geração que trabalhou tanto para conquistar o que conquistou vai perder tudo se não se unir. Tem que ter compromisso com programa. Se estamos de acordo com pontos fundamentais, como não se consegue seriamente trabalhar em torno disso?"

Resta saber se o capítulo aberto em 2013 se encerrará em 2022 ou se o país continuará flertando com o que fomos antes da redemocratização. Manteremos os ideais democráticos ou voltaremos a viver páginas infelizes da nossa história? Continuaremos mergulhados na polarização que cindiu a sociedade brasileira, ou nos uniremos no grito verde-amarelo de "Diretas Já", que em 1984 levou às ruas milhões de brasileiros de todas as colorações políticas para pedir a volta da democracia? Uma coisa é certa: seja qual for o resultado das urnas em 2022, as forças que entraram em cena em 2013 não sumirão da cena política brasileira. Como essas forças conviverão é difícil prever.

Vários personagens ajudaram a mudar os rumos do país a partir das manifestações de 2013, quando *O ovo da serpente* começou a ser chocado. O que aconteceu com eles, quase uma década após aquela tarde de 6 de junho, quando uma multidão tomou o centro de São Paulo, avisando que não era só pelos vinte centavos? Para alguns desses personagens, a história e a História terminaram. Para a maioria, porém, ambas continuam em construção.

OS PERSONAGENS DA FACADA

Coronel Marco Antônio de Oliveira
Entrou para a reserva e mora com os filhos em Juiz de Fora. Contrário à polarização política, faz troça, nas redes sociais, com os amigos de esquerda e de direita. Continua frequentador assíduo de jogos do Flamengo no Rio.

Adélio Bispo de Oliveira
Segue preso sem julgamento marcado. Seu advogado evita entrevistas, mas dá cursos de direito com base na sua experiência com Adélio. O Ministério

Público de Juiz de Fora reabriu a investigação do caso, mas até junho de 2022 estava mantida a tese de que o atentado foi cometido por um lobo solitário com perturbações mentais, sem qualquer ligação com partidos de esquerda.

Soldado Erlon Rossignoli

Recolheu-se após ter sido considerado o salvador da vida de Bolsonaro, por empurrar o braço de Adélio e, assim, desviar o curso da facada. É policial da ativa da Polícia Militar de Minas Gerais e continua evitando dar entrevista sobre o episódio em Juiz de Fora.

Dr. Luiz Henrique Borsato

Ainda atua na Santa Casa de Juiz de Fora. Após ter salvado a vida de Bolsonaro, ele e sua família passaram a receber ameaças pela internet. Receoso dos ataques, se recolheu e não dá declarações sobre o atentado.

Dr. Gláucio Souza

Médico cirurgião na Santa Casa de Juiz de Fora, onde dedica parte da manhã a transplantes de fígado. O hospital é uma referência nacional neste tipo de procedimento.

Dr. Renato Loures

Continua na presidência da Santa Casa de Juiz de Fora. Em abril de 2022, a instituição aderiu ao protesto de mais de mil hospitais filantrópicos brasileiros para denunciar a crise financeira enfrentada por essas instituições. A campanha, intitulada "Chega de Silêncio", promovida pela Federação das Santas Casas, paralisou por um dia os atendimentos eletivos nessas unidades.

Michelle Cafiero

Permanece na Santa Casa. Reconhece que sua atuação durante o episódio da facada em Jair Bolsonaro foi o maior desafio de sua vida profissional.

OS PRIMEIROS APOIADORES

Victor Metta

Metta, em 2018, definia a direita como a verdadeira via revolucionária. "Nos anos 60, a sociedade tinha um viés conservador, e por isso a contracultura, que lutava contra esse conservadorismo, era de esquerda. Nos anos 90, a esquerda chegou ao poder e virou hegemônica. Não dá para ser cultura e contracultura ao mesmo tempo. Agora a contracultura é a direita. Nós somos o antiestablishment."[1]

Em 2019, entrou e deixou o governo junto com o ex-ministro da Educação Abraham Weintraub, de quem era muito próximo na comunidade judaica. Depois de assessorá-lo no MEC, abraçou a campanha do ex-chefe ao governo de São Paulo. Decepcionou-se com Bolsonaro: "Ele conseguiu a proeza de se tornar apenas o menos pior face ao Lula, o que não implica mérito algum", diz hoje. "Sigo acreditando que é possível fazer as mudanças que defendemos em 2018, mas não com Bolsonaro." Apesar disso, se tiver de optar entre um candidato da esquerda e Bolsonaro na eleição de 2022, fica com o ex-militar, mas afirma que não fará campanha.

Rodrigo Morais

Entrou no governo como assessor de Ricardo Vélez Rodríguez, o primeiro a ocupar a vaga de titular no Ministério da Educação sob Bolsonaro e também o primeiro a deixar o governo. Morais saiu junto e não foi realocado. Hoje presta consultoria política em seu escritório. Em entrevista, criticou os erros de Bolsonaro e de seus seguidores, e se disse arrependido de tê-lo apoiado em 2018.

Leticia Catel

Foi demitida em maio de 2019 da diretoria de Negócios da Agência Brasileira de Promoção de Exportações e Investimentos. A Apex era presidida, à época, por seu terceiro chefe na gestão Bolsonaro, o militar Sergio Ricardo Segovia Barbosa. Catel afirma que sua demissão se deu por conta de "contratos espúrios" que descobriu na agência, mas nunca apresentou provas. Um mês antes de sua saída, o ministro das Relações Exteriores à época, Ernesto Araújo, havia demitido o embaixador Mario Vilalva, crítico ferrenho de Catel e sua turma, a quem chamava de "jardim de infância da Apex".

Marcello Reis

Mais discreto do que no passado, praticamente abandonou a militância política. O Revoltados On Line perdeu patrocínio e seguidores.

Bia Kicis

Vice-líder do governo no Congresso, ela foi dispensada do cargo depois de votar contra a prorrogação do Fundo de Manutenção e Desenvolvimento da Educação Básica (Fundeb) em julho de 2020. Fiel ao presidente, Bia Kicis foi para o PL com Jair Bolsonaro.

Carla Zambelli

Eleita deputada federal em 2018, tentaria, sem sucesso, intervir contra a demissão de Sergio Moro do Ministério da Justiça. Continua fervorosa — e raivosa — defensora de Bolsonaro e também o seguiu no PL. Costuma dizer que a lealdade dela a Bolsonaro está acima de tudo e, durante um evento, no auge da pandemia, retirou a máscara acompanhando o comportamento do chefe. Ainda assim, afirma não ser "pau-mandado de Bolsonaro", como insinuou a deputada estadual por São Paulo Janaina Paschoal.

Movimento Brasil Livre

O movimento rompeu com Bolsonaro, a quem acusa de não ter compromisso com as pautas sociais e a democracia. Alguns integrantes, como Kim Kataguiri, do Podemos de São Paulo, foram eleitos deputados federais por partidos que hoje fazem oposição ao presidente da República. Em 2016, o movimento elegeu um prefeito e sete vereadores, e, em 2018, emplacou quatro deputados federais e dois senadores. Em 2021, tentou convocar protestos em defesa do impeachment de Bolsonaro. Pouca gente compareceu.

O MBL perdeu espaço nas redes, e suas principais lideranças se meteram em episódios vergonhosos. Um deles foi protagonizado por Arthur do Val, deputado estadual pelo Podemos de São Paulo, conhecido como Mamãe Falei. Ele perdeu 50 mil seguidores nas redes e foi desfiliado do partido após o vazamento de áudios, em 4 de março de 2022, nos quais fazia comentários sexistas e desrespeitosos sobre as ucranianas que tentavam fugir do país após a invasão russa. Val foi ao Leste Europeu para, em tese, prestar ajuda humanitária, mas seu objetivo parecia ser outro. Demonstrando total falta de empatia com o sofrimento alheio, disse que "as ucranianas são fáceis porque são pobres" e que na fila dos refugiados só havia mulheres bonitas, mas que não "pegou ninguém porque não tinha tempo". Desculpou-se depois que os áudios vieram à tona. Sergio Moro se afastou dele, e a Assembleia de São Paulo pediu sua cassação.

Renan Santos, fundador do MBL, defendeu o colega no Twitter. "A coisa saiu completamente do 'declaração horrível' e virou perseguição total pra destruir o Arthur e o MBL. Completamente fora de sentido." Em fevereiro, Kim Kataguiri já havia se envolvido em um episódio desastroso por afirmar, no podcast Flow, que o nazismo não deveria ter sido criminalizado na Alemanha. Depois, se desculpou. Em janeiro de 2022 os deputados do partido se filiaram ao Podemos para apoiar Sergio Moro na campanha à presidência, que nunca decolou.

Olavo de Carvalho

Causou alvoroço nas redes sociais, em julho de 2021, quando veio ao Brasil para continuar um tratamento médico, e acabou sendo internado no Instituto do Coração do Hospital das Clínicas de São Paulo, instituição pública vinculada à USP, depois de passar mal no avião. Olavo tinha vasto repertório de ataques às universidades públicas brasileiras. Na sua visão, elas seriam pontos de distribuição de drogas e palco de surubas. No Facebook, explicou aos seguidores que estava no Brasil porque "a medicina brasileira é melhor do que a americana". Ficou quase quatro meses internado, um dos quais em hospital particular.

Menos de uma semana depois da primeira internação, o Ministério Público de São Paulo abriu inquérito para saber se a "situação clínica do paciente era adequada para que fosse atendido, na forma da urgência/emergência, no pronto-socorro do InCor e internado imediatamente naquele hospital" ou se Olavo fora sido favorecido pelo médico dele no SUS, com quem já teria consulta marcada desde que deixara os Estados Unidos. O ex-astrólogo voltou para casa, na Virgínia, cerca de uma semana após ser intimado a depor à Polícia Federal pela segunda vez. Em vídeo do YouTube, disse que a viagem de retorno foi "repentina", porque teve um voo oferecido a ele "para daqui quinze minutos", quando ainda estava internado.

Carvalho vivia uma relação tumultuada com Bolsonaro. Atacou integrantes do governo, principalmente os militares. "Imaginem então o general que, emergindo da tediosa e austera secura da vida militar, se vê de repente cercado de luzes, câmeras e gostosas repórteres. Cai de joelhos", tuitou, referindo-se ao general Hamilton Mourão. Exortou seus alunos a deixarem o governo sob o argumento de que havia ali, segundo ele, muitos inimigos de Bolsonaro. "O presente governo está repleto de inimigos do presidente e [de] inimigos do povo, e andar em companhia desses pústulas só é bom para quem seja como eles." Defendia ainda que Bolsonaro ignorasse a imprensa tradicional e se comunicasse diretamente com o povo através das redes sociais.

Morreu em 24 de janeiro de 2022, num hospital na Virgínia. A causa da morte não foi divulgada. O presidente Bolsonaro decretou luto oficial no Brasil. Seus livros continuam sendo procurados e ele mantém seguidores fiéis às suas ideias mesmo após a sua morte. O psiquiatra olavista Ítalo Marsili, que já havia, sem sucesso, se colocado à disposição do governo para suceder Nelson Teich no Ministério da Saúde, iniciou um movimento nas redes sociais para que o ex-astrólogo seja canonizado pela Igreja católica.

OS MILITARES

General Santos Cruz

Foi demitido sem dó nem piedade por Bolsonaro seis meses após tomar posse como ministro-chefe da Secretaria de Governo da Presidência da República. Santos Cruz estava seguindo a orientação rigorosa de controlar a liberação de recursos para os blogs de direita que apoiam Bolsonaro. Ao cortar as verbas de muitos deles, acabou sendo vítima do "gabinete do ódio", alimentado por esses influenciadores. O grupo montou uma armadilha para o general, referendada por Bolsonaro. O presidente o chamou à sua sala afirmando que haviam tirado um print do celular do general, que ele teria esquecido no banheiro, onde ele fazia críticas a Bolsonaro e aos filhos. Santos Cruz negou, assegurando que se tratava de uma armação. O print foi investigado pela Polícia Federal, que constatou sua falsidade. Nas palavras do general Rêgo Barros, então porta-voz da presidência, o print era "ridiculamente falso". Não adiantou. Bolsonaro pediu o cargo de Santos Cruz. No mesmo dia em que a demissão foi anunciada, Allan dos Santos, dono do blog Terça Livre, um dos mais beneficiados por recursos federais, tuitou: "Santos Cruz foi exonerado. A bebida é por minha conta".

Em dezembro de 2021, já fora do governo, Santos Cruz criticou o radicalismo do presidente e seus ataques à segurança das urnas eletrônicas numa entrevista à revista *piauí*.[2] Disse temer que Bolsonaro tente tumultuar o processo eleitoral. O general da reserva se apresentou como pré-candidato à presidência da República pelo Podemos.

General Paulo Chagas

Faz análises políticas e econômicas em sua página no Facebook, muitas delas críticas ao governo Bolsonaro. Continua jogando polo, em Brasília.

General Otávio Rêgo Barros e general Santa Rosa

Dois dos generais mais conceituados do Exército Brasileiro. Ambos deram suporte e credibilidade à candidatura de Bolsonaro e deixaram seus postos após desentendimentos com o presidente. Rêgo Barros, porta-voz do governo, perdeu a influência e o cargo em 2019, quando Bolsonaro passou a falar diretamente com a sociedade através do cercadinho do Palácio da Alvorada. Com a reativação do Ministério das Comunicações, comandado por Fábio Faria, genro do apresentador Silvio Santos, o cargo de porta-voz foi extinto. Rêgo Barros passou a escrever colunas críticas ao governo e ao presidente.

Em novembro de 2019, Maynard Santa Rosa, indicado por Gustavo Bebianno para assumir o cargo de secretário de Assuntos Estratégicos, pediu demissão após desentendimentos com o policial reformado Jorge Antonio de Oliveira, nomeado ministro da Secretaria-Geral da Presidência, aliado de Bolsonaro. O pai do ministro, Jorge Oliveira, foi durante muitos anos coordenador do gabinete de Bolsonaro na Câmara. Santa Rosa diria depois, em entrevista à coluna de Chico Alves no UOL, que "quando chegou esse ministro novo, o dr. Jorge Oliveira, na Secretaria-Geral, ele trocou todos os quadros e não mexeu na minha Secretaria de Assuntos Estratégicos. Em compensação, passou a estrangular a secretaria. Por exemplo, os nossos trabalhos não tinham sequência, ele não dava prosseguimento. Nós ficamos impedidos de ter acesso ao presidente".[3] Por razões diferentes, Santa Rosa tinha sido demitido do governo Lula por criticar a criação da Comissão Nacional da Verdade. Jorge Antonio de Oliveira deixou o governo em 2020 e foi nomeado ministro do Tribunal de Contas da União.

General Villas Bôas

Em janeiro de 2019, durante a cerimônia de posse de Fernando Azevedo como ministro da Defesa, Bolsonaro fez um elogio enigmático a Villas Bôas:

"General Villas Bôas, o que já conversamos ficará entre nós. O senhor é um dos responsáveis por eu estar aqui". O general Fernando Azevedo e os três comandantes das Forças Armadas foram demitidos em 2021, por discordarem da ordem do presidente para que as forças interviessem nos estados durante a pandemia, pondo fim às restrições de circulação. Villas Bôas, que tinha um cargo de assessor especial do Gabinete de Segurança Institucional, se desligou do governo em junho de 2022 para se dedicar a um tratamento de saúde. Ele tem esclerose lateral amiotrófica (ELA), uma doença degenerativa.

General Walter Braga Netto

Assumiu a Casa Civil no governo Bolsonaro, após a demissão de Onyx Lorenzoni. Em 2021, foi nomeado ministro da Defesa depois que Bolsonaro demitiu o general Fernando Azevedo e Silva e os três comandantes das Forças Armadas de uma só vez, naquela que foi considerada uma das maiores crises entre os militares e o presidente.

A demissão dos quatro se deu em razão de se recusarem a cumprir as ordens de Bolsonaro para que as Forças Armadas pressionassem os governadores a não adotar o lockdown durante a pandemia. Ao ser dispensado, o general Fernando Azevedo declarou, em sua carta de despedida: "Nesse período, preservei as Forças Armadas como instituição de Estado". Braga Netto, fiel seguidor de Bolsonaro, foi escolhido pelo presidente para ser seu vice na chapa com que concorrerá à reeleição, em 2022.

Forças Armadas

Mais de 6 mil militares, por indicação de Bolsonaro, passaram a ocupar cargos com alta remuneração no Executivo federal e nas estatais.

OS EVANGÉLICOS

Marco Feliciano

Continua apoiando Jair Bolsonaro e orientando o seu rebanho a fazer o mesmo.

Magno Malta

Embora sem cargo no Congresso, está sempre próximo a Bolsonaro e estimula seu rebanho a apoiá-lo.

Silas Malafaia

Mantém a discrição e o apoio a Bolsonaro.

Caio Fábio

Desiludido por ter sido envolvido em acusações pelo governo do PT, afastou-se da política profissional. Hoje comanda um grupo independente de evangélicos não conservadores.

Ariovaldo Ramos

O pastor fará campanha pelo PT ou o candidato de outro partido que tiver chances de derrotar Bolsonaro em 2022, que ele considera a negação dos valores humanos pregados pelos evangélicos.

O PSL

Luciano Bivar

Retomou o seu partido no dia seguinte à eleição de Bolsonaro. Entregou um partido com um deputado, recebeu-o de volta com 52. Rompeu com Bolsonaro logo no início do governo. O presidente tentou, sem sucesso, se apoderar do PSL, e deixou a legenda com um pequeno grupo de seguidores. Em 2021, Bivar se tornou presidente do União Brasil, partido originado da fusão entre PSL e DEM. Seria o pré-candidato à presidência da República no partido com a maior fatia dos fundos partidário e eleitoral.

Junior Bozzella

O deputado tentaria emplacar Sergio Moro como candidato à presidência em 2022, mas encontraria resistência dos companheiros de partido originários do DEM. Moro já chegaria ao União Brasil com a candidatura derrotada. Bozzella considera Bolsonaro uma grande ameaça à democracia.

Sua avaliação, hoje, é que ter cedido o PSL para Bolsonaro concorrer foi um equívoco, pela forma como o presidente vem governando o país, mas diz que ninguém tinha bola de cristal para saber o quanto Bolsonaro iria crescer em 2018, a ponto de se eleger. "Ninguém poderia imaginar que haveria esse efeito manada", diz. Para ele, a eleição de Bolsonaro foi um movimento da sociedade, não do candidato. "Bolsonaro foi o maior privilegiado nisso tudo. Ele virou presidente da República [por causa] desse sentimento do anti-PT". No Congresso, Bozzella afirma para seus correligionários que o partido precisa corrigir esse "equívoco com o país" e mudar o rumo da história. "Como partido grande, com o ativo que nós conquistamos, nós podemos reparar o equívoco de 2018, dando tempo de televisão, dando fundo pra alguém que seja minimamente racional e que tenha condição de derrotar Bolsonaro no segundo turno", diz. "Assim, a gente pelo menos blinda o futuro da sociedade brasileira dessa raça desumana."

Bozzella costuma dizer que é preciso ter calma, mas despeja sua fúria contra o presidente. "Enfrentamos um processo de eleição e apoiamos Bolsonaro. Agora, a nossa maior retribuição ao país será corrigir esse erro."

Major Olimpio

"Eu não gosto de ladrão. Para mim, ladrão de esquerda é ladrão. De direita, é ladrão. Se for filho do presidente, ladrão. Roubando junto com o presidente, eu vou dizer. [Bolsonaro] brigou comigo para proteger filho bandido", diria ele em áudio de WhatsApp vazado em 26 de maio de 2020. Olimpio se referia ao envolvimento de Flávio Bolsonaro no caso das rachadinhas na Assembleia Legislativa do Rio de Janeiro.

Pouco depois de romper com Bolsonaro, anunciou que não se candidataria a mais nada. Falou mais de uma vez da decepção com o presidente da República.

Morreu vítima de covid-19 em março de 2021. Senador ativo e crítico de Bolsonaro, sua morte causou comoção entre seus pares.

Fábio Ostermann

É deputado federal pelo Novo do Rio Grande do Sul.

Sergio Bivar

Desiludido com a decisão do pai de ceder temporariamente o partido para

Bolsonaro concorrer, se afastou do PSL e da política. Hoje cuida de seus negócios, em São Paulo.

AS REDES SOCIAIS

Marcos Carvalho
Rompido com os Bolsonaro, que barraram sua entrada no governo, Carvalho seguiu com seu trabalho de pesquisa e marketing, trabalhando em campanhas de candidatos a prefeituras. Em 2021, depois de dizer que Bolsonaro não se elegeria "nem para síndico de prédio", passou a procurar candidatos para quem fazer campanha nas eleições de 2022. Ainda não encontrou um candidato a presidente para quem trabalhar.

Alex Melo
Continua apoiando fervorosamente Bolsonaro nas redes sociais.

Mateus Henrique
Continua tocando o grupo Direita Pernambuco, que apoia a reeleição de Jair Bolsonaro.

Filipe Martins
O pupilo de Olavo de Carvalho foi nomeado assessor internacional da presidência. Chegou a ter influência no Itamaraty na época do chanceler Ernesto Araújo. Continua no Palácio, mas atua com mais discrição. Em seu depoimento à CPI das Fake News no Senado, foi acusado de, ao arrumar a gravata, fazer um gesto associado a supremacistas brancos dos Estados Unidos, mantendo os três dedos esticados. Sofreu censura do Senado. O caso foi levado à Procuradoria-Geral da República, que decidiu por não denunciar o assessor.

Allan dos Santos
O blogueiro fugiu do Brasil após ter tido sua prisão preventiva decretada pelo Supremo Tribunal Federal, no âmbito do inquérito das milícias digitais. Considerado foragido da Justiça e procurado pela Interpol, Allan dos Santos

participou da motociata em apoio a Bolsonaro, em Orlando, na Flórida, em junho de 2022.

O PODER ECONÔMICO

Paulo Guedes

Guedes prometeu zerar o déficit público em um ano, arrecadar 2 trilhões de reais com privatizações e vender imóveis da União. Das três promessas, realizou pouquíssimo. Da audaciosa agenda econômica com a qual turbinou a vitória de Jair Bolsonaro, conseguiu ver aprovada a privatização da Eletrobras e passar a reforma da Previdência, neste caso num processo capitaneado sobretudo pelo Congresso e a despeito de muitas distorções. A reforma favoreceu, por exemplo, os militares, que ganharam um texto avulso e com regras mais brandas.

O Ministério da Economia, que começou como "superministério", foi perdendo força e técnicos importantes, que deixaram o governo em meio a dificuldades para realizar as medidas planejadas. O furo no teto de gastos para garantir a implementação do Auxílio Brasil levou à debandada de quatro secretários importantes da Economia, em outubro de 2021. Em janeiro de 2022, o presidente editou um decreto dando poderes à Casa Civil na execução do Orçamento, e enxugando ainda mais a autoridade da pasta de Guedes.

O ministro acumula falas desastrosas. Em resposta a protestos de rua em cidades da América Latina, alertou: "Não se assustem se alguém pedir o AI-5". Referiu-se a funcionários públicos como "parasitas", no contexto da reforma administrativa. Em comentário sobre a alta do dólar, justificou que "o câmbio não está nervoso, o câmbio mudou. Não tem negócio de [...] empregada doméstica indo para a Disneylândia, uma festa danada".

O Brasil chegou a junho de 2022 com a inflação anual (índice acumulado nos doze meses anteriores) na casa dos dois dígitos por nove meses seguidos. À imprensa, em maio, Guedes dissera que o Brasil saíra do "inferno da inflação", enquanto outros países estavam indo na direção do inferno. De acordo com a Organização para a Cooperação e o Desenvolvimento Econômico (OCDE), o Brasil tinha a terceira maior inflação entre as vinte maiores economias do mundo. A taxa de juros do Banco Central, a Selic, que chegou a cair para menos de

5%, voltou a subir para quase 14% em 2022. A taxa de juros alta era uma das maiores críticas de Guedes aos economistas que comandaram a mesma pasta nos governos anteriores.

Otávio Fakhoury

Tornou-se presidente nacional do PTB. Em novembro de 2021, organizou um evento de direita em Belo Horizonte, do qual participaram Bia Kicis e Carla Zambelli, entre outros expoentes da nova extrema direita. Continua com seu escritório de administração de recursos — basicamente, os dele.

Luis Stuhlberger

Admite ter votado em Bolsonaro, mas se diz arrependido. Em uma entrevista para o jornal *O Estado de S. Paulo*, em 28 de março de 2021, afirmou: "Acreditei e votei no Bolsonaro em 2018, mas ele nunca mais terá o meu voto".[4] Ele também escreveu um texto dramático para os clientes do fundo Verde, cuja carteira de 52 bilhões de reais ele administra. "Escolhas têm consequências", diz o texto, no qual critica a falta de iniciativa do governo no combate à pandemia, como a demora em comprar as vacinas. Stuhlberger foi um dos tantos gestores, banqueiros, empresários e economistas que assinaram a Carta dos Economistas, em 2021, condenando as políticas do governo, principalmente em relação à pandemia.

André Esteves

O "banqueiro do PT", como era chamado, teve um áudio vazado para a imprensa no qual dizia a clientes e a outros banqueiros que foi consultado, durante a pandemia, pelo presidente do Banco Central, Roberto Campos Neto, sobre o valor mínimo a que a taxa Selic deveria chegar.

A Associação Brasileira de Imprensa apresentou um pedido de investigação ao Supremo Tribunal Federal. Mas, depois de a Procuradoria-Geral da República não constatar elementos para justificar abertura de investigação, o inquérito foi arquivado pela ministra Rosa Weber.

Meyer Nigri

O empresário ainda confia no presidente Bolsonaro. Acha que seu governo tem mais acertos do que erros.

Luciano Hang

Foi convocado a depor à CPI da Covid sob suspeita de financiar a divulgação de notícias falsas. Compareceu em fins de setembro de 2021 vestido a caráter, com terno verde-bandeira e gravata amarela. Gerou tumulto ao exibir cartazes pedindo liberdade de expressão. Levantamento do portal UOL mostrou que, de outubro de 2018 a outubro de 2021, Luciano Hang abriu um novo processo contra jornalistas e críticos a cada 26 dias, em média. Em 2022, segue sendo um aliado fiel de Jair Bolsonaro.

Winston Ling

Continua ativo no Twitter apoiando o governo e condenando a esquerda.

A IMPRENSA

Os jornalistas têm feito seu trabalho de fiscalizar o governo, qualquer que seja ele. Por essa razão, a imprensa é alvo permanente de ataques de Bolsonaro.

OS CANDIDATOS A VICE

Janaina Paschoal

Foi eleita deputada estadual por São Paulo. Lutaria para fazer parte, como candidata ao Senado, da chapa do ex-ministro da Infraestrutura, Tarcísio Freitas, pré-candidato ao governo de São Paulo. Costuma fazer críticas a Bolsonaro, mas fecha com ele contra a esquerda.

Luiz Philippe de Orleans e Bragança

Elegeu-se deputado federal por São Paulo em 2018 e migrou para o PL em 2021, seguindo Bolsonaro.

Hamilton Mourão

As relações com Bolsonaro esfriaram já no início do governo. O general da reserva chegou a ser acusado de traidor pelos filhos do presidente. Desligou-se do governo em março de 2022, para concorrer ao Senado Federal pelo Rio Grande do Sul, pelo Republicanos.

O AGRONEGÓCIO

Tereza Cristina

Desligou-se do governo em março de 2022, para concorrer ao Senado Federal. Durante sua gestão, a pasta da Agricultura teve uma das melhores performances do governo. Pragmática e política, conseguiu evitar a influência de Bolsonaro em seu ministério. As exportações do agronegócio brasileiro bateram recordes. Em junho de 2022, chegou a ser cotada para concorrer a vice-presidente na chapa de Bolsonaro.

Marcos Montes

Assumiu o comando do Ministério da Agricultura após a saída de Tereza Cristina.

Nabhan Garcia

Ainda é secretário de Assuntos Fundiários do Ministério da Agricultura.

Conselho Indigenista Missionário

Acusa fazendeiros, garimpeiros e madeireiros da região Norte de invadirem reservas indígenas. O agronegócio quer se diferenciar dos criminosos. Tereza Cristina, ainda quando ministra, dizia que criminoso — aquele que invade reserva indígena e destrói o meio ambiente — tem que ir para a cadeia, seja ou não seja produtor rural.

No governo Bolsonaro, as invasões a terras indígenas e a pequenas propriedades aumentaram. As terras indígenas tiveram crescimento de 150% nas áreas destruídas em 2021, segundo levantamento do Instituto de Pesquisa Ambiental da Amazônia (Ipam). O desmatamento na região Norte também subiu 56,6% entre 2018 e 2021 em relação aos anos anteriores. Apesar disso, o governo brasileiro anunciou que vai antecipar a meta de desmatamento ilegal zero de 2030 para 2028, embora ambientalistas afirmem que não há nenhuma ação concreta em andamento para que tal objetivo seja alcançado.

Em junho de 2022, um caso dramático mancharia ainda mais a imagem do Brasil no exterior em relação à questão ambiental. O indigenista pernambucano Bruno Araújo Pereira e o jornalista inglês Dom Phillips desapareceram na selva amazônica após deixarem um lugarejo na região do Javari. A Polícia Federal e os bombeiros, sob a orientação dos indígenas, encontraram os assassinos, que confessaram o crime e indicaram o local onde enterraram as vítimas. São eles os pescadores Amarildo da Costa Oliveira, conhecido como Pelado, Jeferson da Silva Lima e mais três comparsas. Os corpos de Phillips e Pereira foram esquartejados, queimados e enterrados. A polícia investiga se o crime foi encomendado. Bolsonaro declarou a Leda Nagle, no canal do YouTube da jornalista, que a região era perigosa e que o jornalista tinha ido fazer uma "excursão" no local.

AS POLÍCIAS

A relação entre Bolsonaro e as polícias balançou depois da reforma da Previdência de 2019, que não garantiu o tratamento especial desejado pela classe, e praticamente azedou depois da PEC emergencial que incluiu os policiais no rol de servidores passíveis de terem salários congelados, caso um gatilho de despesas públicas fosse acionado.

Para se redimir com os companheiros de campanha, Bolsonaro prometeu a reestruturação das carreiras federais da segurança, reajustando salários em 20%. Não cumpriu. O presidente passou a ser alvo de protestos. Ao não comparecer à formatura de novos policiais federais, em maio de 2022, foi acusado de "fujão".

Na retórica, o apoio presidencial à classe policial continuou. Quando uma operação da Polícia Militar do Rio de Janeiro, com participação de policiais rodoviários federais, resultou na morte de 23 pessoas na Vila Cruzeiro, no conjunto de favelas da Penha, Zona Norte do Rio, Bolsonaro foi ao Twitter parabenizar "os guerreiros". Disse que os mortos eram "marginais ligados ao narcotráfico".

Segundo a Agência Brasil, agência de notícias do governo federal, entre os corpos identificados estava o da cabeleireira Gabrielle Ferreira da Cunha, de 41 anos, "que foi vítima de um tiro dentro de casa, na comunidade da Chatuba, vizinha ao conjunto de favelas da Penha. Segundo a Polícia Militar, não havia operação naquela localidade e Gabrielle foi atingida por um tiro de arma de longo alcance".[5]

A fala de Bolsonaro sobre as mortes na Vila Cruzeiro parece ter inspiração semelhante à do ex-policial transformado em professor de cursinho Norberto Florindo Junior, que em uma aula da escola AlfaCon, especializada em concursos públicos, contou que entrava nas comunidades "chacinando": "Uma vagabunda criminosa só vai gerar o quê? Um vagabundinho criminoso. Por isso, quando eu entrava [...], matava todo mundo: mãe, filho, bebê. Foda-se. Eu elimino o mal na fonte". Em 2009, ele fora expulso da PM por portar cocaína dentro do batalhão. O inquérito contra Florindo pelas falas de apologia à tortura está parado desde 2019, no 5º Distrito Policial da Aclimação, na Zona Sul de São Paulo.

Foi em uma palestra a alunos da AlfaCon que Eduardo Bolsonaro declarou, em julho de 2018, que bastariam um soldado e um cabo para fechar o Supremo Tribunal Federal. Naquele mês, durante a campanha para o Planalto, Bolsonaro pai também se dirigiu aos estudantes da AlfaCon. "Vocês que estão se preparando para esse concurso da Polícia Federal: boa sorte, hein. Não é impossível, não. É difícil, e nós acreditamos em vocês. Estamos juntos e, ano que vem, vou dar posse para todos vocês", disse, em vídeo publicado no Facebook pelo fundador e presidente da AlfaCon, Evandro Guedes.

O NÚCLEO DURO DO PODER

Gustavo Bebianno

Na contramão dos emocionais pedidos que fez a Bolsonaro para que não fosse deixado para trás, Bebianno foi repelido do círculo imediato do capitão pelo filho Carlos tão logo estouraram as denúncias de crime eleitoral contra o partido dos três, no escândalo que ficaria conhecido como "laranjal do PSL". O pai chancelou a posição do Zero Dois. Bebianno foi oficialmente enxotado da Secretaria-Geral da Presidência e do governo federal em 18 de fevereiro de 2019, menos de dois meses depois da posse do presidente que ajudara a eleger.

Após ser abandonado por seu "capitão", passou a comer compulsivamente e ganhou muito peso. Bebianno sentia-se triste e humilhado, e seus amigos se preocuparam. Ficou deprimido.

No dia 5 de março de 2020, lançou-se pré-candidato à prefeitura do Rio de

Janeiro pelo PSDB, mas falaceu antes de oficializar a candidatura, na madrugada do dia 14 de março de 2020, em Teresópolis, vítima de um infarto fulminante. Para muitos amigos, ele morreu de tristeza. "Bebianno foi de uma lealdade e de uma dedicação canina a Bolsonaro. Não se abandona um amigo como Bolsonaro fez com ele. Bebianno sofreu demais com a traição", diria o empresário Luiz Medeiros, que conversou com ele, por telefone, na noite do infarto.

Após a morte, amigos divulgaram uma carta que o ex-ministro havia escrito quando estava de saída de Brasília, um ano antes. Em um trecho, Bebianno escreveu: "O senhor pode ficar tranquilo. Vou embora em paz. Quero apenas que dê certo. Não posso crer que tudo o que foi feito tenha sido em vão".

Flávio, Carlos e Eduardo

A defesa de Flávio conseguiu, em 2021, a anulação das provas que embasavam a denúncia feita pelo Ministério Público do Rio de Janeiro contra ele, Fabrício Queiroz e outros quinze ex-assessores pelos crimes de peculato, lavagem de dinheiro, organização criminosa e apropriação indébita, no caso das rachadinhas. As investigações apontavam o senador como líder do esquema de corrupção.

A anulação das provas veio a partir de uma decisão do Tribunal de Justiça do Rio de Janeiro, que concedeu foro especial ao senador e deslocou o caso da primeira instância. As medidas ordenadas em primeira instância foram mantidas, mas a defesa de Flávio recorreu ao Superior Tribunal de Justiça para anular todas as provas e decisões até então. O STJ favoreceu a defesa de Flávio, e o entendimento foi chancelado, em seguida, pelo STF, que foi além e anulou quatro relatórios do Coaf que comprometiam o filho do presidente. Após as anulações, a denúncia acabou sendo arquivada, por decisão do TJRJ. Apenas um relatório do Coaf permaneceu válido, depois de tudo.

Em março de 2021, oito meses antes da anulação das provas da rachadinha pelo STF, o Zero Um, que na eleição de 2018 declarou patrimônio de 1,74 milhão de reais, comprou uma mansão em Brasília no valor 5,97 milhões de reais.

Eduardo tentou sem sucesso emplacar sua candidatura para embaixador do Brasil nos Estados Unidos. Ficou famosa uma das justificativas que usou para defender suas credenciais: "Fiz intercâmbio e fritei hambúrguer nos Estados Unidos". Criou constrangimento ao governo brasileiro ao fazer pesadas críticas à China, um dos maiores parceiros comerciais do Brasil.

Carlos, após trabalhar pelo afastamento do marqueteiro Marcos Carvalho do governo de transição, seria o pivô da resistência do Bolsonaro pai em entregar o marketing da campanha à reeleição para um profissional.

Adriano da Nóbrega

O Capitão Adriano, ex-capitão do Bope do Rio de Janeiro condecorado por Flávio Bolsonaro com a Medalha Tiradentes, foi apontado como chefe do Escritório do Crime, um grupo de assassinos profissionais, e de uma milícia atuante no Rio de Janeiro. Ele foi morto em fevereiro de 2020 durante um confronto com policiais militares na Bahia. Estava escondido na zona rural da cidade baiana de Esplanada, em um sítio que pertencia a um vereador do PSL. Bolsonaro já havia saído do partido, a essa altura.

Os próprios Bolsonaro levantaram a hipótese de que Adriano teria sido torturado e executado. Em agosto, a Secretaria de Segurança Pública da Bahia concluiu inquérito sobre o caso descartando as conjecturas.

Paulo Marinho

O ex-aliado bolsonarista e ainda suplente de Flávio Bolsonaro no Senado Federal denunciou um suposto vazamento de informações da operação Furna da Onça, da Polícia Federal. O esquema teria acontecido em 2018 e envolveria acertos, por telefone, de três aliados do senador com um delegado da PF, segundo afirmou Marinho em depoimento. A Furna da Onça é o desdobramento da Lava Jato que revelou movimentações suspeitas no valor de 1,2 milhão de reais por Fabrício Queiroz, quando ele era assessor do gabinete de Flávio na Assembleia Legislativa do Estado do Rio de Janeiro. De acordo com Paulo Marinho, Flávio teria sido avisado antecipadamente por um policial federal de que haveria uma operação contra ele e Fabrício Queiroz no caso das rachadinhas. Diante do alerta, o filho do presidente demitiu imediatamente seu subordinado. Não colou. Queiroz continuaria sendo visto como o executor do esquema comandado pelos Bolsonaro.

Marinho chegou a se aliar a Doria durante a pré-campanha do tucano à presidência, em 2022. Acabou se juntando ao partido Avante, para trabalhar pela candidatura de André Janones.

André Marinho

Ganhou popularidade com suas imitações de Bolsonaro e de outros políticos. Foi convidado a trabalhar na Jovem Pan como comentarista de humor.

Acabaria demitido por confrontar Bolsonaro em uma entrevista do programa *Pânico*. André Marinho perguntou ao presidente como ele chamaria alguém envolvido com rachadinha. Continua com o seu blog de humor e política.

Fabrício Queiroz

Depois de indiciado no escândalo das rachadinhas, desapareceu ao temer ser preso. Foi encontrado escondido em Atibaia, em um imóvel do advogado da família Bolsonaro, Frederick Wassef, em junho de 2020. A prisão cautelar de Queiroz pela Polícia Civil de São Paulo aconteceu dois dias depois da expedição do mandado pela Justiça do Rio, no âmbito das rachadinhas. Wassef era o advogado de Flávio no caso.

Queiroz não era considerado foragido. Foi solto em março de 2021, depois que o stj entendeu que havia "excesso de prazo na manutenção da prisão cautelar".

Em entrevista ao sbt News, em novembro daquele ano, Queiroz diria que Wassef o protegera de ser executado pela polícia. E citaria Adriano da Nóbrega: "Eu ia ser queima de arquivo para cair na conta do presidente, como aconteceu com o capitão Adriano. Aquilo foi pra jogar na conta do presidente, aquilo não foi auto de resistência da polícia, aquilo ali foi execução".

Frederick Wassef

Deixou a defesa de Flávio e, por um tempo, a convivência imediata do presidente, depois que Fabrício Queiroz foi encontrado escondido em um imóvel no seu nome, em Atibaia. Wassef reapareceu no Palácio do Planalto em novembro de 2020. Em 2022, assumiu a defesa do filho mais novo do presidente, Jair Renan, num caso de suposto tráfico de influência.

General Heleno

Quando Bolsonaro selou a aliança com o Centrão e começou a entregar cargos de liderança no Congresso e postos no governo a parlamentares do bloco, ressurgiu — nas redes sociais e na imprensa — um vídeo de 2018, em que Heleno cantava: "Se gritar 'pega Centrão' não fica um, meu irmão", em referência ao samba "Reunião de bacana", de Bezerra da Silva, conhecido pelos versos "Se gritar pega ladrão/ não fica um, meu irmão". O general afirmou ter mudado de ideia, e disse que "nem reconhecia, hoje, a existência desse Centrão".

Julian Lemos
Elegeu-se deputado federal pelo PSL em 2018.

A ELITE POLÍTICA

Sergio Moro
Deixou o governo em abril de 2020, no início da pandemia, acusando Bolsonaro de interferência na Polícia Federal. Em contraponto, foi acusado pelo presidente de tentar negociar sua indicação ao Supremo Tribunal Federal, em troca de chancelar uma mudança no comando da PF. Moro negou a acusação e prometeu provar que Bolsonaro estava interferindo politicamente. A prova, segundo o ex-ministro, estaria no vídeo de uma reunião ministerial que ocorrera em 22 de abril. Então decano do Supremo, o ministro Celso de Mello autorizou que a Procuradoria-Geral da República abrisse inquérito para apurar a suposta interferência. No pedido de abertura de inquérito, o procurador-geral da República Augusto Aras apontou que Moro poderia ser acusado de denunciação caluniosa e crimes contra a honra se não levasse a cabo as acusações contra Bolsonaro.

Em março de 2022, a Polícia Federal concluiu relatório indicando que não havia evidências nem contra o presidente nem contra o ex-ministro. Nesse ínterim, Moro quase foi o pré-candidato à presidência pelo União Brasil, mas encontrou resistência da ala do partido originária do DEM. Os políticos mais tradicionais não engoliram o ex-juiz.

Luiz Fux
Tornou-se presidente do Supremo Tribunal Federal em 10 de setembro de 2020 e entrou em confronto com Bolsonaro, a quem acusou de fazer ataques sistemáticos aos ministros da corte e criar tensão entre os poderes. O mandato dura dois anos.

Supremo Tribunal Federal
Em outubro de 2020, o Senado aprovou o nome do desembargador Kassio Nunes Marques para substituir o decano Celso de Mello como ministro do STF. Foi a primeira de duas indicações de Jair Bolsonaro para a corte. Na época, o presidente já declarava que sua próxima escolha seria por um

ministro "terrivelmente evangélico". Dizia, ainda, que a "amizade" era um critério importante e que os escolhidos teriam que "tomar tubaína" com o presidente. O primeiro voto de Nunes Marques na Suprema Corte levou apenas um minuto e 32 segundos.

André Mendonça (que foi advogado geral da União, depois ministro da Justiça, e depois AGU mais uma vez) seria o ministro "terrivelmente evangélico" de Bolsonaro. A sabatina no Senado foi adiada algumas vezes no decorrer de cinco meses, por causa das recorrentes crises institucionais engatilhadas pelo presidente. O clímax se deu no feriado de 7 de setembro, quando Bolsonaro compareceu a manifestações em Brasília e São Paulo, discursando a apoiadores que pediam intervenção militar, o fechamento do Congresso e a destituição de ministros do Supremo. Questionou a confiabilidade das urnas eletrônicas, citou o voto impresso (cujo projeto já fora rejeitado pela Câmara no início de agosto) e disse que não poderia "participar de uma farsa como essa patrocinada pelo Tribunal Superior Eleitoral", referindo-se às eleições.

As fricções entre Bolsonaro e o Supremo começaram em março de 2019, no primeiro ano de governo. O então presidente da Corte era Antonio Dias Toffoli. Após decidir, sem a participação da Procuradoria-Geral da República, abrir um inquérito para investigar ataques vindos de apoiadores de Bolsonaro contra os ministros do STF e seus familiares, tornou-se alvo preferencial de críticas diretas do presidente. Com a incorporação de novos fatos ao inquérito, a investigação passou a considerar uma rede ampla de disseminação de informações falsas, conduzida por bolsonaristas.

Luiz Inácio Lula da Silva

Lula foi solto em novembro de 2019, depois de o STF derrubar a possibilidade de prisão após condenação em segunda instância. Na sequência, foi anulada a própria condenação de Lula no caso, que voltou à fase das alegações finais. Isso porque outra decisão da Corte determinara que os réus delatados deveriam ser ouvidos depois dos delatores, e Lula fora delatado pelo empreiteiro da OAS Léo Pinheiro, por exemplo, na etapa final do processo contra ele.

Em 2021, depois de o ministro Edson Fachin declarar a incompetência da Justiça Federal do Paraná em julgar todas as quatro ações da Lava Jato envolvendo Lula — tríplex do Guarujá, sítio de Atibaia e duas ações relacionadas ao Instituto Lula —, a decisão foi referendada pelo plenário do STF após recurso da Procuradoria-Geral da República, e Lula voltou a ser elegível. O placar foi de oito votos a três. Votaram contra o presidente da Corte, Luiz Fux, e os ministros Marco Aurélio e Kassio Nunes Marques. Votaram a favor, além de Fachin, os ministros Alexandre de Moraes, Rosa Weber, Dias Toffoli, Gilmar Mendes, Ricardo Lewandowski, Luís Roberto Barroso e Cármen Lúcia, que determinaram que o caso seja investigado pela procuradoria de Brasília. A investigação e a prisão de Lula, no entanto, haviam sido referendadas por quatro instâncias da Justiça, inclusive o STF. Fica a dúvida ou o Judiciário errou antes, ou errou depois.

Em janeiro de 2022, a Justiça Federal de Brasília arquivou o processo contra Lula no caso do tríplex, o último que poderia impedir que Lula tomasse posse em cargo eletivo.

Lula concorre à presidência da República em 2022 e, de acordo com as pesquisas eleitorais até a publicação deste livro, vem se mantendo à frente de Bolsonaro.

Dilma Rousseff
Concorreu ao Senado em 2018 pelo PT de Minas Gerais e perdeu.

Jair Bolsonaro
Eleito em outubro de 2018, Bolsonaro tomou posse em janeiro de 2019, deixando muitas promessas de campanha para trás — a primeira delas, a de não se unir ao Centrão. Autorizou a aprovação de um orçamento oculto pelo qual os parlamentares não precisam justificar a aplicação dos recursos de suas emendas, o que foi considerado por muitos uma espécie de Mensalão institucionalizado do governo bolsonarista.

Teve uma atuação desastrosa na pandemia: brigou com os governadores e, na contramão do mundo, se colocou contra a vacina e as restrições de circulação. O Brasil registrou quase 700 mil mortes pela covid-19. Ao ser perguntado sobre os mortos pela doença, respondeu: "Eu não sou coveiro, tá certo?".

A política de meio ambiente do governo teve condução trágica, com o aumento do número de queimadas na Amazônia, invasão de terras indígenas e de crimes na região. Na política, entrou em confronto diversas vezes com o Poder Judiciário. Chegou a pedir, em discurso, o fechamento do STF, além de atacar o Parlamento e de participar de uma manifestação pedindo a volta do regime militar. O ex-presidente Michel Temer foi chamado às pressas para apagar o incêndio entre o presidente e os outros dois poderes da República.

Bolsonaro, em seus discursos, se coloca sistematicamente contra a democracia, causando instabilidade política no país. Seus ataques à segurança das urnas eletrônicas passam a impressão de que ele não se conformará com uma derrota nas eleições de 2022.

Como prometera na campanha, lotou seu governo de militares. Mas a estratégia teve recompensa. Os militares da cúpula do governo pressionaram o TSE a aceitar que as Forças Armadas façam parte do sistema que irá acompanhar a segurança das urnas nas eleições. Foi a primeira vez, após a implantação desse sistema de votação, que os militares resolveram criar caso com as urnas. Nas eleições anteriores, as Forças Armadas se comportaram de acordo com o esperado e não se intrometeram no processo nem puseram em dúvida a segurança do dispositivo. No dia 13 de junho de 2022, para evitar que os militares questionassem o sistema, o TSE cedeu e confirmou as Forças Armadas como uma das dezesseis entidades fiscalizadoras das eleições.

Temeroso de uma derrota eleitoral, Bolsonaro, durante a Cúpula das Américas, nos Estados Unidos, em junho de 2022, pediu ao presidente americano, Joe Biden, que o ajude a evitar a volta de Lula ao poder. Biden desconversou.

Agradecimentos

A Julia Pecly, parceira na pesquisa para o livro.

Ao meu editor, Otavio Costa, por sua aposta, seu entusiasmo e seu apoio permanente durante os meses de preparação do livro.

A João Moreira Salles e a André Petry, que generosamente me liberaram da revista piauí por quatro meses para que eu pudesse levar adiante este livro.

À minha família — Ludy, Silvia, João, Marina, Luiza, Bruno, João Vicente, Ana, Irene, Julia, Cristina e Bruno Dieguez —, pelo suporte durante os meses de pesquisa e escrita de *O ovo da serpente*.

Aos amigos, que acompanharam com empolgação o desenrolar deste projeto.

Notas

1. O OVO DA SERPENTE [pp. 29-55]

1. Consuelo Dieguez, "Juventude bolsonarista", *piauí*, n. 148, jan. 2019. Disponível em: <https://piaui.folha.uol.com.br/materia/juventude-bolsonarista/>
2. Ibid.
3. Ibid.
4. Felipe Moura Brasil, "Breve história do bolsolavismo", O Antagonista, 29 jul. 2020. Disponível em: <https://oantagonista.uol.com.br/brasil/entenda-a-historia-das-relacoes-entre-bolsonaro-e-olavo-de-carvalho/>.
5. Consuelo Dieguez, "Juventude bolsonarista", op. cit.
6. Martim Vasques da Cunha, "Tragédia ideológica", *piauí*, n. 167, ago. 2020. Disponível em: <https://piaui.folha.uol.com.br/materia/tragedia-ideologica/>.
7. Consuelo Dieguez, "Juventude bolsonarista", op. cit.
8. Reinaldo Azevedo, "Como é? Acampamento pró-impeachment é irregular? Por que não se protesta quando terroristas ocupam Brasília?". Disponível em: <https://veja.abril.com.br/coluna/reinaldo/como-e-acampamento-pro-impeachment-e-irregular-por-que-nao-se-protesta-quando-terroristas-ocupam-brasilia/>.

2. "BRASIL ACIMA DE TUDO" [pp. 56-73]

1. Consuelo Dieguez, "Direita, volver", *piauí*, n. 120, set. 2016. Disponível em: <https://piaui.folha.uol.com.br/materia/direita-volver/>.
2. Ricardo Ferraz, "Bolsonaro tem papel de 'causar explosão' para permitir ação 'reparado-

ra' de militares, diz antropólogo", *BBC News Brasil*, 7 jun. 2020. Disponível em: <https://www.bbc.com/portuguese/brasil-52926714>.

3. Jorge Zaverucha, "(Des)controle civil sobre os militares no governo Fernando Henrique Cardoso", *Lusotopie*, França, v. 3, pp. 399-418, 2003. Disponível em: <https://app.uff.br/riuff/handle/1/5842>.

4. LIMPANDO A BARRA NO STF [pp. 88-104]

1. Malu Gaspar, "Excelentíssima Fux", *piauí*, n. 115, abr. 2016. Disponível em: <https://piaui.folha.uol.com.br/materia/excelentissima-fux/>.

6. NAS REDES [pp. 120-43]

1. Consuelo Dieguez, "Direita, volver", *piauí*, n. 120, set. 2016. Disponível em: <https://piaui.folha.uol.com.br/materia/direita-volver/>.

2. Ibid.

3. Ibid.

4. Ibid.

5. Ibid.

6. Bruna Borges e Fernanda Calgaro, "A única coisa boa do Maranhão é o presídio de Pedrinhas, diz Bolsonaro", UOL Notícias, 11 fev. 2014. Disponível em: <https://noticias.uol.com.br/politica/ultimas-noticias/2014/02/11/minha-proposta-e-defender-direitos-da-maioria-e-nao-da-minoria-diz-bolsonaro.htm>.

7. Daniel Carvalho e Marina Dias, "'Hoje, o gordinho virou mariquinha', diz Bolsonaro ao criticar politicamente correto", *Folha de S.Paulo*, 6 jun. 2018. Disponível em: <https://www1.folha.uol.com.br/poder/2018/06/hoje-o-gordinho-virou-mariquinha-diz-bolsonaro-ao-criticar-politicamente-correto.shtml>.

8. Camila Mattoso e Italo Nogueira, "Veja entrevista de Bolsonaro à Folha sobre patrimônio e auxílio-moradia", *Folha de S.Paulo*, 13 jan. 2018. Disponível em: <https://www1.folha.uol.com.br/poder/2018/01/1950202-veja-trechos-da-entrevista-de-bolsonaro-a-folha-em-angra-dos-reis.shtml>.

9. Consuelo Dieguez, "Estranhos no ninho", *piauí*, n. 141, jun. 2018. Disponível em: <https://piaui.folha.uol.com.br/materia/estranhos-no-ninho/>.

7. O PODER ECONÔMICO ENTRA NO JOGO [pp. 144-78]

1. Paulo Guedes, "Vácuo ao centro", *O Globo*, 18 set. 2017. Disponível em: <http://oglobo-digital.oglobo.globo.com/epaper/viewer.aspx?token=1f8caf06d200900000003>.

2. Kimberly A. Strassel, "Steve Bannon on Politics as War", *The Wall Street Journal*, 18 nov. 2016.

3. Roberto Kaz, "O patriota", *piauí*, n. 168, set. 2020. Disponível em: <https://piaui.folha.uol.com.br/materia/o-patriota-2/>.

4. Ibid.

8. O QUE A IMPRENSA NÃO VIU [pp. 179-97]

1. Andrew Sullivan, "Os limites da democracia", *piauí*, n. 117, jun. 2016. Disponível em: <https://piaui.folha.uol.com.br/materia/trump-e-os-limites-da-democracia/>.

2. Consuelo Dieguez, "Direita, volver", *piauí*, n. 120, set. 2016. Disponível em: < https://piaui.folha.uol.com.br/materia/direita-volver/>.

3. Consuelo Dieguez, "Anatomia de uma delação", *piauí*, n. 133, out. 2017. Disponível em: <https://piaui.folha.uol.com.br/materia/anatomia-de-uma-delacao/>.

4. Ricardo Gandour, *Jornalismo em retração, poder em expansão: Como o encolhimento das redações e o uso crescente de redes sociais por governantes podem degradar o ambiente informativo e prejudicar a democracia*, São Paulo, USP, 2019, dissertação de mestrado. Disponível em: <https://teses.usp.br/teses/disponiveis/27/27153/tde-23072019-114456/pt-br.php>.

9. "MANDA ESSA DOIDA DE VOLTA PRA SÃO PAULO" [pp. 198-216]

1. Julia Duailibi, "A acusadora", *piauí*, n. 122, nov. 2016. Disponível em: <https://piaui.folha.uol.com.br/materia/a-acusadora-janaina-paschoal/>.

10. A CAMPANHA VIRTUAL [pp. 217-38]

1. "General Mourão sobre 13º salário: 'se arrecadamos 12, como é que nós pagamos 13?', YouTube, 27 set. 2018. Disponível em: <https://www.youtube.com/watch?v=NPJybGdO5O0>.

2. "General Mourão admite que, na hipótese de anarquia, pode haver 'autogolpe' do presidente com apoio das Forças Armadas", G1, Brasília, 8 set. 2018. Disponível em: <https://g1.globo.com/politica/eleicoes/2018/noticia/2018/09/08/general-mourao-admite-que-na-hipotese-de-anarquia-pode-haver-autogolpe-do-presidente-com-apoio-das-forcas-armadas.ghtml>.

3. Jamile Silva, "O movimento #ELENÃO e seu apagamento discursivo sob a contranarrativa do #ELESIM". *Revista do GELNE*, Natal, v. 23, n. 1, pp. 17-28, 2021. Disponível em: <https://periodicos.ufrn.br/gelne/article/view/21275>.

4. Consuelo Dieguez, "A festa que Bolsonaro cancelou", *piauí*, 9 out. 2018. Disponível em: <https://piaui.folha.uol.com.br/festa-que-bolsonaro-cancelou/>.

5. Ibid.

6. "Bolsonaro: 'Eu tenho 5 filhos. Foram 4 homens, a quinta eu dei uma fraquejada e veio uma mulher'", YouTube, 6 abr. 2017. Disponível em: <https://www.youtube.com/watch?v=Cp1GdBx-32CM>.

11. O AGRONEGÓCIO: "ESTAMOS APANHANDO DO PT HÁ QUINZE ANOS" [pp. 239-63]

1. Raoni Alves, "Deputados da bancada ruralista manifestam apoio a Bolsonaro em reunião no Rio". G1, Rio de Janeiro, 10 out. 2018. Disponível em: <https://g1.globo.com/rj/rio-de-

-janeiro/eleicoes/2018/noticia/2018/10/10/deputados-da-bancada-ruralista-se-reunem-com--bolsonaro-e-manifestam-apoio-ao-candidato-do-psl.ghtml>.

2. Jeffrey Hoelle, *Caubóis da floresta: o crescimento da pecuária e a cultura de gado na Amazônia brasileira*. Rio Branco: Edufac, 2021.

3. Fabiano Maisonnave, "Criador de boi não é burro nem bandido, diz antropólogo que estudou os caubóis da Amazônia", Entrevista da 2ª, *Folha de S.Paulo*, 26 dez. 2021. Disponível em: <https://www1.folha.uol.com.br/ambiente/2021/12/criador-de-boi-nao-e-burro-nem-bandi-do-diz-antropologo-que-estudou-os-caubois-da-amazonia.shtml>.

4. Daniel Camargos, "Ex-pistoleiro denuncia milícia em organização de Nabhan Garcia, secretário de Bolsonaro", Repórter Brasil, 5 abr. 2019. Disponível em: <https://reporterbrasil.org.br/2019/04/ex-pistoleiro-milicia-organizacao-nabhan-garcia-bolsonaro/>.

5. Roldão Arruda, "Relator da cpi da Terra pede indiciamento de líder da udr", *O Estado de S. Paulo*, Nacional, 22 nov. 2005, p. A-13. Disponível em: <https://acervo.estadao.com.br/pagina/#!/20051122-40943-nac-12-pol-a12-not>.

6. Consuelo Dieguez, "A agrobombeira", *piauí*, n. 156, set. 2019. Disponível em: <https://piaui.folha.uol.com.br/materia/a-agrobombeira/>.

7. Ibid.

12. VITÓRIA SEM SABOR [pp. 264-72]

1. Juliana Gragnani, "Governo Bolsonaro: quem é quem no disputado espaço em volta do presidente eleito em seu discurso de vitória". bbc News Brasil, 31 out. 2018. Disponível em: <https://www.bbc.com/portuguese/brasil-46012368>.

2. Caio Junqueira e Filipe Coutinho, "O candidato a lobista-geral da República", *Crusoé*, 9 nov. 2018. Disponível em: <https://crusoe.uol.com.br/edicoes/28/o- candidato-a-lobista-geral--da-republica/>.

EPÍLOGO [pp. 273-98]

1. Consuelo Dieguez, "Juventude bolsonarista". *piauí*, n. 148, jan. 2019. Disponível em: < https://piaui.folha.uol.com.br/materia/juventude-bolsonarista/>.

2. Consuelo Dieguez, "Na encruzilhada", *piauí*, n. 183, dez. 2021. Disponível em: <https://piaui.folha.uol.com.br/materia/na-encruzilhada/>.

3. Chico Alves, "General Santa Rosa sobre Bolsonaro: 'Governar não é ação entre amigos'", Coluna Chico Alves, uol, 4 dez. 2019. Disponível em: <noticias.uol.com.br/colunas/chico-alves/2019/12/04/general-santa-rosa-sobre-bolsonaro-governar-nao-e-acao-entre-amigos.htm?cmpid>.

4. Cristiane Barbieri, "'Acreditei e votei no Bolsonaro em 2018, mas ele nunca mais terá o meu voto', diz Luis Stuhlberger", *O Estado de S. Paulo*, 28 mar. 2021. Disponível em: <https://economia.estadao.com.br/noticias/geral,acreditei-e-votei-no-bolsonaro-em-2018-mas-ele--nunca-mais-tera-o-meu-voto,70003662780>.

5. Cristina Indio do Brasil, "Operação da Vila Cruzeiro deixa 23 mortos, diz Polícia Civil do Rio". Agência Brasil, 26 maio 2022. Disponível em: <https://agenciabrasil.ebc.com.br/geral/noticia/2022-05/operacao-da-vila-cruzeiro-deixa-23-mortos-diz-policia-civil>.

Lista de entrevistados

Alberto Fraga
Alex Melo
André Marinho
Ariovaldo Ramos
Bruno Oliveira
Caio Fábio
Carlos Andreazza
Cezar Britto
Eduardo Giannetti
Everaldo Dias Pereira
Fabio Wajngarten
Felipe Moura Brasil
General Hamilton Mourão
General Oswaldo Ferreira
General Paulo Chagas
General Santos Cruz
Gláucio Souza
Izabella Teixeira
Janaina Paschoal

Jorge Izar
Juliano Assunção
Leonardo Costa
Leticia Catelani
Luis Stuhlberger
Luiz Medeiros
Luiz Philippe de Orleans e Bragança
Magali Cunha
Mano Ferreira
Manoel Fernandes
Manuel Domingos Neto
Marcelo Dutra
Marco Antônio Rodrigues de Oliveira
Marco Feliciano
Marcos Carvalho
Maria Cristina Szabo
Meyer Nigri
Nabhan Garcia
Nicolino Bozzella Junior

Olavo de Carvalho
Otávio Fakhoury
Mateus Henrique
Paulo Guedes
Paulo Marinho
Rebeca Ribeiro

Renan Santos
Renato Loures
Rodrigo Morais
Sergio Bivar
Tereza Cristina
Victor Metta

Algumas entrevistas foram realizadas para reportagens da autora para a revista *piauí* e, por serem complementares, utilizadas no livro.

Referências

LIVROS E ARTIGOS

1. O ovo da serpente

DIEGUEZ, Consuelo. "Juventude bolsonarista". *piauí*, n. 148, jan. 2019. Disponível em: <https://piaui.folha.uol.com.br/materia/juventude-bolsonarista/>. Acesso em: 25 maio 2022.

BRASIL, Felipe Moura. "Breve história do bolsolavismo". O Antagonista, 29 jul. 2020. Disponível em: <https://oantagonista.uol.com.br/brasil/entenda-a-historia-das-relacoes-entre-bolsonaro-e-olavo-de-carvalho/>. Acesso em: 25 maio 2022.

CARVALHO, Olavo de. *O mínimo que você precisa saber para não ser um idiota*. Rio de Janeiro: Record, 2013.

_____. *O imbecil coletivo: Atualidades inculturais brasileiras*. Rio de Janeiro: Record, 2018.

CUNHA, Martim Vasques da. "Tragédia ideológica". *piauí*, n. 167, ago. 2020. Disponível em: <https://piaui.folha.uol.com.br/materia/tragedia-ideologica/>. Acesso em: 25 maio 2022.

AZEVEDO, Reinaldo. "Como é? Acampamento pró-impeachment é irregular? Por que não se protesta quando terroristas ocupam Brasília?". Blog do

Reinaldo Azevedo, *Veja*, 23 out. 2015. Disponível em: <https://veja.abril.com.br/coluna/reinaldo/como-e-acampamento-pro-impeachment-e--irregular-por-que-nao-se-protesta-quando-terroristas-ocupam-brasilia/>. Acesso em: 25 maio 2022.

2. "Brasil acima de tudo"

DIEGUEZ, Consuelo. "Direita, volver". *piauí*, n. 120, set. 2016. Disponível em: <https://piaui.folha.uol.com.br/materia/direita-volver/>. Acesso em: 25 maio 2022.

FERRAZ, Ricardo. "Bolsonaro tem PAPEL DE 'CAUSAR EXPLOSÃO' PARA PERMITIR AÇÃO 'REPARADORA' DE MILITARES, DIZ ANTROPÓLOGO". BBC News Brasil, 7 jun. 2020. Disponível em: <https://www.bbc.com/portuguese/brasil-52926714>. Acesso em: 25 maio 2022.

ZAVERUCHA, Jorge. "(Des)controle civil sobre os militares no governo Fernando Henrique Cardoso". *Lusotopie*, Paris, n. 10, pp. 399-418, 2003. Disponível em: <https://www.persee.fr/doc/luso_1257-0273_2003_num_10_1_1569>. Acesso em: 25 maio 2022.

CASTRO, Celso (Org.). *General Villas Bôas: conversa com o comandante*. Rio de Janeiro: Editora FGV, 2021.

"DE PRÓPRIO punho". *Veja*, 4 nov. 1987.

3. "Deus acima de todos"

FÁBIO, Caio. *Confissões do pastor*. Rio de Janeiro: Record, 1997.

CUNHA, Magali. "'Pelo governo de Deus': A inserção de novos movimentos fundamentalistas estadunidenses na arena política do Brasil durante o governo Trump". *Ciencias Sociales y Religión*, Campinas, v. 23, e021022, 2021. Disponível em: <https://econtents.bc.unicamp.br/inpec/index.php/csr/article/view/15164/10842>. Acesso em: 28 jun. 2022.

_____. *Do púlpito às mídias sociais: Evangélicos na política e ativismo digital*. Curitiba: Appris, 2019.

MENDONÇA, Amanda. "A 'governabilidade' petista: Reflexões sobre Estado, religião e política no Brasil". *Revista Brasileira de História das Religiões*, Maringá, ano XIII, n. 39, jan.-abr. 2021. Disponível em: <https://periodicos.uem.br/ojs/index.php/RbhrAnpuh/article/download/55461/751375151521/>. Acesso em: 28 jun. 2022.

COSTA, Fabiano; PASSARINHO, Nathalia. "'Sou um soldado do Feliciano', afirma deputado Jair Bolsonaro". G1, 27 mar. 2013. Disponível em: <https://g1. globo.com/politica/noticia/2013/03/sou-um-soldado-do-feliciano-afirma-deputado-jair-bolsonaro.html>. Acesso em: 28 jun. 2022.

"LIVRO de educação sexual alvo de boato foi comprado pelo MinC". G1, 21 jan. 2016. Disponível em: <https://g1.globo.com/educacao/noticia/2016/01/livro-de-educacao-sexual-alvo-de-boato-foi-comprado-pelo-minc.html>. Acesso em: 28 jun. 2022.

PULLELLA, Philip. "Gay Marriage a Threat to Humanity's Future: Pope". Reuters, 9 jan. 2012. Disponível em: <https://www.reuters.com/article/us-pope-gay-idUSTRE8081RM20120109>. Acesso em: 28 jun. 2022.

"BENEDICT XVI: Gender Theory Puts Children's Dignity at Risk". *La Stampa*, 21 dez. 2012. Disponível em: <https://www.lastampa.it/vatican-insider/en/2012/12/21/news/benedict-xvi-gender-theory-puts-children-s-dignity-at-risk-1.36354121>. Acesso em: 28 jun. 2022.

6. Nas redes

DIEGUEZ, Consuelo. "Direita, volver". *piauí*, n. 120, set. 2016. Disponível em: <https://piaui.folha.uol.com.br/materia/direita-volver/>. Acesso em: 25 maio 2022.

MELLO, Patrícia Campos. "Empresários bancam campanha contra o PT pelo WhatsApp". *Folha de S.Paulo*, 18 out. 2018. Disponível em: <https://www1.folha.uol.com.br/poder/2018/10/empresarios-bancam-campanha-contra-o-pt-pelo-whatsapp.shtml>. Acesso em: 25 maio 2022.

DIEGUEZ, Consuelo. "Estranhos no ninho". *piauí*, n. 141, jun. 2018. Disponível em: <https://piaui.folha.uol.com.br/materia/estranhos-no-ninho/>. Acesso em: 25 maio 2022.

MATTOSO, Camila; NOGUEIRA, Italo. "Veja entrevista de Bolsonaro à *Folha* sobre patrimônio e auxílio-moradia". *Folha de S.Paulo*, 13 jan. 2018. Disponível em: <https://www1.folha.uol.com.br/poder/2018/01/1950202-veja-trechos-da-entrevista-de-bolsonaro-a-folha-em-angra-dos-reis.shtml>. Acesso em: 25 maio 2022.

7. O poder econômico entra no jogo

GUEDES, Paulo. "Vácuo ao centro". *O Globo*, 18 set. 2017. Disponível em:

<https://acervo.oglobo.globo.com/consulta-ao-acervo/?navegacaoPor-Data=201020170918>. Acesso em: 25 maio 2022.

STRASSEL, Kimberly A. "Steve Bannon on Politics as War". *The Wall Street Journal*, 18 nov. 2016. Disponível em: <https://www.wsj.com/articles/steve--bannon-on-politics-as-war-1479513161>. Acesso em: 25 maio 2022.

MISES, Ludwig von. *As seis lições*. São Paulo: Instituto Mises, 1979.

ELLIOTT, Philip; MILLER, Zeke J. "Inside Donald Trump's Chaotic Transition". *Time*, 17 nov. 2016. Disponível em: <https://time.com/4574493/donald--trump-chaotic-transition/>. Acesso em: 25 maio 2022.

SOARES, Ana Carolina; ROSARIO, Mariana. "Faria limers: Como é o jeito de viver de quem trabalha no 'condado'". *Veja São Paulo*, 13 dez. 2019. Disponível em: <https://vejasp.abril.com.br/cidades/faria-lima-condado-mercado--financeiro/>. Acesso em: 25 maio 2022.

GUEDES, Paulo. "Das ruas às urnas". *O Globo*, 9 out. 2017. Disponível em: <https://acervo.oglobo.globo.com/consulta-ao-acervo/?navegacaoPorDa-ta=201020171009>. Acesso em: 25 maio 2022.

KAZ, Roberto. "O patriota: A trajetória do Véio da Havan". *piauí*, n. 168, set. 2020. Disponível em: <https://piaui.folha.uol.com.br/materia/o-patrio-ta-2/>. Acesso em: 25 maio 2022.

BARBIERI, Cristiane. "'Acreditei e votei no Bolsonaro em 2018, mas ele nunca mais terá o meu voto', diz Luis Stuhlberger". *O Estado de S. Paulo*, 28 mar. 2021. Disponível em: <https://economia.estadao.com.br/noticias/ge-ral,acreditei-e-votei-no-bolsonaro-em-2018-mas-ele-nunca-mais-tera--o-meu-voto,70003662780>. Acesso em: 25 maio 2022.

8. O que a imprensa não viu

PESQUISAS FPA. "Percepções e valores políticos nas periferias de São Paulo". São Paulo: Fundação Perseu Abramo, maio 2017. Disponível em: <https://fpabramo.org.br/publicacoes/wp-content/uploads/sites/5/2017/05/Pes-quisa-Periferia-FPA-040420172.pdf>. Acesso em: 25 maio 2022.

PIAIA, Victor; NUNES, Raul. "Política, entretenimento e polêmica: Bolsonaro nos programas de auditório". IESP nas Eleições, 8 ago. 2018. Disponível em: <http://18.218.105.245/politica-entretenimento-e-polemica-bolsonaro--nos-programas-de-auditorio/>. Acesso em: 25 maio 2022.

SULLIVAN, Andrew. "Trump e os limites da democracia". *piauí*. n. 117, jun. 2016.

Disponível em: <https://piaui.folha.uol.com.br/materia/trump-e-os-li-mites-da-democracia/>. Acesso em: 25 maio 2022.

DIEGUEZ, Consuelo. "Direita, volver". *piauí*, n. 120, set. 2016. Disponível em: <https://piaui.folha.uol.com.br/materia/direita-volver/>. Acesso em: 25 maio 2022.

_____. "Anatomia de uma delação". *piauí*, n. 133, out. 2017. Disponível em: <https://piaui.folha.uol.com.br/materia/anatomia-de-uma-delacao/>. Acesso em: 25 maio 2022.

GANDOUR, Ricardo. *Jornalismo em retração, poder em expansão: Como o enco-lhimento das redações e o uso crescente de redes sociais por governantes podem degradar o ambiente informativo e prejudicar a democracia.* Dissertação de mestrado. São Paulo: USP, 2019. Disponível em: <https://teses.usp.br/teses/disponiveis/27/27153/tde-23072019-114456/publico/RicardoGandour.pdf>. Acesso em: 25 maio 2022.

MASSING, Michael. "Digital Journalism: How Good Is It?". *The New York Review of Books*, 4 jun. 2015. Disponível em: <https://www.nybooks.com/articles/2015/06/04/digital-journalism-how-good-is-it/>. Acesso em: 25 maio 2022.

STARKMAN, Dean. *The Watchdog that Didn't Bark: The Financial Crisis and the Disappearence of Investigative Journalism.* Nova York: Columbia University Press, 2014.

9. "Manda essa doida de volta pra São Paulo"

DUALIBI, Julia. "A acusadora". *piauí*, n. 122, nov. 2016. Disponível em: <https://piaui.folha.uol.com.br/materia/a-acusadora-janaina-paschoal/>. Acesso em: 25 maio 2022.

BRAGANÇA, Luiz Philippe de Orleans e. *Por que o Brasil é um país atrasado?* Ribeirão Preto: Novo Conceito, 2017.

10. A campanha virtual

"GENERAL Mourão admite que, na hipótese de anarquia, pode haver 'autogolpe' do presidente com apoio das Forças Armadas". G1, Brasília, 8 set. 2018. Disponível em: <https://g1.globo.com/politica/eleicoes/2018/noticia/2018/09/08/general-mourao-admite-que -na-hipotese-de-anarquia-

-pode-haver-autogolpe-do-presidente-com-apoio-das-forcas-armadas. ghtml>. Acesso em: 28 jun. 2022.

SILVA, Jamile. "O movimento #ELENÃO e seu apagamento discursivo sob a contranarrativa do #ELESIM". *Revista do GELNE*, Natal, v. 23, n. 1, pp. 17-28, 2021. Disponível em: <https://periodicos.ufrn.br/gelne/article/view/21275>. Acesso em: 28 jun. 2022.

DIEGUEZ, Consuelo. "A festa que Bolsonaro cancelou". *piauí*, 9 out. 2018. Disponível em: <https://piaui.folha.uol.com.br/festa-que-bolsonaro-cancelou/>. Acesso em: 28 jun. 2022.

11. O agronegócio: "Estamos apanhando do PT há quinze anos"

HOELLE, Jeffrey. *Caubóis da floresta: O crescimento da pecuária e a cultura de gado na Amazônia brasileira*. Rio Branco: Edufac, 2021.

MAISONNAVE, Fabiano. "Criador de boi não é burro nem bandido, diz antropólogo que estudou os caubóis da Amazônia". *Folha de S.Paulo*, 26 dez. 2021. Disponível em: <https://www1.folha.uol.com.br/ambiente/2021/12/criador-de-boi-nao-e-burro-nem-bandido-diz-antropologo-que-estudou-os-caubois-da-amazonia.shtml>. Acesso em: 28 jun. 2022.

MANSO, Bruno Paes. *A república das milícias: Dos esquadrões da morte à era Bolsonaro*. São Paulo: Todavia, 2020.

CAMARGOS, Daniel. "Ex-pistoleiro denuncia milícia em organização de Nabhan Garcia, secretário de Bolsonaro". Repórter Brasil, 5 abr. 2019. Disponível em: <https://reporterbrasil.org.br/2019/04/ex-pistoleiro-milicia-organizacao-nabhan-garcia-bolsonaro/>. Acesso em: 28 jun. 2022.

ARRUDA, Roldão. "Relator da CPI da Terra pede indiciamento de líder da UDR". *O Estado de S. Paulo*, 22 nov. 2005. Disponível em: <https://acervo.estadao.com.br/pagina/#!/20051122-40943-nac-12-pol-a12-not>. Acesso em: 28 jun. 2022.

DIEGUEZ, Consuelo. "A agrobombeira". *piauí*, n. 156, set. 2019. Disponível em: <https://piaui.folha.uol.com.br/materia/a-agrobombeira/>. Acesso em: 28 jun. 2022.

12. Vitória sem sabor

JUNQUEIRA, Caio; COUTINHO, Filipe. "O candidato a lobista-geral da República". *Crusoé*, 9 nov. 2018. Disponível em: <https://crusoe.uol.com.br/

edicoes/28/o-candidato-a-lobista-geral-da-republica/>. Acesso em: 28 jun. 2022.

Epílogo

DIEGUEZ, Consuelo. "Na encruzilhada". *piauí*, n. 183, dez. 2021. Disponível em: <https://piaui.folha.uol.com.br/materia/na-encruzilhada/>. Acesso em: 28 jun. 2022.

ALVES, Chico. "General Santa Rosa sobre Bolsonaro: 'Governar não é ação entre amigos'". Coluna Chico Alves, UOL, 4 dez. 2019. Disponível em: <noticias.uol.com.br/colunas/chico-alves/2019/12/04/general-santa-rosa-sobre--bolsonaro-governar-nao-e-acao-entre-amigos.htm?cmpid>. Acesso em: 28 jun. 2022.

BRASIL, Cristina Indio do. "Operação da Vila Cruzeiro deixa 23 mortos, diz Polícia Civil do Rio". Agência Brasil, 26 maio 2022. Disponível em: <https://agenciabrasil.ebc.com.br/geral/noticia/2022-05/operacao-da-vila--cruzeiro-deixa-23-mortos-diz-policia-civil>. Acesso em: 28 jun. 2022.

BARBIERI, Cristiane. "'Acreditei e votei no Bolsonaro em 2018, mas ele nunca mais terá o meu voto', diz Luis Stuhlberger". *O Estado de S. Paulo*, 28 mar. 2021. Disponível em: <https://economia.estadao.com.br/noticias/geral,acreditei-e-votei-no-bolsonaro-em-2018-mas-ele-nunca-mais-tera-o-meu-voto,70003662780>. Acesso em: 28 jun. 2022.

ESTA OBRA FOI COMPOSTA PELA SPRESS EM MINION E IMPRESSA
EM OFSETE PELA LIS GRÁFICA SOBRE PAPEL PÓLEN SOFT DA
SUZANO S.A. PARA A EDITORA SCHWARCZ EM AGOSTO DE 2022

A marca FSC® é a garantia de que a madeira utilizada na fabricação do papel deste livro provém de florestas que foram gerenciadas de maneira ambientalmente correta, socialmente justa e economicamente viável, além de outras fontes de origem controlada.